Denise Boyer Gervais

PRINCESSE

DU MÊME AUTEUR
CHEZ LE MÊME ÉDITEUR

Album de famille
La Fin de l'été
Il était une fois l'amour
Au nom du cœur
Secrets
Une autre vie
La Maison des jours heureux
La Ronde des souvenirs
Traversées
Les Promesses de la passion
La Vagabonde
Loving
La Belle Vie
Un parfait inconnu
Kaléidoscope
Zoya
Star
Cher Daddy
Souvenir du Vietnam
Coups de cœur
Un si grand amour
Joyaux
Naissances
Disparu
Le Cadeau
Accident
Plein Ciel
L'Anneau de Cassandra
Cinq Jours à Paris
Palomino
La Foudre
Malveillance
Souvenirs d'amour

Honneur et Courage
Le Ranch
Renaissance
Le Fantôme
Un rayon de lumière
Un monde de rêve
Le Klone et moi
Un si long chemin
Une saison de passion
Double Reflet
Douce Amère
Maintenant et pour toujours
Forces irrésistibles
Le Mariage
Mamie Dan
Voyage
Le Baiser
Rue de l'Espoir
L'Aigle solitaire
Le Cottage
Courage
Vœux secrets
Coucher de soleil à Saint-Tropez
Rendez-vous
A bon port
L'Ange gardien
Rançon
Les Echos du passé
Seconde Chance
Impossible
Eternels Célibataires
La Clé du bonheur
Miracle

Danielle Steel

PRINCESSE

Roman

Traduit de l'anglais (Etats-Unis)
par Edwige Hennebelle

Titre original : *H.R.H.*

© Danielle Steel, 2006

© Presses de la Cité, un département de place des éditeurs, 2008 pour la traduction française

ISBN 978-2-258-07441-5

A mes enfants bien-aimés, Beatrix, Trevor, Todd, Nick, Samantha, Victoria, Vanessa, Maxx, Zara, avec tout mon amour et ma reconnaissance à vous qui êtes si fabuleux, avec ma profonde gratitude pour votre gentillesse, votre affection, ainsi que pour votre générosité.

Puisse votre vie être facile et heureuse, puissent les opportunités dont vous rêvez se présenter à vous.

Puissiez-vous trouver joie, sérénité et amour.

Je vous souhaite des amis, des compagnons, des conjoints qui vous chérissent et vous traitent avec tendresse, amour et respect, et des enfants aussi merveilleux que vous.

Si vos enfants vous ressemblent, soyez assurés qu'ils seront une bénédiction pour vous.

Avec tout mon amour,

Maman/d.s.

1

De la fenêtre de sa chambre, Christianna contemplait le coteau noyé de pluie. Sous ses yeux, un gros chien blanc au poil gorgé d'eau creusait un trou dans la boue. De temps à autre, il relevait la tête et la regardait en agitant la queue, avant de recommencer à gratter furieusement. Charles était un Montagne des Pyrénées que son père lui avait offert huit ans plus tôt et il était, à bien des égards, son meilleur ami. Christianna éclata de rire lorsqu'il donna la chasse à un lapin, qui lui échappa en détalant. Charles aboya frénétiquement, puis recommença à creuser, en quête d'une nouvelle proie. Il s'amusait comme un fou et elle prenait autant de plaisir à le regarder.

En cette fin d'été, la température était encore clémente. Christianna avait retrouvé Vaduz en juin, après quatre années d'études à Berkeley. Revenir chez elle lui avait causé un choc, et le seul point positif, jusqu'à présent, était Charles. Si elle avait des cousins en Angleterre et en Allemagne, et partout en Europe, son seul ami était Charles. Elle menait une vie protégée et solitaire, et il en avait toujours été ainsi. Il semblait peu probable qu'elle revoie un jour ses amis de Berkeley.

Lorsque le chien disparut en direction des écuries, Christianna se précipita hors de sa chambre, bien décidée à sortir pour l'accompagner. Elle saisit au passage son imperméable et les bottes en caoutchouc qu'elle portait pour nettoyer la stalle de son cheval, puis dévala l'escalier de service. Personne ne la remarqua et elle en remercia le ciel. Quelques instants plus tard, elle était dehors et s'élançait sur les traces du gros chien blanc. A l'appel de son nom, il bondit vers elle, manquant la renverser. En éclaboussant tout autour de lui avec sa queue mouillée, il posa une patte sale sur Christianna, lui donna un grand coup de langue sur le visage quand elle se pencha pour le flatter, puis repartit comme une flèche, tandis qu'elle éclatait de rire. Elle prit en courant la piste cavalière, Charles gambadant à ses côtés. Il faisait trop mauvais, aujourd'hui, pour monter à cheval.

Dès que le chien s'écartait du sentier, elle le rappelait ; il marquait alors une brève hésitation avant de revenir vers elle. C'était un animal obéissant, mais la pluie l'excitait, il avait envie de jouer et Christianna s'amusait tout autant que lui.

Elle ne s'arrêta qu'au bout d'une heure, un peu essoufflée, Charles haletant bruyamment à côté d'elle. Elle prit alors un raccourci, qui les ramena en une demi-heure à leur point de départ. Ils venaient de passer un merveilleux moment mais étaient aussi crottés l'un que l'autre. Les longs cheveux de Christianna, d'un blond presque blanc, étaient emmêlés et plaqués sur son visage mouillé, et même ses cils étaient collés par la pluie. Elle ne se maquillait jamais, sauf lorsqu'elle devait sortir ou être photographiée, et, ce jour-là, elle portait un jean acheté à Berkeley.

C'était un souvenir de sa vie perdue. Elle avait goûté chaque jour de chacune des quatre années passées à l'université de Berkeley, après s'être durement battue pour obtenir le droit d'y aller. Son frère avait étudié à Oxford, et leur père avait envisagé la Sorbonne pour elle. Mais Christianna avait tellement insisté pour poursuivre ses études aux Etats-Unis que son père avait fini par y consentir, à regret.

Etre si loin de chez elle lui avait apporté une liberté qu'elle avait savourée à chaque instant, et elle avait détesté devoir rentrer en juin, une fois son diplôme obtenu. Elle s'était fait là-bas des amis qui lui manquaient déjà ; à présent, ils appartenaient à cette autre vie qu'elle regrettait tant.

Christianna était revenue dans son pays, pour assumer ses responsabilités et faire ce qu'on attendait d'elle. Elle supportait mal ce lourd fardeau, allégé seulement par de trop rares moments comme celui-ci. Depuis son retour, elle avait l'impression d'être en prison, et cela, pour la vie. Elle ne pouvait le dire à personne, car elle aurait paru être une ingrate. Son père se montrait extrêmement gentil avec elle. Il avait senti, plus qu'il n'avait vu, sa tristesse d'avoir quitté les Etats-Unis, mais il ne pouvait rien y faire. Christianna savait aussi bien que lui que son enfance était terminée, tout comme la liberté dont elle avait joui en Californie.

Lorsqu'ils parvinrent au bout de l'allée cavalière, Charles leva les yeux vers sa maîtresse, semblant lui demander : « Faut-il vraiment rentrer ? »

— Je sais, murmura Christianna en lui tapotant le flanc. Moi non plus, je n'en ai pas envie...

La pluie lui mouillait le visage, mais elle se souciait aussi peu que le chien d'être trempée. Son imperméable la protégeait. La vue de Charles la fit éclater de rire. Comment croire que ce chien crotté était blanc ?

Prendre de l'exercice lui avait fait du bien, comme à son fidèle compagnon, qui, les yeux tournés vers elle, agitait la queue. C'est donc tranquillement qu'ils regagnèrent la maison. Christianna avait espéré rentrer discrètement par la porte de service, mais Charles était si sale que c'était difficile. Elle était obligée de passer par la cuisine. Après cette sortie, il n'échapperait pas au bain.

Elle poussa doucement la porte de la cuisine, dans l'espoir de ne pas attirer l'attention ; mais dès qu'elle l'eut ouverte, l'énorme animal la bouscula, bondit au milieu de la pièce et se mit à aboyer comme un fou. « Pour une entrée discrète... » songea-t-elle avec une petite grimace, avant de jeter un regard contrit aux visages familiers qui l'entouraient. Les gens qui étaient au service de son père se montraient toujours gentils avec elle, et elle regrettait parfois de ne plus pouvoir s'asseoir parmi eux, dans une atmosphère amicale et chaleureuse, comme lorsqu'elle était petite. Ce temps-là aussi était révolu. Ils ne la traitaient plus de la même manière que lorsque son frère Friedrich et elle étaient enfants. Christianna avait eu vingt-trois ans cet été ; Friedrich, en Asie pour un voyage de six mois, était de dix ans son aîné.

Sans cesser d'aboyer, Charles s'ébroua avec vigueur, éclaboussant tout le monde de boue, malgré les efforts de Christianna pour le maîtriser.

— Je suis vraiment désolée, dit-elle tandis que Tilda, la cuisinière, s'essuyait le visage avec son tablier.

Celle-ci secoua la tête et lui sourit avec bonne humeur – elle la connaissait depuis sa naissance –, tout en adressant un petit signe à un jeune garçon qui se précipita pour emmener le chien.

— J'ai bien peur qu'il ne soit affreusement sale, dit Christianna en lui souriant.

Si seulement elle avait pu laver le chien elle-même ! Elle aimait s'en occuper, mais il était plus que probable qu'on ne le lui permettrait pas. Le malheureux Charles laissa échapper un jappement de protestation quand on l'entraîna.

— Je pourrais lui donner son bain...

Mais le chien était déjà parti.

— Bien sûr que non, Mademoiselle, protesta Tilda, les sourcils froncés, avant d'essuyer le visage de Christianna avec une serviette propre.

Si elle avait été encore une enfant, Tilda l'aurait grondée et accusée d'être plus sale que le chien.

— Voulez-vous manger quelque chose ?

Christianna, qui ne s'était pas posé la question, secoua la tête.

— Votre père est dans la salle à manger. Il vient de terminer son potage. Je pourrais vous en faire porter…

Après une hésitation, Christianna acquiesça en silence.

Elle n'avait pas encore vu son père aujourd'hui et elle aimait partager avec lui ces moments tranquilles où il ne travaillait pas et disposait de quelques minutes, ce qui était rare. Le plus souvent entouré de membres de son personnel, il était toujours attendu à une réunion ou à une autre. Prendre un repas seul – ou mieux encore avec sa fille – était un luxe qu'il savourait particulièrement.

Christianna l'adorait et n'avait accepté de quitter Berkeley que pour lui. Certes, elle n'avait pas eu le choix. Elle aurait aimé poursuivre ses études, à seule fin de rester aux Etats-Unis, mais elle n'avait pas osé le demander, sachant que la réponse aurait été négative. Son père voulait l'avoir auprès de lui. Christianna savait qu'elle devait se montrer responsable pour deux, son frère ne l'étant pas du tout. Son fardeau aurait été moins lourd si Friedrich avait assumé ses devoirs. Mais il n'y avait aucun espoir de ce côté-là.

Après avoir suspendu son imperméable à une patère, elle ôta ses bottes. Elles étaient beaucoup plus petites que toutes celles qui étaient alignées là. Christianna était très petite et ressemblait à une miniature. Lorsqu'elle portait des chaussures plates et que ses longs cheveux blonds tombaient librement dans son dos, comme à cet instant, il arrivait que son frère, pour la taquiner, la compare à une gamine. Elle avait des mains fines et délicates, une silhouette de rêve qui

13

n'avait rien d'enfantin, même si elle était un peu trop mince, et un profil de camée. On disait qu'elle ressemblait beaucoup à sa mère et un peu à son père, dont elle tenait sa blondeur. Lui et son frère étaient en revanche très grands, largement au-delà du mètre quatre-vingts, alors que sa mère avait été aussi petite qu'elle.

Celle-ci était morte d'un cancer, dix-huit ans plus tôt. Christianna avait cinq ans et Friedrich quinze. Leur père ne s'étant jamais remarié, Christianna jouait à présent le rôle de maîtresse de maison. A ce titre, elle accueillait les invités lors des repas officiels et autres manifestations importantes. C'était une des responsabilités qui lui incombaient et, même si elle n'y prenait pas de plaisir, elle l'accomplissait le mieux possible, par égard pour lui. Tous deux avaient toujours été extrêmement proches. Il savait à quel point il avait été difficile pour Christianna de grandir sans mère. Malgré ses nombreuses obligations, il s'était toujours efforcé de jouer à la fois le rôle de père et de mère auprès d'elle – une tâche quelquefois ardue.

En jean, pull et chaussettes, Christianna monta quatre à quatre l'escalier de service. Elle arriva à l'office légèrement essoufflée, salua les personnes présentes d'un signe de tête et entra sans bruit dans la salle à manger. Seul à table, le visage sérieux, les lunettes sur le nez, son père parcourait une liasse de documents et ne l'entendit pas. Quand elle s'assit silencieusement sur la chaise voisine de la sienne, il releva la tête et lui sourit, ravi de voir sa fille.

— Qu'as-tu fait de beau, Cricky ?

Il l'appelait ainsi depuis qu'elle était toute petite. Comme elle se penchait pour l'embrasser, il posa sa main sur sa tête et remarqua qu'elle avait les cheveux mouillés.

— Tu es sortie sous la pluie ? Es-tu donc montée à cheval par ce temps ?

Il s'inquiétait toujours plus pour elle que pour Freddy. Elle était si menue et lui paraissait si fragile ! Depuis sa naissance, il la considérait comme un don du ciel. De plus, elle ressemblait extraordinairement à sa mère.

Celle-ci avait l'âge de Christianna lorsqu'il l'avait épousée. Elle était française et de sang royal, descendant des Orléans et des Bourbons. Lui aussi était d'ascendance royale. Ses ancêtres étaient allemands pour la plupart, même s'il comptait des cousins en Angleterre. Bien que sa langue maternelle fût l'allemand, il avait toujours parlé français avec la mère de Christianna, langue qu'elle employait avec ses enfants. En souvenir d'elle, il avait continué à s'adresser à eux en français. C'était toujours la langue dans laquelle Christianna se sentait le plus à l'aise et qu'elle préférait, même si elle pratiquait aussi l'allemand, l'italien et l'espagnol. Quant à l'anglais, elle le parlait à présent couramment, ayant fait de fantastiques progrès durant ses quatre années d'études en Californie.

— Tu ne devrais pas monter quand il pleut, gronda-t-il gentiment. Tu vas attraper un rhume, ou pire.

Depuis la mort de sa femme, il redoutait toujours qu'elle ne tombe malade.

— Je ne montais pas, expliqua-t-elle, je suis juste allée me promener avec le chien.

Tandis qu'elle parlait, un valet de pied déposa devant elle une assiette en fine porcelaine de Limoges bordée d'un filet d'or. Le service, vieux de deux cents ans, avait appartenu à sa grand-mère française ; il en existait d'autres d'aussi grande valeur, hérités des ancêtres de son père.

— Avez-vous beaucoup de travail aujourd'hui, papa ?

Son père hocha la tête tout en repoussant ses papiers avec un soupir.

— Pas plus que d'habitude, répondit-il. Il y a tant de drames dans le monde, tant de conflits qui ne peuvent être résolus ! L'aide humanitaire est si compliquée de nos jours... Il n'y a plus rien de simple.

Les engagements humanitaires de son père étaient largement connus, et c'était l'une des choses que Christianna admirait chez lui. Tous ceux qui le connaissaient le tenaient en grande estime et éprouvaient une profonde affection pour lui. Altruiste, courageux et droit, il était un modèle pour ses enfants.

Christianna suivait son exemple et l'écoutait, mais Freddy se montrait plus égocentrique et ne prêtait pas attention aux ordres, aux demandes et aux conseils de son père. La défection de Freddy obligeait Christianna à assumer les devoirs et à défendre les traditions à sa place. Sachant combien leur père était déçu par Freddy, elle se sentait tenue, d'une certaine manière, de compenser ses manquements.

En vérité, Christianna ressemblait beaucoup à son père et s'intéressait passionnément à ce qu'il faisait, surtout lorsqu'il s'agissait d'aider des pays en voie de développement. A plusieurs reprises, elle était partie travailler comme bénévole dans certaines parties pauvres d'Europe, et n'avait jamais été plus heureuse que durant ces missions.

Elle l'écouta avec intérêt lui exposer ses derniers projets, lui donnant de temps à autre son avis sur la question. Ses remarques étaient sensées et intelligentes, et il ne regrettait qu'une chose : que son fils ne possède pas son intelligence et son dynamisme.

Il avait insisté pour que Freddy aille étudier à Oxford, puis à Harvard, où il avait obtenu un diplôme de droit des affaires. Mais cela ne lui était d'aucune utilité, en regard de l'existence qu'il menait.

Il était conscient que, depuis son retour, Christianna avait l'impression de perdre son temps. C'est pourquoi il lui avait proposé d'aller étudier le droit ou les sciences politiques à Paris. La France n'était pas très loin et elle y avait de la famille du côté maternel chez qui elle pourrait loger. De plus, elle pourrait rentrer souvent. Bien sûr, elle aurait aimé avoir son propre appartement mais, même à son âge, c'était exclu.

Christianna hésitait, car elle avait plus envie d'agir de manière utile en venant en aide aux autres que de poursuivre ses études.

L'air confus, le secrétaire de son père entra dans la salle à manger, au moment où ils finissaient le café. Il sourit à Christianna, qui le considérait presque comme un oncle, car elle le connaissait depuis toujours. La plupart des gens qui les entouraient travaillaient pour son père depuis des années.

— Je suis désolé de vous déranger, Votre Altesse... Vous avez rendez-vous avec le ministre des Finances dans vingt minutes, et nous venons de recevoir un rapport sur la monnaie suisse dont vous voudrez peut-être prendre connaissance avant de vous entretenir avec lui. Et notre ambassadeur aux Nations unies sera là à 15 h 30...

Christianna savait que son père serait occupé jusqu'au dîner, et sa présence probablement requise pour une soirée officielle. Elle l'accompagnait parfois, s'il le lui demandait. Sinon, elle restait au palais, ou faisait une brève apparition. Elle ne connaissait plus de soirées décontractées comme celles qu'elle avait passées avec ses amis à Berkeley. A Vaduz, tout n'était que devoir, travail et responsabilités.

— Je vous remercie, Wilhelm, dit son père. Je serai en bas dans quelques minutes.

Quand le secrétaire, après s'être incliné légèrement, eut quitté la pièce, Christianna reporta son regard sur son père et soupira, le menton dans la main. Il la regarda à son tour et sourit. Elle paraissait plus jeune et plus jolie que jamais, malgré son air préoccupé. Même si elle était la plus dévouée des filles, ce qu'il avait craint se vérifiait : les obligations officielles lui pesaient et l'irritaient, constituant un fardeau difficile à supporter pour une jeune femme de vingt-trois ans. Lui-même avait réagi de la même façon, lorsqu'il avait son âge.

Et il en irait de même pour Freddy quand il reviendrait, au printemps prochain, même s'il était plus doué que sa sœur pour se soustraire à ses responsabilités. Il ne songeait qu'à s'amuser et ne faisait que cela depuis sa sortie de Harvard. Seul comptait son plaisir et il ne manifestait aucun désir de changer ou de mûrir.

— Vous n'en avez jamais assez, papa ? Voir tout ce que vous devez assumer m'épuise.

Le travail de son père paraissait sans fin, mais il ne se plaignait jamais. Le sens du devoir faisait partie intégrante de sa personnalité.

— Cela me plaît, répondit-il avec honnêteté. Mais ce n'était pas le cas lorsque j'avais ton âge, ajouta-t-il. Au début, je détestais ça. Je crois même avoir dit à mon père que j'avais l'impression d'être en prison, et il a été horrifié. Avec le temps, on s'y habitue. Toi aussi, ma chérie. Tu verras...

Pour elle comme pour lui, il n'y avait pas d'autre solution. C'était leur destin et, à l'image de son père, Christianna l'acceptait.

Hans Josef de Liechtenstein régnait sur une principauté de cent soixante kilomètres carrés comptant trente-trois mille habitants, entre l'Autriche et la Suisse. Etat indépendant, le Liechtenstein était totalement neutre depuis la Seconde Guerre mondiale, et cette neutralité permettait au prince d'agir partout dans le monde pour soulager les populations souffrantes ou opprimées. Parmi toutes les activités de son père, c'étaient les dossiers humanitaires qui intéressaient le plus Christianna, loin devant la politique internationale, qui, de toute façon, était le domaine de Hans Josef.

Freddy, lui, ne se passionnait ni pour l'humanitaire ni pour la politique, alors que, en tant que prince héritier, il devrait un jour succéder à son père. Dans d'autres pays européens, l'ordre de succession aurait placé Christianna au deuxième rang mais, les femmes n'étant pas autorisées à régner au Liechtenstein, Christianna ne monterait jamais sur le trône. Elle ne le regrettait pas, bien que son père se plût à dire avec fierté qu'elle en aurait eu les capacités, bien plus que son frère.

La charge dont Freddy hériterait un jour ne lui faisait pas envie. Elle éprouvait bien assez de difficultés à accepter la sienne. Lorsqu'elle avait quitté la Californie, elle savait que toute son existence se déroulerait ici, entre devoirs et obligations. Aucun choix n'était possible. Elle s'efforçait donc de seconder son père, dans la mesure de ses moyens, même si, souvent, son travail lui paraissait dénué de sens. A Vaduz, elle avait l'impression de gâcher sa vie.

— Quelquefois, je déteste ce que je fais, avoua-t-elle sans détour.

Il en était conscient, mais n'avait pas le temps de la réconforter, car il était sur le point de recevoir son ministre des Finances. Pourtant, la souffrance qu'il lut dans les yeux de sa fille le bouleversa.

— Je me sens si inutile ici, papa... Alors qu'il y a tant de drames dans le monde, pourquoi dois-je rester ici, à visiter des orphelinats ou à inaugurer des hôpitaux ? Je pourrais servir à quelque chose ailleurs, se plaignit-elle d'une voix empreinte de tristesse.

— Ce que tu fais est important, assura-t-il en lui effleurant doucement la main. Je ne pourrais pas être partout. Tu me représentes et me secondes. Notre peuple est très attaché à toi et au fait que tu sois proche de lui. Si ta mère était encore vivante, elle remplirait exactement les mêmes fonctions que toi.

— Mais pour elle, il s'agissait d'un choix, argua Christianna. Elle savait, en vous épousant, ce qui l'attendait, et cela lui plaisait. Moi, j'ai toujours l'impression de me contenter de tuer le temps.

Tous deux avaient conscience qu'elle se marierait un jour avec un homme d'aussi haute naissance qu'elle. En exerçant ses fonctions actuelles, elle se préparait à sa future existence, que son époux fût prince souverain comme Hans Josef ou prince héritier comme Freddy. Bien sûr, il ne lui était pas interdit d'épouser un roturier, mais les probabilités étaient minces et, en outre, son père ne le permettrait jamais. Du côté de sa mère, les Bourbons et les Orléans portaient tous le titre d'altesse royale, comme la mère de son père ; le prince souverain du Liechtenstein, lui, portait celui d'altesse sérénissime ; par sa naissance, Christianna avait hérité des deux, et elle avait choisi celui de « sérénissime ».

Ils étaient apparentés aux Windsor – la reine d'Angleterre était leur cousine issue de germains – ainsi qu'aux Habsbourg, aux Hohenlohe et aux Tour et Taxis. Des liens puissants unissaient la principauté à l'Autriche et à la Suisse, bien qu'il n'y eût pas de famille régnante dans ces deux pays. Tous les parents du prince Hans Josef et de ses enfants, ainsi que tous leurs ancêtres sans exception étaient de sang royal. Depuis son enfance, Christianna entendait son père lui répéter que lorsqu'elle se marierait, ce serait avec quelqu'un de leur monde, et il ne lui venait pas à l'esprit qu'il pourrait en être autrement.

La seule période durant laquelle Christianna n'avait pas eu l'impression d'être princesse avait été celle de ses études en Californie, quand elle vivait dans un appartement de Berkeley avec deux gardes du corps, un homme et une femme, pour la protéger. Elle n'avait mis dans la confidence que deux de ses meilleures amies, qui avaient gardé le secret, tout comme la direction de l'université, également au courant. Pour son plus grand bonheur, toutes les autres personnes qu'elle avait fréquentées là-bas ignoraient sa véritable identité. Libérée des contraintes et des obligations qu'elle trouvait si étouffantes, elle avait joui de cet anonymat exceptionnel. En Californie, elle était presque une étudiante comme les autres. *Presque.* Si elle oubliait ses deux gardes du corps et son titre.

Christianna se montrait toujours évasive quand on l'interrogeait sur la profession de son père. Elle répondait qu'il s'occupait d'humanitaire, de relations publiques, et d'un peu de politique. De toute manière, peu de gens savaient où se trouvait le Liechtenstein, et encore moins qu'il possédait sa propre langue. Elle n'avait confié à personne que sa maison était le palais royal de Vaduz, bâti au XIVe siècle et reconstruit au XVIe.

Christianna avait adoré l'indépendance et l'anonymat dont elle avait bénéficié en Californie. Depuis, plus rien n'était pareil. A Vaduz, redevenue altesse sérénissime, elle devait supporter tout ce que ce titre impliquait. Etre princesse était une vraie malédiction, à ses yeux.

— Veux-tu assister au rendez-vous avec notre ambassadeur aux Nations unies ? lui demanda son père pour essayer de la dérider.

Avec un soupir, elle secoua la tête et, comme il se levait de table, elle fit de même.

— Impossible. Je dois inaugurer un hôpital. Je me demande d'ailleurs pourquoi nous avons autant d'hôpitaux, ajouta-t-elle avant d'esquisser une petite grimace. J'ai l'impression de couper un ruban par jour !

Elle exagérait, bien sûr. Mais à peine.

— Je suis certain que ta présence compte énormément pour les gens.

Christianna en avait conscience, mais elle aurait préféré apporter son aide, faire quelque chose d'utile plutôt que de se parer d'un joli chapeau, d'un tailleur Chanel et de bijoux de grande valeur. Parmi eux se trouvait la couronne portée par sa mère lors de l'accession au trône de son père. Le prince avait toujours affirmé que Christianna la porterait pour son mariage. Le jour où elle l'avait essayée, elle avait été stupéfiée par son poids, aussi écrasant que celui des responsabilités qui lui étaient attachées.

— Aimerais-tu m'accompagner au dîner donné ce soir en l'honneur de l'ambassadeur ? proposa le prince Hans Josef tout en rassemblant ses papiers.

Il ne voulait pas la bousculer alors qu'elle paraissait déprimée, mais il était déjà en retard.

— Ma présence est-elle indispensable ? s'enquit Christianna avec respect, prête à se soumettre si son père le souhaitait.

— Pas vraiment. Uniquement si cela te fait plaisir. L'ambassadeur est un homme intéressant.

— J'en suis certaine, papa. Mais si vous n'avez pas besoin de moi, je préfère rester en jean et me retirer dans ma chambre pour lire.

— Ou pianoter sur ton ordinateur, la taquina-t-il.

Christianna adorait correspondre par mails avec ses amis restés aux Etats-Unis, même si elle savait qu'inévitablement leurs liens finiraient par se distendre. Son existence était tout simplement trop différente de la leur. Elle était pleine d'enthousiasme et de dynamisme, mais son titre et tout ce qu'on attendait d'elle lui pesaient parfois.

Elle savait que Freddy ressentait la même chose. Depuis une quinzaine d'années, il jouait les play-boys et défrayait souvent la chronique, multipliant les liaisons avec des actrices ou des mannequins. Et s'il séjournait actuellement en Asie, c'était principalement pour ne plus se trouver en permanence sous les yeux du public ou de la presse. Son père l'avait incité à se faire oublier pendant quelque temps, car il lui faudrait bientôt se ranger.

Hans Josef se montrait moins exigeant avec sa fille, puisqu'elle n'hériterait pas du trône. S'il l'encourageait à s'inscrire à la Sorbonne, c'était parce qu'il savait à quel point elle s'ennuyait. Récemment, il lui avait suggéré d'aller à Londres rendre visite à ses cousins et à ses amis. Il se rendait bien compte qu'inaugurer des hôpitaux ne suffisait pas à Christianna. Le Liechtenstein était un petit pays, et Vaduz, sa capitale, une ville minuscule. Ils n'offraient pas assez de ressources pour l'occuper suffisamment, alors qu'elle avait terminé ses études et n'était pas encore mariée.

— Je te verrai avant le dîner, dit son père en déposant un baiser sur ses cheveux encore humides.

Elle leva vers lui ses immenses yeux bleus. La tristesse qui en émanait lui déchira le cœur.

— Papa, je veux me rendre utile autrement. Pourquoi ne puis-je partir, comme Freddy ?

Sa voix s'était faite suppliante, comme celle de n'importe quelle fille de son âge tentant d'obtenir une grande faveur de son père ou la permission de faire quelque chose qu'il désapprouvait.

— Parce que je veux que tu restes ici, avec moi. Tu me manquerais beaucoup trop, si tu t'en allais !

Il avait été au comble du bonheur jusqu'à la mort de sa femme et s'était ensuite entièrement consacré à sa famille et à son travail. Il n'y avait pas eu d'autres femmes dans sa vie, bien que les candidates aient été nombreuses. Son existence n'était que sacrifice, bien plus que celle de Christianna. Et elle savait qu'il attendait beaucoup d'elle.

— En ce qui concerne ton frère, reprit-il avec un léger sourire, c'est parfois un grand soulagement de le savoir au loin, vu les scandales qu'il est capable de provoquer...

Christianna ne put retenir un léger rire. Non content d'accumuler les frasques, Freddy avait le don de se faire surprendre par la presse, et le porte-parole du palais passait son temps à couvrir ses débordements. Il figurait régulièrement dans les pages à scandale, alors que Christianna n'apparaissait que lors de manifestations officielles au côté de son père, ou lorsqu'elle inaugurait hôpitaux et bibliothèques.

Pendant ses années d'université, une seule photo d'elle était parue dans un magazine people. C'était à l'occasion d'un match de football auquel elle assistait en compagnie d'un de ses cousins britanniques ; quelques-unes avaient été publiées dans *Vogue*, ainsi qu'une autre, ravissante, dans *Point de vue*, où on la voyait en robe du soir, au bal des débutantes. Christianna se montrait toujours discrète, ce qui plaisait à son père.

Il en allait tout autrement pour Freddy ; mais c'était un garçon, comme le soulignait toujours le prince Hans Josef. Il avait toutefois prévenu son fils qu'à son retour d'Asie c'en serait fini des mannequins excentriques et des starlettes tapageuses. S'il continuait d'attirer l'attention, il lui suspendrait ses revenus. Freddy avait bien compris le message et promis de se conduire convenablement une fois rentré à Vaduz. Mais il ne se pressait pas de revenir...

— Je te verrai ce soir, ma chérie, dit le prince en la serrant contre lui avec affection avant de quitter la salle à manger.

Christianna retourna dans son propre appartement, situé au second étage du palais et composé d'une grande et belle chambre, d'un dressing, d'un salon élégant et d'un bureau. Sa secrétaire l'attendait en compagnie de Charles, vautré sur le parquet. Lavé, brossé, toiletté, il ne ressemblait plus du tout au chien qui courait avec elle dans les bois quelques heures plus tôt. Comme il détestait le bain, le traitement qu'on venait de lui infliger le laissait morne et abattu.

A sa vue, Christianna ne put réprimer un sourire. Elle se sentait proche de lui. Pas plus que Charles elle n'aimait qu'on la coiffe, qu'on la pomponne ou qu'on s'agite autour d'elle. Elle préférait mille fois courir sous la pluie et rentrer couverte de boue.

Après l'avoir caressé, elle prit place à son bureau. La secrétaire lui sourit, puis lui tendit son emploi du temps. Originaire de Genève, Sylvie de Maréchale allait sur ses cinquante ans ; elle avait de grands enfants, dont deux vivaient aux Etats-Unis, un autre à Londres et un dernier à Paris. Il y avait six ans qu'elle secondait Christianna et elle appréciait encore davantage son travail depuis le retour de la princesse au château. Maternelle et chaleureuse, c'était quelqu'un à qui Christianna pouvait parler et, au besoin, se plaindre.

— Vous inaugurez un hôpital pour enfants à 15 heures, Votre Altesse, puis vous êtes attendue à 16 heures dans une maison de retraite. Cette visite devrait être courte, et vous n'aurez pas de discours à prononcer, pas plus qu'à l'hôpital. Juste quelques mots d'admiration et de remerciements. A l'hôpital, on vous remettra un bouquet...

Sur une liste figuraient les noms des personnes qui accompagneraient Christianna, ainsi que ceux des trois enfants choisis pour lui offrir les fleurs. Sylvie, en femme avisée, lui fournissait toujours les informations essentielles. Quand cela était nécessaire, elle accompagnait Christianna dans ses voyages ; au château, elle l'aidait à organiser les repas privés pour les personnages importants que son père lui demandait de recevoir, ou les banquets officiels donnés en l'honneur de chefs d'Etat. Après s'être occupée de son propre foyer pendant des années, elle enseignait à Christianna la manière de gérer sa maison en prêtant attention aux plus infimes détails, ceux qui contribuaient à la réussite de chaque événement.

Son autorité pleine de douceur, son goût exquis et sa gentillesse extrême en faisaient la compagne idéale pour une jeune princesse. D'autant qu'elle possédait un sens de l'humour qui égayait Christianna lorsqu'elle se sentait trop écrasée par ses obligations.

— Demain, vous inaugurerez une bibliothèque, continua-t-elle, consciente que trois mois avaient suffi pour que Christianna trouve fastidieuse cette sorte de corvée. Il vous faudra faire un discours, précisa-t-elle, mais cela vous est épargné pour aujourd'hui.

Songeuse, Christianna pensait à la conversation qu'elle venait d'avoir avec son père. Même si elle ne savait pas encore où elle irait, elle n'aspirait qu'à partir. Peut-être attendrait-elle le retour de Freddy, afin que leur père ne se sente pas trop seul. Il adorait ses enfants et les chérissait plus que tout. Sa femme lui manquait encore cruellement et il avait beaucoup souffert de l'absence de Christianna pendant quatre ans.

— Voulez-vous que je rédige votre discours pour demain ? proposa Sylvie, qui excellait dans ce domaine.

Mais Christianna secoua la tête.

— Je l'écrirai moi-même. J'aurai du temps, ce soir.

Cela lui rappelait les devoirs qu'on lui donnait à l'université. Elle n'imaginait pas alors que même cela lui manquerait !

— Je laisserai ce qui concerne la nouvelle bibliothèque sur votre bureau. Mieux vaudrait vous habiller, à présent, ajouta Sylvie après avoir jeté un coup d'œil à sa montre, car vous devez partir dans une demi-heure. Y a-t-il quelque chose que je puisse faire pour vous ? Ou aller chercher ?

Christianna refusa d'un signe de tête, sachant que Sylvie proposait d'aller retirer des bijoux au coffre. Elle se contentait, en général, d'un collier de perles et des boucles d'oreilles assorties. Hans Josef les avait autrefois offerts à sa mère et les porter avait une grande signification à ses yeux. De plus, elle savait que son père était toujours heureux de la voir parée de ces bijoux.

Après le départ de Sylvie, elle partit se changer, Charles sur les talons.

Trente minutes plus tard, elle était prête, plus princesse que jamais en tailleur Chanel bleu pâle, orné d'une fleur blanche et d'un nœud noir. Elle tenait à la main un petit sac en crocodile noir que son père lui avait rapporté de Paris, et portait des escarpins, en crocodile noir eux aussi. Elle avait mis les perles de sa mère et glissé une paire de gants en chevreau blanc dans la poche de sa veste. Ses longs cheveux blonds étaient attachés en queue de cheval, lui donnant un air à la fois élégant et juvénile.

Elle était parfaite lorsqu'elle sortit de la Mercedes et s'adressa au directeur et aux administrateurs de l'hôpital, en les remerciant du travail qu'ils accomplissaient. Puis elle se tourna vers la foule pour serrer des mains et dire quelques mots gentils. Des « Ah ! » et des « Oh ! » fusaient, saluant sa beauté, sa jeunesse, sa distinction et la simplicité de ses manières.

Comme toujours lors de ses apparitions publiques, lorsqu'elle représentait son père, Christianna s'efforçait d'être à la hauteur de sa tâche. Tandis que la voiture s'éloignait lentement, toutes les personnes rassemblées la saluèrent, et Christianna leur répondit d'un signe de la main. Sa visite à l'hôpital avait été un succès total.

Alors qu'ils se dirigeaient vers la maison de retraite, elle se laissa aller un instant contre le siège, se remémorant les visages des enfants qu'elle venait d'embrasser. Depuis qu'elle avait repris ses fonctions officielles, en juin, elle en avait embrassé des centaines. Il lui était difficile de croire – et plus difficile encore d'accepter –

qu'elle ne ferait rien d'autre durant toute sa vie que couper des rubans, inaugurer des hôpitaux, des bibliothèques et des maisons de retraite, embrasser des enfants et des vieilles dames, serrer les mains de dizaines de personnes, puis repartir. Elle savait à quel point elle était gâtée et avait de la chance, mais elle ne pouvait s'empêcher de songer à la futilité de son existence et se sentait profondément déprimée.

Christianna avait toujours les yeux fermés quand la limousine s'arrêta devant la maison de retraite. Au moment où son garde du corps se penchait pour ouvrir la portière, il vit deux larmes rouler lentement sur ses joues. Tout en lui souriant et en se tournant vers la foule qui l'attendait, Christianna essuya furtivement ses larmes de sa main gantée de blanc.

2

L'élégant dîner donné en l'honneur de l'ambassadeur des Nations unies rassembla une quarantaine de personnes dans la grande salle de réception du palais. Puisque Christianna n'avait pas souhaité y assister, le prince Hans Josef avait demandé à une amie de longue date – ils étaient allés à l'école ensemble – de venir. Veuve d'un baron autrichien, elle était marraine de Freddy et amie intime de la famille depuis des années. Grâce à elle, le repas fut animé, ce qui n'était pas toujours le cas lors des réceptions officielles.

Avant de regagner ses appartements, le prince passa voir Christianna. La porte de son salon était ouverte. Assise par terre, un bras autour du cou de son chien, elle écoutait à plein volume un CD rapporté des Etats-Unis. Malgré le bruit, Charles dormait comme un bienheureux. Souriant à ce spectacle, le prince entra dans la pièce. Christianna releva la tête et lui sourit à son tour.

— Le dîner s'est bien passé ?

Grand et distingué, il avait beaucoup de prestance dans son habit de soirée, et Christianna était fière de son père. Il tenait son rôle à la perfection.

— Il aurait été bien plus agréable si tu avais été présente, ma chérie. Mais je crois que tu te serais beaucoup ennuyée.

Christianna se félicita de s'être abstenue. Ses deux sorties de l'après-midi, à l'hôpital et à la maison de retraite, lui avaient suffi.

— Que fais-tu demain ? s'enquit son père.

— J'inaugure une bibliothèque, puis je me rendrai dans un orphelinat, où je ferai la lecture à des enfants aveugles.

— C'est très charitable de ta part...

Christianna le regarda longuement, sans rien dire. Tous deux savaient qu'elle mourait d'ennui et qu'elle rêvait d'autre chose. Sa vie s'étirait interminablement, morne et stérile.

Son père n'imaginait pas qu'elle aurait tant de mal à se réadapter à la vie à Vaduz, et il en venait presque à regretter de l'avoir autorisée à partir étudier en Californie. Finalement, Freddy avait peut-être raison lorsqu'il avait affirmé, dès le début, qu'il s'agissait d'une mauvaise idée. Il menait une vie dissolue mais se montrait toujours très protecteur envers Christianna. Il avait trouvé dangereux de lui faire goûter à trop de liberté et il ne s'était pas trompé : Christianna ne supportait plus son existence.

A cet instant précis, elle ressemblait à n'importe quelle jeune fille écoutant de la musique trop fort sur sa chaîne, et le prince en fut frappé. Mais elle n'était pas une jeune fille ordinaire, et Hans Joseph espérait qu'elle oublierait au plus tôt l'enivrant parfum de liberté dont elle s'était grisée aux Etats-Unis. Sinon, elle souffrirait pendant longtemps et serait peut-être même malheureuse toute sa vie.

Dans le but de la divertir, il lui demanda si elle voudrait l'accompagner à Vienne, le vendredi suivant, pour aller voir un ballet à l'Opéra.

Il s'agissait de l'une des sorties préférées de Hans Josef. Des liens étroits unissaient le Liechtenstein à l'Autriche, d'autant que la famille princière vivait à

Vienne avant la Seconde Guerre mondiale. Lors de l'annexion de l'Autriche par les nazis, en 1938, le père de Hans Josef était rentré à Vaduz avec sa famille et la cour, afin de veiller sur son pays. « Honneur, Courage, Compassion », telle était leur devise, et le père de Christianna l'avait reprise dans son serment, lors de son accession au trône.

— Pourquoi pas ? dit-elle avec un petit sourire.

Elle était consciente de ses efforts et lui en était reconnaissante. Mais, malgré tout son amour, son père ne pouvait lui offrir autre chose que ces menues compensations. Vue de l'extérieur, leur vie ressemblait à un conte de fées ; en réalité, Christianna était comme dans une prison dorée et son père avait l'impression grandissante d'être son geôlier.

La vie serait plus drôle pour elle au retour de son frère, mais Hans Josef ne savait pas encore s'il devait s'en réjouir, car Freddy avait le chic pour faire surgir les problèmes. Le palais était bien plus calme lorsqu'il se trouvait au loin. Pour preuve, aucun scandale n'avait éclaté depuis son départ.

Une idée lui vint soudain à l'esprit.

— Pourquoi ne rendrais-tu pas visite à ta cousine Victoria, la semaine prochaine ?

Un petit séjour à Londres lui ferait peut-être du bien. La jeune marquise d'Ambester était une cousine de la reine et avait le même âge que Christianna. Elle venait de se fiancer à un prince danois et était pleine de vie.

Le visage de la jeune fille s'éclaira aussitôt.

— Ce serait génial, papa ! Cela ne vous ennuierait pas ?

— Pas du tout, assura-t-il avec un sourire ravi.

Il était heureux à l'idée qu'elle puisse s'amuser un peu.

D'un bond, Christianna sauta sur ses pieds pour venir l'embrasser. Charles, réveillé en sursaut, poussa un grognement avant de se retourner en agitant la queue.

— Je demanderai à ma secrétaire de s'en occuper dès demain matin, promit Hans Josef. Tu pourras rester chez Victoria aussi longtemps que tu en auras envie.

Il n'était pas inquiet que Christianna parte seule à Londres. Il savait qu'elle était sérieuse et qu'elle n'oubliait jamais les responsabilités que sa condition lui imposait. Durant ses années à Berkeley, elle s'était amusée, certes, mais s'était toujours bien comportée. D'ailleurs, les deux fidèles gardes du corps qui l'accompagnaient n'avaient eu à intervenir qu'à de très rares occasions. Quelques amourettes vite oubliées, une ou deux soirées un peu trop arrosées, comme en connaissent les étudiantes, princesses ou pas. En tout cas, rien qui ait jamais attiré la presse.

Après le départ de son père, elle écouta encore un peu de musique, allongée sur le tapis. Puis elle alla consulter ses e-mails. Ses deux amies de Berkeley, pour la taquiner, lui demandaient comment se passait sa « vie de princesse ». Quelle n'avait pas été leur surprise lorsqu'en cherchant le Liechtenstein sur Internet, elles avaient découvert le palais dans lequel elle vivait ! Elles n'en revenaient toujours pas. Christianna avait promis d'aller les voir un jour, mais elle se rendait bien compte que les choses étaient différentes, à présent. Le temps de l'insouciance et de la liberté était terminé. L'une de ses amies travaillait déjà à Los Angeles, tandis que l'autre passait l'été à voyager.

Christianna n'avait d'autre choix que d'accepter son destin, et de profiter des bons côtés de son existence. Aller voir Victoria à Londres, comme le suggérait son père, en faisait partie.

Tous deux partirent pour l'Autriche, le vendredi matin. Il y avait six heures de route, à travers les Alpes, pour arriver au palais Liechtenstein, à Vienne. C'était un édifice d'une splendeur imposante qui, à la différence de Vaduz, était en partie ouvert au public. De nombreux gardes surveillaient l'aile que son père et elle occupaient, située un peu à l'écart. Si l'appartement de Christianna à Vaduz était magnifique, il restait à échelle humaine. Au palais Liechtenstein, en revanche, sa chambre était immense, avec un lit à baldaquin monumental, de lourds miroirs encadrés d'or et, recouvrant le sol, un tapis d'Aubusson d'une valeur inestimable. Le grand lustre, encore pourvu de ses bougies, achevait de donner à Christianna l'impression de vivre dans un musée.

Elle connaissait depuis toujours la femme de chambre qui l'aida à se préparer, puisque celle-ci avait été au service de sa mère pendant vingt ans. Une autre femme, plus jeune, fit couler son bain et lui apporta une collation.

Quand elle entra dans la chambre de son père, à 20 heures précises, Christianna portait une robe de cocktail noire qu'elle avait achetée chez Chanel l'année précédente. Le collier de perles de sa mère, de fines boucles d'oreilles en diamant et la chevalière en or gravée aux armoiries de sa famille qui ne quittait jamais l'auriculaire de sa main droite constituaient sa seule parure.

Christianna n'avait pas besoin de signes particuliers pour que l'on sache qui elle était, puisque chacun la connaissait, non seulement au Liechtenstein et en Autriche, mais dans toute l'Europe. On l'avait souvent vue dans la presse, ces dernières années, au côté de son père. Sa brève éclipse aux Etats-Unis n'avait constitué qu'un intermède.

Depuis qu'elle avait repris sa place à Vaduz, les photographes guettaient chacune de ses apparitions. Considérée comme l'une des plus belles princesses d'Europe, elle excitait d'autant plus la curiosité des journalistes qu'elle était réservée.

Malgré la présence d'un valet de chambre prêt à intervenir, Christianna aida son père à mettre ses boutons de manchette. Elle aimait lui rendre ce genre de petit service, sachant que cela lui faisait plaisir et lui rappelait l'époque où sa mère était encore vivante.

— Tu es magnifique ce soir, Cricky, lui dit son père avec affection.

Il était le seul en Europe, avec son frère et ses cousins, à l'appeler Cricky, alors qu'à Berkeley, elle n'était connue que sous ce diminutif.

— Tu as l'air d'une vraie jeune femme, ajouta-t-il avec un sourire de fierté.

Christianna se mit à rire.

— Quoi d'étonnant, puisque j'en suis une ?

Elle était si petite et si délicate qu'elle avait toujours paru plus jeune que son âge ; quand elle portait un jean et un tee-shirt, elle ressemblait plus à une adolescente qu'à une jeune femme de vingt-trois ans. Ce soir, en revanche, dans cette robe élégante, une étole de vison blanc autour des épaules, elle avait l'allure d'un mannequin avec sa silhouette parfaite.

— Je peux difficilement le nier, ma chérie, admit son père sans cesser de sourire. Mais je déteste y penser. Quel que soit ton âge, tu seras toujours une enfant pour moi.

— J'ai l'impression que Freddy ne me voit pas vieillir, lui non plus. Il me traite toujours comme si j'avais cinq ans.

— A nos yeux, c'est l'âge que tu as, reconnut le prince avec un léger rire.

Il était semblable à tous les autres pères, surtout ceux qui doivent élever seuls leurs enfants. Au prix d'un arbitrage permanent entre ses obligations officielles et familiales, il avait joué à la fois le rôle de père et de mère. La patience et la sagesse dont il avait fait preuve, l'amour dont il les avait entourés trouvaient leur récompense dans les liens très étroits qui les unissaient tous les trois. Car, même si Freddy se conduisait mal la plupart du temps, il éprouvait un amour sincère et profond pour son père et sa sœur.

Cette semaine, Christianna s'était entretenue avec lui au téléphone. Il était enchanté de son séjour prolongé au Japon, où il visitait temples et musées, profitait des excellents restaurants et fréquentait les discothèques les plus branchées.

Invité du prince héritier pendant les premiers temps, ce qu'il avait trouvé un peu contraignant, Freddy voyageait seul à présent – c'est-à-dire avec ses conseillers, son secrétaire, son valet de chambre et ses gardes du corps. Aucun d'eux n'était de trop lorsqu'il s'agissait de limiter ses débordements. Christianna connaissait assez son frère pour savoir de quoi il était capable. Ne lui avait-il pas dit d'emblée qu'il trouvait les Japonaises délicieuses ?

Il devait ensuite se rendre en Chine et n'avait pas l'intention de revenir avant le printemps. Une éternité aux yeux de Christianna ! Freddy absent, elle n'avait personne avec qui parler, et c'était à son chien qu'elle confiait ses pensées les plus secrètes. Certes, elle s'entretenait avec son père de sujets importants, mais elle n'avait pas d'amis de son âge à qui se confier ou avec qui échanger des idées. Même enfant, elle avait vécu seule, et c'est pourquoi Berkeley avait été si fabuleux pour elle.

Christianna et son père se rendirent à l'Opéra dans la Bentley qui les avait amenés de Vaduz. Comme d'habitude, un garde du corps occupait la place à côté du chauffeur.

Discrètement avertis que le prince Hans Josef et la princesse Christianna assisteraient à la représentation de *Giselle*, deux photographes les attendaient. La jeune fille et son père se contentèrent de leur sourire sans s'arrêter. Ils furent accueillis par le directeur du théâtre, qui les accompagna jusqu'à la loge princière.

Tous les deux apprécièrent beaucoup le ballet. Quand son père s'endormit pendant quelques minutes durant le deuxième acte, Christianna glissa doucement son bras sous le sien. Elle savait combien ses responsabilités étaient écrasantes. Grâce aux efforts de Hans Josef, et de son père avant lui, l'économie de la principauté ne reposait plus seulement sur l'agriculture, mais aussi sur l'industrie. Des liens économiques puissants unissaient à présent le Liechtenstein à de nombreux pays, en particulier la Suisse.

De plus, son père consacrait énormément de temps à l'aide humanitaire. La fondation Princesse Agathe, qu'il avait créée en souvenir de sa femme, effectuait un travail considérable dans les pays en voie de développement. C'était un des organismes les mieux dotés et les plus généreux d'Europe, financé en grande partie par sa fortune personnelle.

Christianna avait d'ailleurs l'intention d'en parler avec lui. Même s'il s'efforçait de l'en décourager, travailler pour la fondation la tentait beaucoup. Mais il répugnait à la laisser partir rejoindre leurs bénévoles dans des contrées parfois dangereuses. Christianna aurait au moins aimé leur rendre visite et, s'il le lui permettait, travailler au siège de la fondation plutôt qu'aller à la Sorbonne.

Son père ne cachait pas qu'il préférait la voir poursuivre ses études. Christianna espérait néanmoins qu'en commençant par des tâches administratives, elle finirait par obtenir l'autorisation d'accompagner les responsables dans quelques-uns de leurs voyages. Cela lui tenait vraiment à cœur.

Ils regagnèrent le palais Liechtenstein peu avant minuit. Une collation préparée par la gouvernante les y attendait et ils firent honneur au thé et aux sandwichs tout en commentant la représentation.

Vienne n'étant pas très éloignée de Vaduz, ils assistaient ainsi, régulièrement, à des spectacles ou à des concerts. Hans Josef aimait ces escapades en compagnie de sa fille ; elles leur donnaient l'occasion d'échapper pour quelques heures à leurs obligations.

Le lendemain matin, le prince incita Christianna à faire les boutiques, ce qu'elle accepta tout en se montrant fort raisonnable, car elle n'acheta que deux paires de chaussures et un sac à main, qu'elle porterait, comme tout ce qu'elle rapportait de Vienne, à l'occasion de cérémonies officielles.

Elle préférait faire du shopping à Londres, où elle trouvait des vêtements qui lui plaisaient vraiment, mais qu'elle ne pouvait porter que dans son appartement. Son père refusait qu'elle soit vue en jean, sauf à la campagne. Une princesse devait tenir son rang. Cela, Christianna l'avait appris très jeune. Elle devait faire attention à ses gestes et à ses paroles pour ne pas risquer de mettre son père dans une position délicate. En public, elle ne risquait jamais un commentaire, même anodin, car il pouvait être rapporté et déformé.

Elle avait une conscience aiguë de ces contraintes et les respectait, ce qui n'était pas le cas de Freddy, qui se montrait bien plus décontracté et se retrouvait souvent au centre de situations embarrassantes.

Un des seuls sujets sur lesquels Christianna s'autorisait à afficher son opinion était celui des droits de la femme, un sujet sensible au Liechtenstein puisque le droit de vote ne leur avait été accordé qu'en 1984. Christianna aimait à dire qu'elle avait apporté la liberté aux femmes, puisque leur émancipation coïncidait avec sa naissance.

En dépit des idées avancées du prince en matière économique et politique, la principauté restait extrêmement conservatrice sur de nombreux points, enfermée par neuf siècles de tradition. A son retour des Etats-Unis, Christianna avait pensé pouvoir introduire les idées nouvelles qu'elle avait rapportées de là-bas. Elle rêvait de développer l'emploi pour les femmes, même si elle savait que la tâche était difficile. De la même façon, elle souhaitait abolir l'interdiction faite aux femmes de régner. Dans de nombreux Etats monarchiques, elle aurait été aussi habilitée que Freddy à monter sur le trône. Par principe – car elle n'avait aucun désir de régner –, elle considérait cette discrimination comme rétrograde et archaïque. Elle en parlait régulièrement aux membres du Parlement, comme l'avait fait sa mère en son temps, lorsqu'elle les avait harcelés pour qu'ils accordent le droit de vote aux femmes.

Pas à pas, le Liechtenstein entrait dans le XXIᵉ siècle, mais les avancées semblaient beaucoup trop lentes aux yeux de Christianna et, quelquefois même, à ceux de son père. Il était pourtant plus conservateur qu'elle. D'abord parce qu'il éprouvait encore un profond respect pour les traditions séculaires de la principauté ; ensuite parce qu'il avait trois fois son âge.

Lors du trajet de retour, ils parlèrent du prochain séjour de Christianna à Londres. Bien qu'il ait des dossiers à étudier d'urgence, la route était suffisamment longue pour que le prince prenne aussi le temps de bavarder avec sa fille.

Quand Christianna lui fit part de son désir de se rendre seule chez Victoria, il refusa catégoriquement. Il craignait toujours un acte de violence à son encontre et exigea qu'elle soit accompagnée par deux gardes du corps et peut-être même trois.

— Papa, c'est ridicule. Je n'en avais que deux à Berkeley et vous avez toujours dit que les Etats-Unis étaient plus dangereux, argua-t-elle. Et puis, Victoria a le sien. Un seul me suffira.

— Trois ! insista-t-il, les sourcils froncés.

Il ne voulait pas lui faire courir le moindre danger et préférait pécher par excès de prudence plutôt que prendre des risques.

— Un ! riposta-t-elle.

Cette fois, son père se mit à rire.

— Deux, et c'est mon dernier mot. Sinon, tu restes à la maison.

— Bon, bon, d'accord, concéda-t-elle.

Après tout, quatre gardes du corps accompagnaient son frère au Japon : trois l'escortaient en permanence, et le quatrième était là en cas d'urgence. Certaines familles royales prenaient moins de précautions lors de leurs déplacements. Mais la richesse de sa famille et de son pays étant de notoriété publique, le prince redoutait qu'un de ses enfants ne soit enlevé. Aussi multipliait-il depuis toujours les protections autour d'eux.

Freddy s'accommodait avec bonne humeur de cette contrainte et se servait de ses gardes du corps pour se tirer des mauvais pas dans lesquels il se mettait, le plus souvent à cause d'une femme, ou pour l'aider à quitter une boîte de nuit, lorsqu'il était trop éméché pour marcher droit.

Evidemment, Christianna n'avait pas à leur demander les mêmes services. Tout en entretenant avec eux des relations très cordiales, elle préférait sortir seule. Mais les occasions étaient très rares. Et son père refusait catégoriquement qu'elle se rende dans certains pays, même accompagnée. Il en allait ainsi de l'Amérique du Sud, qu'elle rêvait pourtant de visiter. Mais les enlèvements de personnes riches ou célèbres y étaient très nombreux, et une princesse de sang aurait constitué une proie trop tentante pour que Hans Josef prenne le risque d'exposer sa fille. Il acceptait qu'elle se déplace, mais seulement aux Etats-Unis et en Europe, même s'il l'avait une fois emmenée à Hong Kong, qu'elle avait adoré.

Le prince tremblait quand elle parlait de son envie de découvrir l'Inde et l'Afrique. Pour le moment, il était soulagé qu'elle se contente d'une semaine à Londres, chez sa cousine. Une destination bien assez exotique à ses yeux. Car la jeune marquise était connue pour ses excentricités. Pendant plusieurs années, n'avait-elle pas eu comme animaux de compagnie un guépard et un python ? Hans Josef lui avait interdit, courtoisement mais fermement, de les amener à Vaduz. Au moins était-il certain qu'elle divertirait Christianna, qui en avait grand besoin.

Quand ils arrivèrent à Vaduz, vers 22 heures, le conseiller du prince l'attendait. Même à cette heure tardive, Hans Josef devait se rendre dans son bureau, où on lui servirait un repas léger, tandis qu'il étudierait des dossiers. Fatiguée, Christianna décida de se passer de dîner mais se rendit néanmoins dans la cuisine, pour chercher Charles. Il dormait profondément à côté de la cuisinière et se réveilla, tout excité, dès qu'il entendit le pas de sa maîtresse.

Le chien sur les talons, elle gagna son appartement, où elle fut accueillie par sa femme de chambre, qui lui proposa de faire couler un bain.

— Je vous remercie, Alicia, dit Christianna en étouffant un bâillement, mais je crois que je vais aller me coucher directement.

Son lit était déjà préparé, le drap, brodé de leurs armoiries, rabattu sur la couverture impeccablement tirée. Faute d'autres tâches à accomplir, la femme de chambre esquissa une révérence et se retira, au grand soulagement de Christianna. Elle n'avait aucune intention de se coucher et voulait prendre un bain, mais en le faisant couler elle-même !

Enfin seule, elle se déshabilla et, uniquement vêtue de ses sous-vêtements, traversa sa chambre pour se rendre dans son bureau. La pièce était petite, mais élégamment tapissée de soie bleu pâle. Sa chambre, qui avait été celle de son arrière-arrière-grand-mère, était tendue de satin rose. Christianna l'avait occupée dès sa naissance, avec sa nourrice, jusqu'à ce que celle-ci prenne sa retraite.

Ce soir, elle n'avait rien des Etats-Unis ; juste un bref e-mail de Victoria qui se réjouissait de sa venue prochaine et lui laissait entendre qu'elles allaient bien s'amuser, ce qui fit rire Christianna. Connaissant Victoria, le contraire l'aurait étonnée !

Après avoir traîné un peu dans sa chambre, elle finit par se rendre dans la salle de bains. Etre seule dans son appartement était un luxe rare, et l'unique forme de liberté qu'elle connaissait. La plupart du temps, entre les domestiques, les assistants, les secrétaires et les gardes du corps, elle n'avait aucune intimité. Elle chérissait donc particulièrement chaque minute de solitude.

Pendant quelques instants, elle aurait pu se croire à Berkeley. L'environnement était certes très différent, mais elle éprouvait une impression identique de paix et de liberté, même si celle-ci se limitait à prendre un bain et à écouter de la musique un peu trop fort.

Elle glissa dans le lecteur un CD qui lui rappelait ses années d'études puis, le temps que l'énorme et antique baignoire se remplisse, elle s'allongea sur son lit, les yeux clos. Si elle se forçait un peu, elle parvenait presque à s'imaginer sur le campus. Presque... Mais pas tout à fait. Si seulement elle avait eu des ailes pour voler jusque-là, ou possédé une machine à remonter le temps !

Malheureusement, cette époque de divine insouciance était révolue. Christianna avait grandi, qu'elle le veuille ou non. Berkeley n'était plus qu'un souvenir, et elle-même était une « altesse sérénissime ». A jamais.

3

Le mardi matin, radieuse malgré l'heure matinale, Christianna entra dans le bureau de son père pour lui dire au revoir, avant de s'envoler pour Londres. Tout en feuilletant d'un air soucieux un dossier posé devant lui, le prince s'entretenait avec son ministre des Finances. La conversation paraissait sérieuse et le visage des deux hommes trahissait leur préoccupation.

Ignorant jusqu'à quel point Christianna était au courant des affaires de l'Etat, le ministre se tut en la voyant. En vérité, elle connaissait bien mieux que son frère les rouages de la principauté et montrait une aptitude supérieure à la sienne pour comprendre et résoudre les problèmes. Freddy, lui, ne s'intéressait guère qu'aux voitures de sport et aux conquêtes féminines.

Si elle était restée à Vaduz, Christianna n'aurait pas manqué de s'enquérir de l'enjeu du débat. Elle se passionnait aussi bien pour les décisions et les réformes en cours que pour l'économie de la principauté. C'est pourquoi elle n'excluait pas encore d'aller étudier les sciences politiques à Paris. Mais l'idée de quitter Vaduz avait beau être très alléchante, Christianna avait plus envie de s'investir dans l'aide humanitaire que de reprendre des études. La fondation l'attirait mille fois plus que la Sorbonne.

— Profites-en pour te distraire, lui dit son père avec chaleur. Et embrasse ta cousine de ma part. Que projetez-vous de faire, toutes les deux ? Mais peut-être vaut-il mieux que je reste dans l'ignorance, ajouta-t-il pour la taquiner.

— Sûrement, acquiesça Christianna en lui rendant son sourire.

Hans Josef n'était cependant pas inquiet. Quelles que fussent les extravagances de Victoria, il savait que sa fille était assez raisonnable pour y résister. Il avait une entière confiance en elle.

— Je serai de retour dans une semaine, dit Christianna. Je vous téléphonerai ce soir.

Il était certain qu'elle tiendrait sa promesse. Depuis sa plus tendre enfance, Christianna faisait toujours ce qu'elle disait.

— Ne t'inquiète pas pour moi. Amuse-toi bien, c'est tout ce que je demande. Quand même, ajouta-t-il en affectant d'être désolé, quel dommage que tu ne sois pas là pour le dîner officiel prévu vendredi...

— Voulez-vous que je rentre pour y assister ? proposa Christianna.

Elle parlait sérieusement, sans manifester la moindre déception. Si Hans Josef l'avait exigé, elle serait revenue. Elle était aussi respectueuse que son père des devoirs et des responsabilités qui régissaient leur existence.

— Non, bien sûr, ma chérie. Il n'en est pas question ! Tu peux même rester à Londres plus longtemps, si tu le souhaites.

— Cela ne vous ennuierait pas ?

— Reste aussi longtemps que tu le désires, insista-t-il, tandis que Christianna l'embrassait.

Après avoir serré la main du ministre, elle salua son père d'un dernier geste, puis sortit.

— Quelle jeune femme délicieuse ! déclara le ministre alors qu'ils se remettaient au travail.

— Merci, dit Hans Josef sans dissimuler sa fierté. Elle l'est effectivement.

Le chauffeur conduisit Christianna, escortée de ses deux gardes du corps, à l'aéroport de Zurich. Quatre membres du service de sécurité l'accompagnèrent ensuite jusqu'à sa place dans l'avion. Dès qu'elle fut installée avec un garde à côté d'elle et le deuxième de l'autre côté de l'allée, l'équipage s'empressa autour d'elle, lui proposant du champagne, qu'elle refusa ; elle se plongea alors dans la lecture d'un livre d'économie politique, recommandé par son père, jusqu'à l'atterrissage à Heathrow.

Deux membres de la sécurité de l'aéroport la conduisirent jusqu'à la limousine qui l'attendait, sans qu'elle ait à se soumettre aux formalités de douane, et, moins d'une heure plus tard, la voiture s'arrêtait devant la maison de Sloane Square, petite mais élégante, qu'occupait Victoria.

La cousine de Christianna était l'une des rares aristocrates londoniennes à posséder une fortune colossale. Elle en avait hérité deux ans auparavant, à la mort de sa mère, une riche Américaine qui avait épousé un lord anglais. Victoria dépensait son argent avec une allégresse qui faisait dire à certains qu'elle était trop gâtée. Elle le reconnaissait avec bonne humeur, mais elle s'amusait tellement qu'elle n'envisageait pas un instant de renoncer à ses frasques. Et avec ses amis, elle se montrait toujours d'une extrême générosité.

Elle ouvrit elle-même la porte à Christianna, vêtue d'un jean et d'un tee-shirt, chaussée d'escarpins en crocodile rouges et portant d'énormes boucles en diamant aux oreilles ; toutefois, l'élément le plus remarquable de sa tenue était un diadème, posé légèrement de travers sur son opulente chevelure rousse.

Avec un grand cri de joie, elle étreignit sa cousine avant de l'entraîner à l'intérieur de la maison, pendant que son majordome accompagnait à l'étage les gardes du corps chargés des bagages.

— Tu es resplendissante ! s'exclama Victoria alors que le diadème glissait lentement vers son oreille.

— Que fais-tu avec ce truc sur la tête ? demanda Christianna en riant. Aurais-je dû apporter le mien ? Y a-t-il un événement spécial, ce soir ?

Elle n'arrivait pas à voir où elle aurait pu porter un diadème, à l'exception, peut-être, d'un bal donné par la reine. Mais Victoria ne lui avait rien annoncé de tel.

— Je trouve simplement idiot de le laisser dormir dans un coffre. Autant qu'il serve à quelque chose, non ? J'ai décidé de le porter vingt-quatre heures sur vingt-quatre.

Du Victoria tout craché ! Elle était belle, fantasque et excentrique. Malgré son mètre quatre-vingts, elle était juchée en toute circonstance et sans aucun complexe sur des talons de douze centimètres ; avec ses jeans ou ses minijupes, elle portait des hauts transparents qui ne cachaient rien de son anatomie.

Avec son physique exceptionnel, elle avait été mannequin et actrice, mais s'en était lassée assez vite. Elle avait ensuite essayé la peinture, non sans un certain talent. Mais elle ne persévérait jamais longtemps dans quoi que ce soit.

Elle venait de se fiancer à un prince danois que la rumeur prétendait fort amoureux. Connaissant sa cousine, Christianna doutait, cependant, que ces fiançailles durent longtemps. Victoria avait déjà été fiancée deux fois : à un Américain, puis à un célèbre acteur français qui l'avait quittée pour une autre, une désertion que Victoria avait qualifiée d'extrêmement grossière, mais qui ne l'avait pas empêchée, dès la semaine suivante, de s'afficher au bras d'un nouveau chevalier servant...

Christianna ne connaissait personne d'aussi extravagant et elle adorait être avec elle. Ensemble, elles s'amusaient toujours comme des folles, passant la nuit à danser chez Annabel's et rencontrant une foule de gens intéressants.

Outre qu'elle buvait beaucoup, Victoria fumait le cigare. Elle en alluma un, lorsqu'elles s'installèrent dans le salon, mélange d'art moderne et d'ancien. Quelques tableaux de Picasso, hérités de sa mère, ornaient les murs ; des livres et des objets précieux traînaient partout. Le simple fait de se trouver là ravissait Christianna. C'était tellement à l'opposé de la vie tranquille qu'elle menait à Vaduz avec son père ! Regarder vivre Victoria, c'était comme assister au numéro d'un funambule : on ne savait jamais ce qui allait arriver et on attendait, le souffle coupé.

Pendant quelques minutes, elles discutèrent de leurs projets pour la semaine. Son fiancé étant en Thaïlande, Victoria en profitait pour sortir tous les soirs. Elle assura néanmoins à Christianna, dubitative, qu'elle l'aimait à la folie, et que celui-là était le bon. Au passage, elle lui apprit qu'elles dîneraient au palais de Kensington le soir même avec plusieurs de leurs cousins, et qu'elles sortiraient ensuite.

Au cours de la conversation, son téléphone sonna au moins dix fois. Victoria répondit avec force exclamations et éclats de rire ; pendant ce temps, ses deux carlins, ses quatre pékinois et son chihuahua – elle ne possédait plus ni fauve ni serpent – se poursuivaient dans la pièce en aboyant. Une vraie maison de fous ! Pour le plus grand bonheur de Christianna.

Une domestique impassible leur servit le déjeuner, composé d'huîtres et de salade, le nouveau régime que Victoria, pourtant déjà trop mince, venait d'adopter. Tout en mangeant, elle s'enquit de la vie amoureuse de Christianna.

— Je n'ai pas de vie amoureuse, répondit celle-ci. Il n'y a personne à Vaduz avec qui je pourrais sortir. Mais cela ne me gêne pas vraiment...

En Californie, elle avait eu une aventure qui s'était terminée lorsqu'elle était retournée au Liechtenstein. Rien de sérieux. Ils s'étaient quittés bons amis. Comme il le lui avait fait remarquer avant qu'elle parte, il n'aurait pas supporté tout ce « cirque princier », et Christianna était bien placée pour savoir quel fardeau cela représentait.

— Nous te trouverons quelqu'un de fabuleux ici, décréta Victoria.

Christianna doutait de partager sa conception du qualificatif « fabuleux ». Victoria connaissait toutes les personnalités les plus en vue de Londres, certaines très intéressantes, la plupart très drôles, mais Christianna n'en aurait pris aucune au sérieux.

Les deux cousines montèrent ensuite à l'étage. L'une des femmes de chambre de Victoria avait déjà défait les bagages de Christianna. Ses vêtements étaient rangés dans la penderie et la commode, tous alignés et pliés à la perfection.

La chambre d'amis reflétait la personnalité de Victoria, à la fois excentrique et très raffinée. Elle savait mieux que quiconque associer les éléments les plus improbables, sans jamais tomber dans la vulgarité. Pour preuve, les motifs dominants de la pièce, zèbre et guépard, réchauffés par des brassées de roses rouges disposées un peu partout. L'énorme lit à colonnes s'ornait de magnifiques étoffes françaises, et des livres d'art s'empilaient sur chaque console.

Sa propre chambre était tendue de satin lavande, et l'immense couverture en renard blanc étalée sur le lit achevait de lui donner l'allure d'une luxueuse maison close. Mais, pour tempérer ce goût flamboyant, Victoria s'entourait de magnifiques objets d'art. Tout ce qu'elle possédait était rare. Sur une table à côté de son lit, trônaient un crâne en argent ainsi qu'une paire de menottes en or. La table elle-même, entièrement en cristal, avait appartenu au maharadjah de Jaipur.

Comme prévu, elles dînèrent au palais de Kensington. Plusieurs cousins de Christianna étaient là, et tous furent ravis de la retrouver, car ils ne l'avaient pas revue depuis qu'elle était revenue de Berkeley. Elles se rendirent ensuite dans une soirée privée, s'arrêtèrent dans deux discothèques, le Kemia Bar et Monte's, avant de finir la nuit chez Annabel's, la plus huppée des boîtes londoniennes. Bien que ravie, Christianna commençait à se sentir épuisée. Victoria, elle, gardait une forme éblouissante, due à une consommation d'alcool considérable.

Cinq heures sonnaient quand elles regagnèrent la maison de Sloane Square. Elles montèrent lentement l'escalier pour aller se coucher. Les deux gardes du corps de Christianna, qui ne les avaient pas quittées d'une semelle, se retirèrent alors. Côtoyer Victoria était une expérience inoubliable, aux antipodes de la vie tranquille de Vaduz.

Le reste de la semaine fut tout aussi étourdissant, un tourbillon de rencontres, de fêtes, de shopping, de cocktails, de discothèques, sans oublier un vernissage dans une galerie branchée.

Inévitablement, les deux jeunes femmes finirent par apparaître dans la presse : Victoria coiffée de son diadème et enveloppée dans un manteau façon léopard ; Christianna dans une robe de cocktail noire, avec une veste en vison achetée la veille. Ses autres acquisitions, en revanche, étaient beaucoup plus originales. Elle dut acheter une valise supplémentaire pour pouvoir tout remporter.

Christianna passa dix jours à Londres. Et elle aurait volontiers prolongé son séjour si elle ne s'était sentie coupable de laisser son père seul. Elle repartit enchantée de son escapade chez sa cousine, et Victoria lui fit promettre de revenir bientôt. Les réceptions prévues pour ses fiançailles n'avaient pas encore commencé, car on attendait le retour du fiancé. Mais Christianna ne pouvait s'empêcher de se demander si la famille de celui-ci ne l'avait pas envoyé au loin pour l'arracher aux griffes de Victoria. Sa cousine ne correspondait pas vraiment à l'image qu'on se faisait de l'épouse d'un prince héritier, fût-il très amoureux. Les proches de Victoria étaient certains que leur histoire ne durerait pas, ce qui n'empêchait pas la jeune marquise de prendre beaucoup de plaisir à l'organisation de son mariage, qui réunirait des milliers de personnes. Pour rien au monde Christianna n'aurait manqué un tel événement !

A peine eut-elle posé le pied à Vaduz qu'elle dut se préparer à accueillir des dignitaires espagnols reçus le soir même. Un dîner officiel suivi d'un bal était prévu dans la salle d'honneur.

Elle rejoignit son père vêtue d'une robe du soir en mousseline de soie blanche et chaussée de sandales argentées qu'elle venait d'acheter à Londres. Au moment où elle descendait l'escalier, elle pensa à Victoria et réprima un sourire. Que dirait son père si elle se présentait devant lui coiffée d'un diadème ? Avec sa chevelure rousse et ses cigares, sa cousine n'était pas à une excentricité près. Christianna, elle, se serait sentie ridicule affublée d'une de ces précieuses parures sortie des coffres.

Elle n'avait pas encore vu son père, puisqu'elle était montée directement dans son appartement, afin de se préparer. Lorsqu'elle le rejoignit à l'heure convenue, Hans Josef lui sourit, sans chercher à dissimuler son plaisir. Comme toujours, sa fille était d'une élégance exquise et d'une ponctualité irréprochable. Ravi, il la serra affectueusement dans ses bras.

— T'es-tu bien amusée à Londres ? lui demanda-t-il juste avant que les invités arrivent.

— C'était fantastique. Je vous remercie de m'avoir permis d'y aller.

Elle lui avait téléphoné à plusieurs reprises, mais avait préféré passer sous silence la plupart de ses sorties. Son père aurait certainement été choqué et se serait inquiété pour elle. Sans raison, puisqu'elle n'avait rien fait de répréhensible. Mieux, même, son séjour avait été fabuleux ! Victoria avait déployé des trésors d'imagination pour que Christianna ne s'ennuie pas une seule seconde.

— A ton avis, les fiançailles de Victoria sont sérieuses, cette fois ? demanda son père.

Son expression – pour le moins sceptique – fit rire Christianna.

— Aussi sérieuses que les autres, semble-t-il. Elle prétend être folle de lui et s'est lancée dans les préparatifs d'un mariage fastueux. Mais je ne vais pas acheter ma robe tout de suite...

— C'est bien ce que je pensais. J'ai du mal à l'imaginer en reine du Danemark. Tout comme ses futurs beaux-parents, certainement. Ils doivent être terrifiés.

A ces mots, Christianna éclata de rire.

— Elle s'entraîne à porter la couronne. Durant tout mon séjour, elle n'a pas quitté un des diadèmes de sa mère. A moins qu'elle n'essaie de lancer une nouvelle mode.

— Tu aurais dû en emporter un, dit son père avec humour.

L'arrivée des invités mit un terme à leur conversation. Au cours du dîner, Christianna joua son rôle à la perfection, s'entretenant alternativement en espagnol et en allemand avec les deux diplomates assis à ses côtés. Ce fut avec soulagement qu'elle dansa avec son père, à la fin de cette soirée d'une formalité pesante.

— J'ai bien peur que ce soit moins excitant qu'à Londres, lui dit-il d'un air contrit.

Christianna sourit. La soirée avait été d'un ennui mortel, mais elle s'y attendait. Par amour pour son père, et parce qu'elle possédait un sens aigu de ses responsabilités, elle ne montrait jamais la moindre mauvaise grâce à assister à ce genre de manifestation officielle, si inintéressante fût-elle. Son père savait combien il lui en coûtait et il lui en était très reconnaissant.

— Je me suis suffisamment amusée avec Victoria pour pouvoir le supporter un moment, assura-t-elle gentiment.

Pour dire la vérité, elle était épuisée par toutes les nuits blanches qu'elle venait de passer. Comment sa cousine tenait-elle le coup, elle qui enchaînait les soirées à un rythme effréné depuis des années ?

A la différence de Christianna, Victoria n'était jamais allée à l'université. Elle prétendait que c'était inutile, puisque cela ne lui servirait pas. En revanche, elle avait fait les Beaux-Arts et possédait un réel talent. Son grand plaisir était de peindre des chiens costumés en humains. Ses tableaux se vendaient à prix d'or dans une boutique de Knightsbridge.

Les invités partirent vers minuit et Hans Josef monta lentement l'escalier avec Christianna. Ils venaient d'atteindre la porte de son appartement lorsqu'un des secrétaires du prince arriva à grands pas, porteur à l'évidence d'une nouvelle urgente. Les sourcils froncés, Hans Josef se tourna vers lui.

— Votre Altesse, nous venons d'être informés d'une attaque terroriste en Russie. Une prise d'otages apparemment semblable à celle qui s'était produite à Beslan il y a quelques années. J'ai pensé que vous voudriez suivre l'affaire sur CNN. Les terroristes ont déjà exécuté plusieurs otages, tous des enfants.

Le prince se précipita dans le salon de Christianna, pour allumer la télévision. Tous trois s'assirent et, muets d'horreur, regardèrent les images retransmises : l'évacuation d'enfants couverts de sang, blessés ou morts. Les terroristes avaient investi une école. Ils réclamaient la libération de prisonniers politiques en échange des otages, environ un millier d'enfants et plus de deux cents adultes. L'armée encerclait les lieux. A l'extérieur, des parents en pleurs attendaient des nouvelles de leurs enfants ; le chaos semblait régner partout.

Pendant deux heures, ils ne purent détacher leurs regards horrifiés de l'écran. Quand le prince finit par se lever pour aller se coucher, son secrétaire s'était retiré depuis longtemps.

— Quelle tragédie, murmura-t-il. Tous ces pauvres parents qui ignorent ce qui est arrivé à leurs enfants. Je ne peux imaginer pire cauchemar que celui-là, ajouta-t-il en serrant Christianna contre lui.

— Moi non plus, répondit-elle.

Elle portait toujours sa robe de mousseline blanche et ses sandales argentées. A plusieurs reprises, elle n'avait pu se retenir de pleurer, et son père lui-même avait été très ému.

— Je me sens si inutile, assise dans ce salon en robe de soirée, continua-t-elle. J'aimerais tant les aider !

— Personne ne peut rien faire tant que les terroristes n'auront pas laissé sortir les enfants. Si l'armée lançait un assaut maintenant, cela se termincrait dans un bain de sang.

Cette pensée fit frémir Christianna. Les terroristes avaient déjà exécuté des dizaines d'enfants. Quand ils arrêtèrent la télévision, on comptait une centaine de morts.

— C'est la situation la plus grave que j'aie vue depuis Beslan, confia son père au moment de la quitter.

Après s'être déshabillée et préparée pour la nuit, Christianna se coucha, mais elle se releva presque aussitôt, poussée par le besoin impérieux de rallumer la télévision. La situation s'était encore aggravée : d'autres enfants avaient été exécutés, les journalistes affluaient et des groupes de soldats attendaient les ordres. Christianna était épouvantée par ce qu'elle voyait, mais elle était incapable de cesser de regarder. Il était facile de deviner que de nombreuses vies allaient encore être sacrifiées.

Finalement, elle ne retourna pas dans son lit. Quand le jour se leva, elle avait des cernes profonds sous les yeux, dus au manque de sommeil et aux larmes. Elle finit par quitter son fauteuil, prit une douche, enfila un jean et un pull, et, après avoir passé plusieurs coups de fil, alla voir son père.

Il s'était fait servir le petit déjeuner dans son bureau, mais n'y avait pas touché. Comme sans doute la moitié du globe, Hans Josef regardait la télévision, consterné. Le nombre des morts – pour la plupart des enfants – avait doublé durant la nuit.

— Tu es déjà habillée ? lui demanda-t-il, l'air surpris. Où vas-tu, à cette heure-ci ?

Le Liechtenstein ne pouvait jouer aucun rôle officiel, et le fait d'assister en direct au déroulement de ce drame les rendait malades. Il ne s'agissait pas d'un film tourné pour le petit écran, mais bel et bien de la réalité.

— Je veux me rendre là-bas, annonça Christianna avec calme.

— Nous ne pouvons intervenir, lui expliqua-t-il. Nous sommes un pays neutre et nous n'avons aucune raison d'aider la Russie à résoudre cette crise. De plus, nous ne possédons pas d'unité antiterroriste.

— Je n'envisageais pas de m'y rendre à titre officiel, mais personnel, précisa Christianna.

— Toi ? Mais comment voudrais-tu y aller autrement qu'à titre officiel ? C'est impossible.

— Je veux juste me rendre utile. Personne n'a besoin de savoir qui je suis.

Le prince resta silencieux un moment, réfléchissant. L'intention de Christianna était noble, mais irréaliste et trop dangereuse. Qui pouvait prévoir les intentions des terroristes, surtout s'ils découvraient qu'une jeune et jolie princesse se trouvait là ? Il ne voulait pas qu'elle s'expose au danger.

— Je comprends ce que tu ressens, Christianna. Moi aussi, j'aimerais les aider. Cette situation est absolument terrible. Mais, comme je te l'ai dit, nous ne pouvons rien faire officiellement. Et agir à titre privé serait trop risqué.

— Je vais y aller, papa, déclara posément Christianna.

Cette fois, elle ne lui demandait pas son autorisation, elle lui faisait part de sa résolution. Il le percevait aussi bien dans ses mots que dans sa voix.

— Je veux apporter mon aide, même s'il ne s'agit que de distribuer des couvertures ou de servir du café. Je veux proposer mes services à la Croix-Rouge comme bénévole.

Hans Josef n'eut plus aucun doute sur sa détermination. Il comprit brutalement qu'il lui serait très difficile de la dissuader, mais il devait néanmoins essayer, avec toute la douceur possible.

Pourtant, devant son expression douloureuse, il ne put que dire :

— Je ne veux pas que tu partes, Cricky. C'est bien trop dangereux.

— Papa, il le faut. Je n'en peux plus de rester assise ici, à me sentir totalement inutile. J'emmènerai quelqu'un avec moi, si vous le voulez.

Il était clair que sa décision était prise et qu'elle ne changerait pas d'avis.

— Et si je disais non ?

Il savait bien qu'il ne pouvait pas la ligoter et la garder enfermée dans sa chambre ; mais il était néanmoins résolu à tout tenter pour l'empêcher de partir.

— Vous ne pouvez pas me retenir de force. Je vais me rendre en Russie, affirma-t-elle de nouveau. C'est mon devoir.

Comment ne pas être d'accord avec elle ? Lui aussi aurait aimé y aller, mais il ne possédait plus depuis longtemps la compassion nécessaire propre à la jeunesse et il était trop vieux pour prendre ce genre de risque.

— Non, Cricky. S'ils découvraient ton identité, ils pourraient te prendre en otage, toi aussi. Je ne pense pas que les terroristes respectent la neutralité d'un pays plus que le reste. Je t'en prie, cesse de discuter.

Déçue par sa réaction, Christianna secoua la tête. Mais Hans Josef devait la protéger contre elle-même.

— Tu as des responsabilités vis-à-vis de notre peuple, lui rappela-t-il. De plus, tu pourrais être blessée ou tuée et tu ne possèdes aucune compétence technique ou médicale. La présence de civils, bien intentionnés mais sans la moindre expérience, aggrave parfois la situation. Christianna, je sais que tes intentions sont louables, mais je ne veux pas que tu y ailles.

— Comment pouvez-vous réagir de la sorte ? répliqua-t-elle, les yeux pleins de larmes. Regardez ces pauvres gens ! Leurs enfants sont morts ou grièvement blessés. Et il y en a sans doute beaucoup d'autres qui mourront aujourd'hui. Il faut que j'aille là-bas, je suis sûre que je pourrai me rendre utile. Comment voulez-vous que je me contente de rester ici, à regarder la télévision ? Ce n'est pas ainsi que vous m'avez élevée !

— Je ne t'ai pas appris à mettre imprudemment ta vie en danger, bon sang ! s'écria son père, à son tour gagné par la colère.

Christianna ne mesurait pas à quel point elle avait touché juste. Mais il était hors de question que Hans Josef cède. Sa réponse était *non*. Le problème était que Christianna ne sollicitait plus une permission, mais affirmait une détermination inébranlable.

— « Honneur, Courage, Compassion », c'est notre devise. Vous m'avez appris à prendre soin des autres, à me sentir responsable d'eux, à tendre la main à ceux qui sont dans le besoin et à tout faire pour les aider. Que sont devenus le courage, l'honneur et la compassion tant prisés par notre famille ? Vous m'avez toujours recommandé de me battre pour défendre nos valeurs, même si cela exigeait beaucoup de courage. Regardez ces gens, papa... Ils ont besoin de nous, et je vais faire tout ce qui est en mon pouvoir pour les aider. J'ai été élevée ainsi. Vous ne pouvez revenir en arrière simplement parce que vous refusez de me voir partir.

— Ce n'est pas la même chose lorsque des terroristes sont impliqués. Ces gens-là ne respectent aucune règle.

Hans Josef posait sur elle un regard suppliant, qui s'embua de larmes lorsqu'elle se dressa sur la pointe des pieds pour l'embrasser.

— Je vous aime, papa. Tout se passera bien, je vous le promets. Je vous téléphonerai dès que possible.

Il remarqua alors, dans l'encadrement de la porte, ses deux gardes du corps chaudement vêtus. Christianna avait tout organisé avant même de venir le trouver. Hans Josef comprit que, à moins d'user de contrainte physique, il ne pourrait pas l'empêcher de partir. Pendant un moment, il garda le silence, la tête baissée.

Quand il s'adressa de nouveau à elle, sa voix était enrouée.

— Sois très prudente...

Puis il se tourna vers les gardes du corps et les fixa de son regard impérieux qui trahissait l'autorité sans appel du prince régnant. Sa fille pouvait le défier, mais les deux hommes savaient qu'ils paieraient le prix fort s'il lui arrivait quelque chose.

— Ne la quittez pas des yeux une seule seconde. Vous me comprenez bien, tous les deux ?

— Oui, Votre Altesse, répondirent-ils à l'unisson.

Il était rare de voir le prince en colère. Mais, en fait, il était moins en colère que terrifié. Que deviendrait-il s'il perdait cette enfant qu'il aimait tant ?

A cette pensée, Hans Josef comprit ce que devaient ressentir ceux dont les terroristes exécutaient les enfants un par un, pour obtenir la libération de leurs complices. Quel échange odieux, quelle situation infernale ! Et il réalisa que Christianna avait raison. La voir partir l'angoissait, mais il admirait son courage et sa détermination. Elle mettait en pratique ce qu'il lui avait enseigné : le sacrifice de sa propre vie, si besoin était, au service des autres.

Après qu'elle fut allée chercher son sac à dos dans sa chambre, Hans Josef les accompagna, elle et ses deux gardes, jusqu'à la voiture.

— Que Dieu te protège, murmura-t-il en la serrant dans ses bras, les larmes aux yeux.

— Je vous aime, papa. Ne vous faites pas de souci, tout ira bien.

Elle monta alors dans la voiture avec les deux hommes. Comme elle, ils portaient des bottes et des blousons chauds. Christianna avait réservé leur vol par téléphone. Une fois arrivée là-bas, elle avait l'intention de contacter la Croix-Rouge. Elle avait vu sur CNN que ses membres étaient présents sur place.

Son père suivit la voiture des yeux. Au moment de franchir les grilles, Christianna, penchée à la fenêtre, agita la main avec un sourire victorieux et lui envoya un dernier baiser. La voiture tourna au coin et disparut.

Le prince rentra au palais, la tête basse, bouleversé par le départ de sa fille. Il avait fait tout ce qui était en son pouvoir pour la retenir, en vain. A présent, il ne lui restait plus qu'à prier pour qu'elle revienne saine et sauve.

Elle ne le mesurait peut-être pas, mais il l'admirait de tout son cœur. Elle était exceptionnelle. Lui, en revanche, eut l'impression d'avoir mille ans, quand il pénétra dans son bureau.

4

Christianna et ses deux gardes du corps se rendirent à Zurich en voiture. De là, ils s'envolèrent pour Vienne, où ils embarquèrent à bord d'un avion pour Tbilissi, en Géorgie. Ils y arrivèrent à 19 heures, après un vol de cinq heures et demie.

Une demi-heure plus tard, ils montèrent dans un petit avion pour Vladikavkaz, la capitale de l'Ossétie du Nord, un territoire situé dans le sud de la Russie. Il y avait beaucoup de monde dans l'appareil, qui paraissait vieux, mal entretenu, et dont la carlingue vibra de façon inquiétante lors du décollage. Quand ils en descendirent, juste avant 21 heures, tous trois étaient épuisés par ce long périple.

Christianna espérait avoir fait le bon choix en demandant à ses deux plus jeunes gardes du corps de l'accompagner. Samuel et Max avaient été formés par l'armée suisse, et le premier avait également fait partie d'un commando israélien.

Elle n'avait aucune idée de ce qu'ils trouveraient en arrivant à Digora, leur destination finale, à une cinquantaine de kilomètres de Vladikavkaz. Si on les autorisait à pénétrer sur les lieux de la prise d'otages, ce qu'elle voulait croire, elle se présenterait aussitôt aux responsables de la Croix-Rouge pour leur offrir ses services. Elle n'éprouvait aucune inquiétude particulière, et n'avait qu'un désir : se rendre utile en apportant son aide et son soutien aux parents éplorés et aux enfants blessés. Elle ne possédait aucune compétence particulière mais offrait sa générosité et sa bonne volonté.

Malgré les avertissements de son père, elle ne s'inquiétait pas. Elle était d'ailleurs persuadée de ne pas risquer grand-chose. A ses yeux, le danger était dans l'école, pas à l'extérieur. Et puis, ses deux gardes du corps la protégeaient, ce qui contribuait à lui donner un sentiment de sécurité.

La première difficulté survint quand ils se présentèrent au service des douanes de l'aéroport et que l'un des gardes du corps montra leurs trois passeports. Ils étaient convenus qu'une fois en Russie, son titre ne serait révélé sous aucun prétexte, et Christianna n'avait pas imaginé un seul instant qu'il pût y avoir un problème. Aussi fut-elle surprise lorsque, après avoir étudié longuement son passeport, l'officier l'examina attentivement. La photographie étant très ressemblante, elle ne voyait pas ce qui n'allait pas.

— C'est vous ? s'enquit l'homme avec une certaine agressivité.

Comme il l'avait entendue parler avec ses gardes du corps en allemand et en français, il s'était adressé à elle en allemand. Elle acquiesça d'un signe de tête.

— Nom ?

— Christianna.

Alors, elle comprit. Son passeport était différent de ceux de ses gardes du corps : le sien ne comportait que son prénom, comme c'était le cas pour tous les membres des familles royales. Sur le passeport de la reine d'Angleterre, Elizabeth, ou celui de la princesse de Kent, Marie-Christine, ne figurait que leur prénom, sans titre ni nom. L'officier des douanes paraissait perplexe et irrité.

— Pas de nom ?

Christianna hésita avant de lui tendre un papier rédigé par le gouvernement du Liechtenstein, expliquant les particularités de son passeport et dévoilant son identité. Cette attestation écrite en anglais, en allemand et en français lui avait été utile quand elle était en Californie, où elle avait rencontré un problème similaire en se présentant à la douane américaine. Elle le gardait toujours avec son passeport mais ne le montrait que lorsqu'on le lui demandait.

L'homme le parcourut attentivement et releva la tête à deux reprises pour regarder Christianna. Puis il jeta un coup d'œil aux gardes du corps, avant de revenir à elle.

— Où allez-vous, mademoiselle princesse ?

Christianna réprima un sourire. Ayant été élevé dans un pays communiste, l'homme n'avait pas une grande habitude des titres et ne semblait pas impressionné. Quand elle lui eut donné leur destination, il hocha la tête, tamponna leurs passeports et leur fit signe de passer. La neutralité du Liechtenstein ouvrait bien des portes.

Ils se rendirent ensuite dans une agence de location de voitures et prirent place dans la longue file d'attente qui s'étirait devant la porte.

Tous trois mouraient de faim. Christianna sortit de son sac à dos un paquet de biscuits et trois bouteilles d'eau. Il leur sembla attendre une éternité avant que leur tour vienne ; quand ce fut enfin à eux, il ne restait plus qu'une vieille Yugo, qu'on leur proposa à un prix astronomique. Christianna n'eut d'autre choix que d'accepter. La carte de crédit qu'elle présenta à l'employée ne mentionnait, elle aussi, que son seul prénom, et la femme lui demanda si elle avait du liquide. Christianna en avait emporté un peu, mais elle ne voulait pas s'en défaire si vite. La femme finit par accepter sa carte de crédit, non sans lui avoir offert un rabais si elle payait en espèces. Offre que Christianna déclina.

Le contrat signé, elle prit les clés et demanda une carte de la région, puis tous trois se dirigèrent vers le parking. La voiture était cabossée et si petite que les deux hommes eurent du mal à s'y installer, contrairement à Christianna, qui se glissa sans difficulté à l'arrière, avec son sac à dos.

Pendant que Samuel démarrait, Max déplia la carte. D'après l'employée de l'agence de location, ils avaient quarante-cinq kilomètres à parcourir et arriveraient aux environs de 23 heures.

Avant de monter dans la voiture, les deux hommes avaient sorti leurs armes du sac dans lequel elles avaient voyagé. Max les chargea, sous l'œil indifférent de Christianna. Les armes ne la troublaient pas, car elle avait toujours vu des hommes armés autour d'elle, et ses gardes du corps n'auraient pu assumer leurs fonctions s'ils ne l'avaient pas été. Elle-même avait appris à tirer et était très douée, beaucoup plus que son frère. Freddy n'avait pas d'attirance pour les armes, mais aimait participer à des chasses, principalement pour leur côté mondain.

Dès qu'ils le purent, ils s'arrêtèrent pour dîner. Ils mouraient de faim et trouvèrent un petit restaurant en bordure de la route. Samuel parlait quelques mots de russe, mais ils se contentèrent de désigner du doigt ce que les autres clients avaient dans leur assiette, et on leur servit un repas simple et rustique. La plupart des clients étaient des chauffeurs routiers, aussi une belle jeune femme blonde, accompagnée de deux hommes baraqués, ne passait-elle pas inaperçue ; et encore, ils ignoraient qu'ils se trouvaient devant une vraie princesse.

Christianna ressemblait à n'importe quelle jolie fille avec son jean, ses bottes, son gros pull et sa parka. Ses cheveux étaient attachés en une simple queue de cheval. La tenue de ses compagnons n'était guère différente de la sienne, mais leur air militaire laissait penser qu'ils appartenaient à un service de sécurité. Pourtant, personne ne leur posa de questions.

Quand ils reprirent la route, ils remarquèrent un grand nombre de minivans qui servaient de taxis en commun. Plus tard, Christianna apprit qu'on les appelait des « Marshrutkas » et que c'était l'un des modes de transport les plus courants du pays.

Ne sachant pas lire les panneaux et induits en erreur par la carte, ils se trompèrent à plusieurs reprises, et il était près de minuit lorsqu'ils arrivèrent à destination. Ils se retrouvèrent bientôt devant un barrage tenu par des soldats russes qui leur demandèrent la raison de leur présence. Christianna expliqua en allemand qu'ils étaient à la recherche des représentants de la Croix-Rouge, pour travailler avec eux. La sentinelle hésita, puis, dans un allemand approximatif, leur demanda d'attendre et alla consulter ses supérieurs, occupés à discuter un peu plus loin.

L'un d'eux s'approcha alors de la voiture.

— Vous êtes de la Croix-Rouge ? demanda-t-il avec suspicion.

Il les observa un long moment et comprit qu'il n'avait pas affaire à des terroristes.

— Nous sommes des bénévoles, insista Christianna.

L'homme hésitait encore et continuait de les dévisager.

— D'où venez-vous ?

La dernière chose qu'il souhaitait, c'était que des touristes viennent se mêler au chaos existant. D'autres enfants, près d'une dizaine, avaient été exécutés l'après-midi même, et leurs corps jetés dans la cour de l'école. En ce deuxième jour de siège, l'horreur était à son comble.

La situation ressemblait à la prise d'otages survenue à Beslan en 2004, dans cette même région d'Ossétie du

Nord. Le nombre de morts ne cessait de s'élever et ce n'était pas fini.

— Nous venons du Liechtenstein, répondit Christianna. J'y suis née, et mes amis sont suisses. Nos deux pays sont neutres.

Elle ignorait si cette précision était utile, mais cela ne coûtait rien de le rappeler à l'officier.

— Passeports.

Samuel les lui présenta. L'homme eut la même réaction que l'officier des douanes en voyant celui de Christianna.

— Il n'y a pas de nom sur le vôtre, lui dit-il, l'air ennuyé, comme s'il s'agissait d'une étourderie commise lors de l'établissement du document.

Cette fois, Christianna ne lui montra pas le papier officiel. Elle ne voulait pas qu'on apprenne sa présence ici et que cela s'ébruite.

— Je le sais. C'est assez courant dans mon pays. Surtout pour les femmes, ajouta-t-elle.

Non seulement l'homme n'eut pas l'air convaincu, mais son expression se fit méfiante, ce qui n'avait rien d'étonnant, étant donné la gravité de la situation. A regret, Christianna lui tendit le document. Après l'avoir parcouru avec soin, il la dévisagea, les yeux écarquillés ; comme son homologue des douanes, il regarda ensuite les gardes, avant de revenir à Christianna, l'air admiratif.

— Une princesse ? dit-il, semblant vraiment ébahi. Ici ? Pour travailler avec la Croix-Rouge ?

— C'est ce que nous espérons. Nous sommes venus dans ce but.

L'officier serra alors la main de Samuel, leur indiqua où trouver l'enclave de la Croix-Rouge et leur fournit même le nom de la responsable. Après leur avoir donné un laissez-passer, il leur fit signe de franchir le barrage.

Qu'on leur permette de se rendre sur les lieux de la prise d'otages était exceptionnel. Christianna eut l'impression qu'on les aurait refoulés si elle n'avait pas été princesse, car le respect qu'éprouvait l'officier pour elle et ses deux compagnons était manifeste. Avant de redémarrer, elle lui demanda de ne pas divulguer son identité, en lui expliquant combien c'était important pour elle. Il accepta d'un signe de tête et, l'air toujours abasourdi, suivit des yeux la voiture qui s'éloignait.

Christianna espérait qu'il se montrerait discret. Si on apprenait qui elle était, tout serait gâché, ou du moins rendu beaucoup plus difficile, car les journalistes la poursuivraient sans relâche s'ils avaient vent de sa présence et elle serait peut-être obligée de partir, ce qu'elle voulait éviter à tout prix. Son vœu le plus cher était de se rendre utile, pas d'ameuter la presse.

A mesure qu'ils approchaient de l'école, les cordons de police, les barrages militaires, les équipes des forces spéciales, les commandos de soldats armés de mitraillettes se multipliaient. Mais, comme ils avaient franchi le premier barrage, les contrôles n'étaient plus aussi rigoureux. Quand on leur demandait leurs passeports, c'était pour y jeter un simple coup d'œil, et non plus pour une inspection poussée ; en fait, il leur suffisait de montrer leur laissez-passer pour être autorisés à poursuivre leur route.

La plupart des civils qu'ils rencontraient étaient en pleurs. Il s'agissait de parents, ou d'amis des enfants et des enseignants retenus à l'intérieur. Cette prise d'otages était si semblable à celle de Beslan qu'il était difficile de concevoir que ces deux événements aient pu se produire dans la même région.

Finalement, après avoir croisé plusieurs ambulances, ils aperçurent quatre gros véhicules de la Croix-Rouge. De nombreux membres de l'organisation, reconnaissables à leur brassard blanc et rouge, circulaient parmi la foule. Plusieurs d'entre eux portaient des enfants, d'autres s'efforçaient de réconforter des parents à l'expression hagarde.

Dès qu'elle les vit, Christianna descendit de la voiture, aussitôt suivie de Samuel, celui de ses gardes qui avait appartenu à une unité commando, tandis que Max allait se garer dans un champ. Quand Christianna demanda la personne dont l'officier lui avait donné le nom, on lui désigna quelques chaises posées près d'un des camions, où une femme aux cheveux blancs était assise, et s'entretenait en russe avec un groupe de femmes en pleurs. Elle semblait faire de son mieux pour les rassurer. Ne voulant pas l'interrompre, Christianna resta sur le côté, attendant qu'elle ait fini de parler. Mais celle-ci la remarqua et lui dit quelque chose en russe, en la regardant d'un air interrogateur.

— Vous voulez me voir ? traduisit Samuel.

— Oui, répondit Christianna en allemand. Mais je peux attendre.

Elle espérait qu'elles trouveraient une langue commune pour communiquer. L'anglais et le français étaient le plus couramment utilisés et elle parlait les deux couramment.

La responsable de la Croix-Rouge murmura quelques mots d'excuse en tapotant le bras d'une des femmes pour la réconforter et alla rejoindre Christianna. Il lui paraissait évident que la jeune femme n'était ni une parente d'otages ni une bénévole locale. Sa tenue était trop soignée, ses vêtements trop propres, et elle n'avait pas cette expression éreintée de ceux qui en ont trop vu. Même les soldats avaient pleuré en ramenant les corps des enfants exécutés.

— Que voulez-vous ? lui demanda-t-elle, en français cette fois.

— Je voudrais me porter volontaire, répondit Christianna avec un calme et une détermination qui parurent impressionner favorablement son interlocutrice.

— Appartenez-vous à la Croix-Rouge ? demanda la femme, qui semblait avoir vécu de durs moments.

Et c'était la réalité. Au cours des deux derniers jours, elle avait aidé à transporter les cadavres des enfants, soutenu les parents désespérés et pansé les blessés en attendant l'arrivée des premiers secours. Arrivée sur place deux heures après l'attaque, elle s'était dépensée sans compter.

— Je ne fais pas partie du personnel de la Croix-Rouge, expliqua Christianna. Je viens d'arriver du Liechtenstein avec mes... mes amis, précisa-t-elle en désignant du regard ses deux gardes du corps.

Si elle ne pouvait faire autrement, elle se porterait volontaire en tant que déléguée humanitaire de son pays, mais elle espérait pouvoir agir anonymement, ce dont elle commençait à douter, car la responsable paraissait hésitante.

— Puis-je voir votre passeport ? demanda simplement celle-ci tout en examinant avec attention Christianna, qui eut l'impression d'avoir été reconnue.

La femme ouvrit le passeport, vit le prénom unique, referma le document et le lui rendit avec un sourire. Elle savait exactement à qui elle avait affaire.

— J'ai travaillé avec quelques-uns de vos cousins anglais en Afrique...

Elle n'eut pas besoin de donner leurs noms. Christianna hocha la tête.

— Quelqu'un sait-il que vous êtes ici ?

Comme Christianna répondait par la négative, elle reprit :

— Je suppose que ces hommes sont vos gardes du corps ? Votre aide sera la bienvenue. Vingt enfants ont été tués aujourd'hui et les terroristes viennent de faire une nouvelle demande d'échange de prisonniers. Il faut donc s'attendre à de nouvelles victimes dans quelques heures.

Elle fit signe à Christianna et aux deux hommes de l'accompagner jusqu'à l'un des camions et en redescendit bientôt avec trois brassards, qu'ils passèrent aussitôt.

— Je vous suis reconnaissante de nous apporter votre aide, Votre Altesse, déclara-t-elle. Je suppose que vous êtes ici à titre officiel ?

Sa voix, bien que lasse, était douce. On sentait chez cette femme une telle bonté, une telle compassion, que le simple fait de parler avec elle procurait du réconfort. Christianna sut qu'elle ne s'était pas trompée en venant.

— Non, pas du tout, répondit-elle. Je préférerais d'ailleurs que personne ne sache qui je suis. Cela compliquerait tout. Je vous serais reconnaissante de bien vouloir m'appeler simplement Christianna.

Après avoir acquiescé d'un signe de tête, la responsable se présenta. Elle s'appelait Marthe, était française et parlait russe couramment. Si Christianna maîtrisait six langues, le russe n'en faisait pas partie.

— Je comprends que vous souhaitiez garder l'anonymat, assura Marthe. Cependant, quelqu'un pourrait vous reconnaître. Il y a beaucoup de journalistes ici. En vous voyant, votre visage m'a paru familier.

— J'espère que personne ne sera aussi physionomiste que vous, dit Christianna avec une petite grimace. Cela gâcherait tout.

— J'imagine que cela ne doit pas être facile pour vous, reconnut Marthe.

Ayant déjà assisté au déchaînement de la presse dans des circonstances semblables, elle ne pouvait qu'approuver Christianna dans son désir de cacher son identité.

— Je vous remercie de nous autoriser à travailler avec vous, reprit Christianna. En quoi pouvons-nous vous aider ? Vous devez être épuisée, ajouta-t-elle, compatissante.

— Si vous voulez bien vous rendre dans le deuxième camion, nous avons besoin de quelqu'un pour faire du café. Je crois qu'il n'y en a presque plus. Et il y a aussi des cartons à transporter. Ils contiennent du matériel médical et des bouteilles d'eau. Peut-être que vos hommes pourraient s'en charger ?

— Bien sûr.

Christianna fit part à Max et à Samuel de ce qu'on attendait d'eux, avant de se diriger vers le second camion. Ils montrèrent quelques réticences à la laisser seule, mais elle argua qu'il y avait suffisamment d'hommes armés autour d'eux pour la protéger et qu'elle ne risquait absolument rien.

Après l'avoir remerciée encore une fois, Marthe la quitta pour aller retrouver les femmes avec lesquelles elle s'entretenait avant son arrivée.

Pendant les heures qui suivirent, Christianna servit du café et distribua des bouteilles d'eau ainsi que des couvertures pour ceux qui avaient froid. Des gens dormaient à même le sol ; d'autres se tenaient assis, raides, le visage ravagé par les larmes, attendant des nouvelles des leurs, prisonniers à l'intérieur du bâtiment.

Comme Marthe l'avait craint, la demande d'échange de prisonniers connut une issue tragique. Trois heures plus tard, cinquante enfants furent abattus et leurs corps furent jetés par les fenêtres de l'école, au milieu des hurlements horrifiés de la foule. Les soldats finirent par aller les chercher sous des tirs nourris, destinés à les protéger. Une seule enfant était encore vivante lorsqu'ils la ramenèrent, mais elle mourut dans les bras de sa mère.

Face à tant d'atrocités, tous pleuraient. Ce qui se passait était au-delà du supportable. Plus d'une centaine d'enfants et autant d'adultes avaient déjà trouvé la mort, mais les preneurs d'otages contrôlaient toujours la situation. Cette attaque avait été revendiquée par un groupe d'extrémistes religieux du Moyen-Orient, liés aux séparatistes tchétchènes. Face à leur demande de libération de trente terroristes, le gouvernement russe demeurait intransigeant, mais maintenant la foule ne cachait plus sa colère et réclamait qu'on leur donne satisfaction, afin de sauver les enfants.

A part servir de l'eau et du café, Christianna n'avait pas encore fait grand-chose, quand elle remarqua, non loin d'elle, une jeune femme qui sanglotait. Elle était enceinte et tenait un jeune enfant par la main. Quand leurs yeux se croisèrent, ce fut comme si elles se retrouvaient après une longue séparation et elles tombèrent dans les bras l'une de l'autre en pleurant.

Christianna ne sut jamais le nom de cette jeune Russe. Elles ne possédaient comme langage que la peine infinie de voir mourir des enfants. Elle apprit plus tard que la jeune femme avait un fils de six ans, prisonnier dans l'école. Personne ne savait ce qu'il était devenu et elle priait pour qu'il soit encore vivant. Son mari était instituteur dans la même école. Il avait été l'une des premières victimes de la nuit précédente.

Les deux femmes passèrent plusieurs heures ensemble, enlacées ou se tenant par la main. Christianna alla chercher un peu de nourriture pour l'enfant, âgé de deux ans, ainsi qu'une chaise pour sa mère.

L'aube venait de poindre, lorsque des soldats ordonnèrent à la foule d'évacuer la zone. Les secouristes et les familles durent s'éloigner, sans que personne ne sache vraiment ce qui se passait. Il semblait que les terroristes avaient lancé un ultimatum : si on ne leur donnait pas satisfaction, ils allaient faire sauter l'école. Et la menace, venant de gens sans conscience ni moralité, qui n'accordaient aucune valeur à la vie humaine, était prise très au sérieux.

— Nous devons monter dans les camions, indiqua Marthe avec calme lorsqu'elle passa devant Christianna en faisant le tour de ses troupes. On ne nous a rien dit, mais je pense qu'ils vont lancer l'assaut, ajouta-t-elle. Ils veulent que nous soyons le plus loin possible.

Elle avait répété la même chose à ceux qui se pressaient en bordure de la zone de sécurité et qui refluaient maintenant à l'extrémité du champ, derrière un nouveau cordon établi par la police. Les parents avaient le cœur brisé de devoir s'éloigner de leurs enfants retenus à l'intérieur. Comme s'il y avait urgence, les soldats poussaient sans ménagement les dernières personnes qui traînaient.

Christianna prit l'enfant de la jeune Russe dans ses bras puis, soutenant celle-ci, l'aida à monter dans un des camions. La pauvre femme, submergée par le désespoir, n'était plus en état de marcher. Elle paraissait sur le point d'accoucher.

Pendant ce temps, les gardes du corps de Christianna ne la quittaient pas des yeux. Ils pressentaient que les troupes allaient donner l'assaut et voulaient être prêts à la protéger si les choses tournaient mal. Il fallait à tout prix éviter que Christianna trouve la mort dans ces circonstances. Le nombre de victimes était déjà très élevé et tuer un membre d'une famille royale – même si elle appartenait à un pays neutre – aurait constitué une victoire supplémentaire pour les terroristes. C'est pourquoi Christianna devait conserver son anonymat tout en étant mise en sécurité.

Marthe était impressionnée par le travail qu'elle avait accompli durant la nuit. Elle s'était activée sans relâche, avec tout le zèle et toute la passion de la jeunesse. Si elles avaient le temps d'approfondir leurs relations, Marthe était certaine qu'elle aimerait beaucoup cette jeune femme volontaire et efficace.

Une demi-heure après l'évacuation de la foule, des explosions retentirent, suivies de rafales de mitraillettes. Des unités commandos et des groupes antiterroristes s'élancèrent à l'assaut du bâtiment, et il fut bientôt impossible de déterminer qui en avait le contrôle. Comment croire qu'il resterait un seul survivant une fois la bataille terminée ?

Après avoir installé la jeune Russe sur une couchette, dans un des camions, Christianna essaya d'obtenir des renseignements. En vain. Le combat faisait toujours rage, dans la confusion la plus totale. Elle rejoignit alors les autres membres de la Croix-Rouge, qui continuaient de distribuer couvertures, boissons et nourriture. Plusieurs heures s'écoulèrent avant que les tirs cessent. Le silence qui s'abattit soudain fut presque plus effrayant que le bruit des balles. Personne ne savait ce qu'il signifiait, ni quelle était l'issue de l'affrontement.

On vit courir des groupes de soldats, puis un drapeau blanc apparut à la fenêtre d'un des étages. Tremblant de froid, la foule impuissante attendait des nouvelles, mais il se passa encore deux heures avant que des soldats traversent le champ pour demander à tous de s'approcher. Ils les informèrent que tout était terminé et qu'ils allaient devoir identifier les corps.

Ce fut un spectacle insoutenable. Les cris déchirants des parents et des amis retentirent pendant des heures. Tous les terroristes s'étaient suicidés, sauf deux, qui furent emmenés dans des véhicules blindés sous bonne garde, car la foule déchaînée voulait les mettre en pièces. Les bombes disséminées dans l'école n'avaient pas explosé, et des équipes de déminage étaient en train de les désamorcer. A présent que le calme était revenu, les journalistes affluaient, malgré les efforts de la police pour les retenir.

La tragédie avait fait d'innombrables victimes, plus de cinq cents enfants et presque tous les adultes.

Avec les autres membres de la Croix-Rouge, Christianna accompagna les parents le long des rangées de petits corps alignés. Quand un enfant était identifié, elle aidait sa famille à l'envelopper dans un drap, puis à le placer dans un petit cercueil en bois. Elle laissa échapper un sanglot lorsqu'elle aperçut son amie enceinte, le visage ruisselant de larmes, qui serrait son fils contre elle.

Le jeune garçon était couvert de sang, car il était blessé à la tête. Mais il était vivant ! Christianna courut vers eux et les étreignit, mêlant ses pleurs aux leurs. Elle ôta ensuite sa veste pour en envelopper le petit garçon, tandis que la jeune femme lui souriait à travers ses larmes et la remerciait en russe. Christianna la serra de nouveau contre elle, avant de l'aider à conduire son fils jusqu'à une équipe médicale. Contrairement à toute attente, il allait bien, mis à part le choc psychologique. Quant à sa blessure à la tête, il ne s'agissait que d'une profonde coupure.

La journée fut particulièrement éprouvante. Peu d'agressions terroristes avaient atteint un tel degré d'horreur. Christianna n'aurait pu connaître pire baptême que ce carnage. Alors qu'elle se penchait pour aider quelqu'un, elle s'aperçut qu'elle était couverte de sang, comme tous ceux qui avaient tenu dans leurs bras des enfants, vivants ou morts.

Durant tout l'après-midi et toute la soirée, ce fut un défilé ininterrompu d'ambulances, de corbillards, de camions, de voitures amenant des gens des villes voisines ou de beaucoup plus loin. Ce fut comme si toute la Russie venait soutenir les familles des victimes, les aider à enterrer leurs morts et prier avec elles.

Tard dans la nuit, le bilan définitif fut connu et l'identification des victimes terminée. Seuls quelques enfants avaient été transportés dans différents hôpitaux, sans que l'on connaisse leur identité.

Christianna et ses deux gardes du corps aidèrent Marthe et les autres à charger les camions. Le travail des volontaires était terminé ; c'était maintenant aux membres permanents de la Croix-Rouge d'agir.

Christianna resta jusqu'à la fin. Avant le départ du dernier camion, au moment de dire au revoir à Marthe, elle fondit en larmes, submergée par la douleur et l'épuisement. Elle n'était arrivée que depuis vingt-quatre heures, mais elle savait que sa vie était boulever-sée à jamais. Après ce qu'elle venait de vivre, tout ce qu'elle avait vu ou accompli jusqu'à présent lui appa-raissait dénué d'importance.

Marthe savait mieux que quiconque ce qu'il en était. Ses deux enfants avaient été tués en Afrique, lors d'un soulèvement. Elle était restée trop longtemps dans le pays, alors que la situation politique se dégradait, et cela avait coûté la vie à ses enfants. A la suite de cette tragédie, son mariage avait sombré.

Elle avait fondé un centre de la Croix-Rouge pour venir en aide aux populations locales. Elle y retournait souvent, tout en se rendant là où on avait besoin d'elle, au Moyen-Orient ou en Amérique centrale. Elle n'avait plus de pays, mais était devenue citoyenne du monde, avec la Croix-Rouge pour nationalité et l'aide aux vic-times pour mission. Elle ne redoutait aucune situation – si dangereuse qu'elle soit.

Marthe avait pris Christianna dans ses bras, et celle-ci sanglotait comme une enfant. La jeune femme venait de vivre des moments très pénibles.

— Je sais, je sais… murmura Marthe avec douceur.

Comme toujours, elle était indifférente à son propre épuisement. Elle se donnait sans compter à ceux qui en avaient besoin et n'avait pas peur de mourir dans l'exercice de son métier. Il lui tenait lieu de famille et était sa raison de vivre.

— C'est très dur, la première fois, dit-elle. Et vous avez accompli un travail admirable, ajouta-t-elle alors que Christianna restait blottie contre elle.

Ses gardes du corps aussi avaient craqué à plusieurs reprises au cours de la nuit et n'en avaient pas honte.

Christianna était sensible au fait qu'ils n'aient pas gardé les yeux secs, tout comme Marthe appréciait Christianna pour tout ce qu'elle avait fait. Un long moment s'écoula encore avant que la jeune femme se calme et se dégage de ses bras.

Christianna n'avait que très peu connu sa mère et elle eut le sentiment que celle-ci l'aurait réconfortée comme Marthe, en la serrant dans ses bras jusqu'à ce qu'elle se sente prête à repartir. Toutefois, elle n'était pas sûre d'être prête. Jamais elle n'oublierait les moments tragiques dont elle avait été témoin cette nuit, pas plus que la joie indescriptible des parents retrouvant leur enfant indemne. Elle s'était attendue à travailler dur, mais pas à avoir le cœur déchiré à ce point.

— Si vous voulez un jour travailler avec nous, appelez-moi, dit Marthe de sa voix posée. Je pense sincèrement que vous êtes faite pour cela.

Elle-même en avait pris conscience après la mort de ses enfants, et considérait tous ceux qu'elle sauvait et aidait depuis des années comme les siens. Elle avait surmonté sa douleur en se mettant au service des autres et l'avait transformée en grâce.

— Si seulement je le pouvais... répondit Christianna, encore bouleversée.

Malheureusement, elle savait très bien que travailler pour la Croix-Rouge n'était pas envisageable. Son père ne le permettrait jamais.

— Ce serait peut-être possible pour un court laps de temps, insista Marthe. Réfléchissez-y. Pour me trouver, il vous suffit d'appeler le Comité international, à Genève. Ils savent toujours où je suis. Si vous le souhaitez, nous pourrons en parler.

— J'aimerais tant, dit Christianna, sincère.

Si seulement elle réussissait à convaincre son père ! Mais elle n'avait absolument aucune chance d'y parvenir. Cette idée le rendrait fou. Et pourtant, c'était tellement plus important que tout ce qu'elle pouvait faire à Vaduz, même en s'investissant dans la fondation. Pour la première fois de sa vie, elle s'était sentie vivante, utile, avec l'impression que son existence n'était pas dénuée de sens. Elle n'oublierait jamais Marthe, même si elles ne se revoyaient plus. Les deux femmes s'embrassèrent.

Puis, tandis que les camions de la Croix-Rouge s'ébranlaient, Christianna, Max et Samuel se dirigèrent vers l'endroit où était garée la voiture. Plusieurs impacts de balles trouaient l'habitacle, et le pare-brise avait été pulvérisé. Après que les deux hommes eurent ôté les éclats de verre qui jonchaient les sièges, ils partirent. Les premières lueurs de l'aube coloraient le ciel. Des militaires continuaient de surveiller la zone, mais tous les corps avaient été enlevés et les ambulances étaient reparties. Personne n'oublierait les enfants qui avaient trouvé la mort ici.

Le retour vers Vladikavkaz s'effectua en silence. Christianna et ses gardes du corps, épuisés et encore bouleversés, n'échangèrent que quelques rares paroles. Les deux nuits passées sur place semblaient une éternité.

Cette fois, Max prit le volant, tandis que Samuel dormait à côté de lui. Les yeux fixés sur la vitre, Christianna resta éveillée tout le long du trajet. Elle repensait à la jeune femme russe, qui se retrouvait veuve avec trois enfants ; à Marthe, avec son visage plein de douceur et son inépuisable dévouement, et à ses paroles, au moment de leur séparation. Si seulement il existait un moyen pour convaincre son père de l'autoriser à faire ce genre de travail... Elle n'avait aucun désir d'obtenir un quelconque diplôme à la Sorbonne. Cela ne représentait rien pour elle.

Les visages de la nuit hantaient son esprit : ceux des morts, mais aussi ceux, hagards, des survivants au milieu de leurs familles. A cela s'ajoutaient le chagrin et

76

la compassion devant une telle tragédie et devant la cruauté et le manque total de conscience de ceux qui s'étaient livrés à un acte aussi barbare.

Christianna ne dormait toujours pas lorsqu'ils atteignirent l'aéroport. Ils rendirent la voiture à l'agence de location en indiquant qu'ils prenaient les dommages à leur charge. Quand ils traversèrent le hall de l'aéroport, elle s'étonna que les gens la dévisagent, jusqu'au moment où l'un de ses gardes lui mit son blouson sur les épaules.

— Ça ira, je n'ai pas froid, assura-t-elle en le lui rendant.

— Vous êtes couverte de sang, Votre Altesse, lui fit-il remarquer doucement.

Baissant les yeux, Christianna constata que son pull était maculé du sang des dizaines de victimes dont elle s'était approchée. Dans une vitrine, elle vit qu'elle en avait jusque dans les cheveux. Elle ne s'était pas coiffée depuis deux jours et s'en moquait. Rien n'avait plus d'importance, hormis les gens qu'elle avait vus à Digora.

Elle alla néanmoins dans les toilettes pour essayer de se rendre présentable, mais la tâche s'avérait quasiment impossible. Ses bottes étaient couvertes de boue, son jean comme son pull, maculés de sang, et elle ne pouvait pas se laver les cheveux ni faire disparaître l'odeur qui l'imprégnait.

Quand elle montra son passeport, tout se passa bien, cette fois. Sortir du pays se révélait plus facile que d'y entrer.

Ils arrivèrent au Liechtenstein tard dans la nuit. Max avait prévenu de leur arrivée, et la voiture de Christianna les attendait à l'aéroport. Il avait demandé que l'on dispose des draps sur les banquettes, ce qui n'avait pas manqué d'étonner le chauffeur Mais lorsqu'il les vit, il comprit. Tous gardèrent le silence jusqu'à Vaduz.

Quand les grilles du palais s'ouvrirent, Christianna observa le lieu où elle vivait, où elle était née et où elle mourrait probablement, réalisant que la jeune femme qui avait quitté Vaduz trois jours auparavant n'existait plus.

5

A son retour, Christianna ne vit pas son père. Il assistait à un dîner à l'ambassade de France à Vienne et, comme d'habitude, il était descendu au palais Liechtenstein.

Il avait appris, avant de partir, que Christianna était bien rentrée. L'un des gardes du corps lui avait téléphoné depuis l'aéroport pour le rassurer. Jusqu'alors, il avait été rongé d'inquiétude, car les téléphones portables ne passaient pas en Russie et il avait eu peur pour sa fille.

Il revint vingt-quatre heures après le retour de Christianna et alla aussitôt la voir. Elle portait un jean blanc, des mocassins et un sweat-shirt ; ses cheveux étaient brillants et bien coiffés. Rien ne trahissait ce par quoi elle était passée, mais lorsqu'il plongea son regard dans le sien, ce qu'il y lut le terrifia. Elle ne paraissait pas morte, mais au contraire animée d'une flamme qu'il ne lui avait jamais vue. En trois jours, elle semblait avoir mûri et avoir acquis une sagesse et une maturité qu'il ne lui connaissait pas auparavant. Ce qu'elle avait vécu l'avait transformée et il comprit que plus rien ne serait jamais pareil.

— Bonjour, papa, dit-elle posément quand il l'embrassa. Je suis tellement contente de vous voir...

Il aurait voulu la garder dans ses bras mais découvrait que ce n'était plus possible. L'enfant qu'il avait connue n'existait plus et avait laissé place à une femme qui avait assisté à des événements dont nul n'aurait voulu être témoin.

— Tu m'as manqué, murmura-t-il. Je me suis fait tant de souci ! Je regardais les journaux télévisés en permanence, mais je ne t'ai jamais vue. Etait-ce aussi horrible que ça en avait l'air ? demanda-t-il en s'asseyant à côté d'elle, sa main dans la sienne.

Il regrettait amèrement qu'elle se soit rendue là-bas, tout en sachant que rien ni personne n'aurait pu l'en dissuader.

— C'était pire, répondit Christianna. Il y a beaucoup de choses que les journalistes n'ont pas été autorisés à montrer, par égard pour les familles. Ils ont tué tant d'enfants, papa ! Ils en ont tué des centaines, comme s'il s'agissait de vulgaire bétail.

Des larmes roulèrent lentement sur ses joues. Que n'aurait-il donné pour lui éviter une telle épreuve !

— Je le sais. Les visages des familles qu'on voyait à la télévision étaient terribles. Je ne pouvais pas m'empêcher de me mettre à leur place. Je ne supporterais pas de te perdre, Cricky. Comment ces gens vont-ils pouvoir continuer à vivre ? Ce doit être tellement difficile !

De nouveau, Christianna pensa à la jeune Russe enceinte dont elle avait partagé la peine, même si elles ne pouvaient se parler... A Marthe... A tous ceux qui avaient croisé son chemin durant ces quelques jours.

— J'ai été soulagé que les journalistes ne parlent pas de toi. Ont-ils su que tu étais là-bas ?

Il supposait que ce n'était pas le cas, sinon il en aurait été averti.

— Non, confirma Christianna. Et la responsable de la Croix-Rouge s'est montrée très discrète. Elle m'a reconnue dès qu'elle a vu mon passeport. En plus, elle avait déjà travaillé avec certains de nos cousins.

— J'avais très peur que quelqu'un ne révèle ta présence. Je suis heureux qu'elle ait gardé le silence.

Christianna l'était également. Cela lui avait permis d'agir comme elle le voulait, sans avoir à subir l'assaut des photographes. Cela lui aurait été insupportable et, en outre, très insultant vis-à-vis des personnes touchées par le malheur.

Elle le fixa alors longuement et en lui serrant la main avec force. Hans Josef pressentit qu'il n'aimerait pas ce qui allait suivre. Dans ses grands yeux bleus, il lut un mélange d'espoir et de douleur. Elle en avait trop vu pour une jeune femme de son âge et il lui faudrait longtemps pour oublier.

— Je veux y retourner, dit-elle doucement. Pas en Russie, précisa-t-elle quand il la dévisagea, surpris et incrédule. Je veux retourner travailler avec la Croix-Rouge. Je sais que ce ne pourra pas être pour longtemps, mais je voudrais que vous m'autorisiez à y aller un an, ou même six mois... Ensuite, je ferai tout ce que vous voudrez. Mais, une fois dans ma vie, je tiens à faire quelque chose qui compte. Papa, je vous en prie...

Les yeux de Christianna se remplirent de larmes quand il secoua la tête négativement.

— Tu subis le contrecoup d'une expérience traumatisante, Cricky. Je le sais, car j'ai moi-même vécu la même chose. Si tu veux vraiment te rendre utile, investis-toi dans la fondation de ta mère. Il y a beaucoup de choses à faire : t'occuper d'enfants handicapés, de sans-abri, ou proposer ton aide à l'hôpital des grands brûlés. Tu peux apaiser de nombreuses peines et consoler de nombreux cœurs. En revanche, si tu me demandes la permission de partir dans des pays dangereux, je refuse, purement et simplement. Je t'aime trop pour accepter que tu mettes ta vie en danger ; je serais fou d'inquiétude. En outre, j'ai une responsabilité vis-à-vis de la mémoire de ta mère. C'est à moi de veiller à ce qu'il ne t'arrive rien.

— Ce n'est pas ici que je veux m'engager ! protesta Christianna avec irritation.

Elle prit conscience qu'elle s'exprimait comme si elle était toujours une enfant ; face à son père, c'est ce qu'elle était. Pourtant, pas plus que lui elle n'était prête à capituler.

— Pour une fois dans ma vie, je veux être comme les autres, travailler et servir à quelque chose. Ensuite, j'accepterai l'existence confortable qui m'attend et me contenterai d'inaugurer des hôpitaux ou de visiter des maisons de retraite.

Sachant à quel point cette existence pouvait être pesante, Hans Josef ne répondit pas. Cependant, il était hors de question qu'elle risque sa vie dans des pays en guerre ou qu'elle parte dans des régions rongées par la famine, tout cela parce qu'elle avait la chance d'être née riche et noble et qu'elle ne l'acceptait pas. Elle devait avant tout faire la paix avec elle-même.

— Tu viens de passer quatre ans aux Etats-Unis, où tu as bénéficié de beaucoup de liberté, expliqua-t-il. Maintenant, il faut accepter ta condition et ce qu'elle implique. Il ne sert à rien de fuir. Tu ne peux échapper à ton destin, Christianna. Je suis bien placé pour le savoir, car j'ai eu les mêmes réactions que toi, quand j'étais jeune. Mais c'est ici qu'est notre place et il nous revient d'assumer les responsabilités qui y sont atta- chées.

Des larmes roulèrent sur ses joues quand elle enten- dit ce qui, pour elle, s'apparentait presque à une condamnation à mort. Elle pleurait la liberté qu'elle ne connaîtrait jamais et les choses qu'elle ne pourrait pas accomplir. Durant une année, juste une seule année, elle aurait voulu être comme tout le monde, et son père le lui interdisait. C'était le seul cadeau qu'elle voulait qu'il lui offre, car bientôt, il serait trop tard. Si elle devait réaliser son rêve, c'était maintenant ou jamais.

— Alors, répliqua-t-elle, pourquoi Freddy a-t-il le droit de courir le monde et fait-il ce qu'il veut ?

— Parce que ton frère est immature, répondit son père avec un mince sourire.

Mais il recouvra très vite son sérieux, sachant combien ce sujet était important pour Christianna.

— Et puis, il ne va pas dans des endroits dangereux, comme là où tu t'es rendue en Russie. Les dangers qui menacent ton frère sont ceux qu'il se crée lui-même et ils n'ont rien à voir avec ceux que tu pourrais rencontrer en travaillant pour la Croix-Rouge. Il ne t'est rien arrivé de fâcheux cette fois-ci, Dieu merci. Mais cela pourrait se produire. S'ils avaient fait brusquement sauter l'école, tu aurais pu être blessée, ou pire...

Hans Josef frémit intérieurement à cette pensée. Après un silence, il reprit :

— Christianna, je refuse de te laisser partir pour que tu te fasses tuer, ou blesser, ou que tu attrapes des maladies, ou que tu te trouves dans des pays en guerre. C'est hors de question.

Comme elle le craignait, son père se montrait inflexible, mais elle n'était pas prête à capituler, car elle savait que même si elle travaillait pour la fondation, il ne l'autoriserait pas à voyager. Il voulait simplement la protéger. Or, c'était exactement ce qu'elle ne voulait pas.

— Pouvez-vous au moins y réfléchir ? le supplia-t-elle.

— C'est tout réfléchi, répondit-il en se levant. Je ferai tout ce que je peux, et tout ce que tu veux, pour rendre ta vie ici plus intéressante. Mais oublie la Croix-Rouge et tout ce qui y ressemble, conclut-il avec fermeté.

Il se pencha pour l'embrasser puis, sans lui laisser le temps de répliquer, sortit. La discussion était close.

Pendant des heures, Christianna resta assise dans sa chambre, oscillant entre le désespoir et la colère.

Pourquoi son père se montrait-il aussi peu compréhensif ? Et pourquoi devait-elle être princesse ? Elle détestait sa condition royale !

Ce soir-là, elle ne répondit même pas aux e-mails de ses amies américaines, alors que d'habitude elle y prenait beaucoup de plaisir. Elle était trop bouleversée pour cela.

Les deux jours suivants, elle évita son père. Elle monta à cheval et promena son chien, inaugura un orphelinat et une maison de retraite, enregistra une cassette audio pour les aveugles, passa du temps à la fondation, mais ne tira pas la moindre satisfaction de tout ce qu'elle fit. Elle aurait voulu être quelqu'un d'autre, et ailleurs qu'à Vaduz. Elle haïssait son existence, ses ancêtres, le palais, et même son père. Etre princesse était un fardeau, et non pas un privilège, comme on le lui avait répété toute sa vie.

Quand elle appela Victoria pour se plaindre, sa cousine l'invita à venir à Londres. Mais à quoi bon ? Il lui faudrait bien revenir à Vaduz et y retrouver toutes les corvées qui l'attendaient. Elle déclina également l'invitation de ses cousins allemands et refusa d'accompagner son père à Madrid, où il devait rencontrer le roi d'Espagne. Elle les détestait tous !

Christianna broyait du noir depuis deux semaines quand son père, qu'elle s'efforçait d'éviter, vint la trouver dans sa chambre. Sa tristesse ne le laissait pas insensible, et il avait lui-même l'air désemparé quand il prit place dans un fauteuil. Par égard pour lui, elle baissa le son de la chaîne. Elle écoutait de la musique pour essayer de noyer son chagrin. Même Charles paraissait manquer d'entrain. Il agita la queue, mais ne se leva pas pour accueillir le prince.

— Je veux te parler, dit ce dernier.

— De quoi ? demanda Christianna avec une hostilité à peine voilée.

— De ton idée de rejoindre la Croix-Rouge. Je veux que tu le saches, je la trouve absurde. Si ta mère était encore de ce monde, je suis sûr qu'elle ne voudrait même pas en discuter avec toi et elle ne serait certainement pas contente que je t'en reparle.

Christianna fronça les sourcils. Elle ne supportait plus de l'entendre répéter qu'il s'agissait d'une mauvaise idée ! C'était d'ailleurs pour cette raison qu'elle ne lui adressait plus la parole.

— Je sais ce que vous en pensez, papa, répliquat-elle d'un ton peu amène. Inutile de me le répéter. J'ai compris.

— Oui, j'en ai bien conscience. Mais tu vas m'écouter.

Hans Josef faillit sourire en constatant que, s'il régnait sans problèmes sur ses trente-trois mille sujets, il avait beaucoup plus de difficultés avec sa fille unique. Il soupira et poursuivit :

— Je me suis longuement entretenu avec le directeur de la Croix-Rouge, cette semaine, à Genève. A ma demande, il est même venu me voir ici.

— Ne croyez pas m'acheter avec un poste de volontaire dans un bureau ! lança-t-elle en le foudroyant du regard. Et je ne donnerai pas de bals pour eux, que ce soit ici ou à Vienne. Je déteste ces manifestations. Je les trouve épouvantablement ennuyeuses ! termina-t-elle en croisant les bras sur sa poitrine en signe de refus.

— Moi aussi, mais elles font partie de ma tâche. Et il se peut qu'un jour, elles fassent partie de la tienne, suivant l'homme que tu épouseras. C'est ce qu'on attend de nous, et tu ne peux pas refuser d'être celle que tu es. D'autres s'y sont essayés avant toi et ont raté leur vie. Tu n'as pas d'autre choix que d'accepter ton sort. N'oublie pas que nous sommes avant tout des privilégiés.

Sa voix s'adoucit un peu quand il ajouta :

— J'ai la chance de t'avoir. Je t'aime énormément, et je ne veux pas que tu sois malheureuse.

— Je *suis* malheureuse, rétorqua-t-elle. Je mène une vie complètement inutile, égoïste et stupide. La seule fois que j'ai fait quelque chose de valable et de significatif, c'était il y a deux semaines, en Russie.

— Je le sais et je comprends ce que tu ressens. Mais dans n'importe quel métier, on est contraint de faire beaucoup de choses superficielles et sans intérêt. Il est très rare d'avoir l'opportunité, comme toi, d'apporter une aide véritable à des gens frappés par une catastrophe. On ne peut, cependant, faire cela toute sa vie.

— La femme qui dirigeait les opérations en Russie le fait, elle. Elle s'appelle Marthe, et elle est extraordinaire.

— J'ai beaucoup entendu parler d'elle, déclara Hans Josef avec calme.

Après plusieurs heures de conversation avec le directeur de la Croix-Rouge, il s'était déclaré satisfait, même s'il avait encore de nombreuses réserves.

— Cricky, je voudrais que tu m'écoutes. Je te le répète, je ne veux pas que tu sois malheureuse. Tu dois accepter ton sort et admettre, au plus profond de toi-même, que tu ne peux y échapper. C'est ton destin. Et même si tu ne t'en rends pas compte maintenant, tu en tireras de nombreuses satisfactions. Tu dois apprendre à être toi-même. Tu trouveras gratifiante, un jour, ta fonction à mes côtés et, le moment venu, celle que tu auras aux côtés de ton frère. Tu en sais beaucoup plus que lui et il aura besoin de toi pour diriger le pays, même si tu restes en coulisses. Je compte beaucoup sur toi. Freddy régnera, mais tu seras son mentor et son conseiller. Ton aide lui sera indispensable.

C'était la première fois que son père lui parlait de son rôle futur, et Christianna ne s'y attendait pas. Déjà, son père poursuivait :

— Ton bonheur ou ton malheur dépendra de la manière dont tu conçois tes responsabilités, dont tu mèneras ta vie, de ce que tu feras. Je veux que tu y réfléchisses. Tu ne peux échapper à ce que tu es, ni maintenant, ni plus tard, ni jamais. J'attends beaucoup de toi, Christianna. J'ai besoin de toi. Tu portes le titre d'altesse sérénissime, cela représente à la fois ton héritage et ta raison d'être. Me comprends-tu ?

Il ne s'était jamais exprimé aussi clairement, et ses paroles effrayèrent Christianna. Si elle l'avait osé, elle se serait bouché les oreilles pour ne plus l'entendre, mais Hans Josef était son père. Tout ce qu'il disait était douloureusement vrai et elle ne supportait pas qu'il le lui rappelle. Il s'agissait d'un fardeau qu'elle ne pourrait pas alléger, ôter ou ignorer. Jamais. Et à ce poids écrasant son père ajoutait maintenant l'obligation de seconder Freddy.

— Je vous comprends très bien, père, répondit-elle d'un ton glacial.

Elle ne l'appelait « père » que lorsqu'elle était très en colère ; tout comme lui n'usait de son titre que quand il était furieux contre elle, ce qui était encore plus rare.

— Parfait. Nous pouvons donc continuer. Tu n'as pas le choix : tu dois revenir un jour ou l'autre à Vaduz pour assumer tes responsabilités et aider ton frère à assumer les siennes. Je suis prêt à te donner du temps pour que tu te fasses à cette idée.

— Je ne veux pas aller à Paris, déclara Christianna avec obstination.

— Ce n'est pas Paris que j'allais te proposer… malheureusement. Le directeur de la Croix-Rouge en personne a accepté de te prendre sous sa responsabilité. Il m'a assuré et il m'a même juré que si je te confiais à lui, il ne t'arriverait rien. Au moindre incident, ou si la situation politique devenait incertaine, tu rentrerais ici par le premier vol, sans discussion possible. En attendant, j'ai donné mon accord pour que tu participes à l'un de leurs projets pendant six mois. Un an, si tout se passe bien. Ensuite, quoi qu'il arrive, tu rentreras. Ton amie Marthe a un projet en Afrique qui devrait t'intéresser : un centre de soins pour les femmes et les enfants atteints du sida. Il se trouve dans une des rares zones d'Afrique à peu près calmes en ce moment. Au moindre changement, tu rentreras à la maison. Est-ce clair ?

Des larmes brillaient dans les yeux de son père quand il eut fini de parler. Christianna le regarda, stupéfaite. Jamais elle ne se serait attendue à ce qu'il change d'avis.

— Parlez-vous sérieusement ? C'est vrai ?

Elle se leva et se jeta à son cou, incapable d'y croire. Elle aussi était prête à pleurer quand elle l'embrassa, transportée de joie.

— Oh, papa ! bredouilla-t-elle, trop émue pour parler.

— Je suis sans doute complètement fou de te laisser partir. Je dois vieillir, ajouta-t-il d'une voix tremblante.

Il ne s'était résolu à cette extrémité qu'après de longues et douloureuses réflexions. L'angoisse qu'il avait éprouvée au même âge, alors qu'il cherchait à donner un sens à sa vie, lui était revenue en mémoire. Prisonnier de son devoir en tant que prince héritier, il avait éprouvé le même mal-être durant sa jeunesse. Puis il avait rencontré la mère de Christianna et tout avait changé. Son père était mort peu après et il était devenu prince régnant. Il n'avait jamais eu le temps de se remémorer cette période de sa vie, mais son souvenir était resté vivace dans son esprit et avait contribué à ébranler sa résistance. De plus, Christianna ne régnerait jamais, puisque les femmes ne le pouvaient pas au Liechtenstein.

Tout cela, ajouté à l'amour qu'il portait à sa fille, l'avait conduit à prendre sa décision. Même s'il était inquiet, il ne voulait pas l'empêcher de s'épanouir. A cet instant précis, Christianna n'éprouvait plus aucun ressentiment, au contraire. Jamais elle n'avait été aussi heureuse et reconnaissante.

88

— Oh, papa ! répéta-t-elle, la voix frémissante d'émotion. Quand pourrai-je partir ?

— Je veux que tu passes les fêtes ici, avec moi. J'ai dit au directeur que tu pourrais te rendre là-bas en janvier, ou plus tard si tu le souhaites, mais pas avant. De toute manière, ils ont besoin d'un peu de temps pour se préparer. Ils mettent sur pied de nouveaux programmes et ils préfèrent ne pas avoir de volontaires inexpérimentés pour le moment.

Christianna acquiesça d'un signe de tête. Elle saurait réprimer son impatience durant les mois à venir.

— Je ferai tout ce que vous voudrez jusqu'à mon départ, déclara-t-elle.

— Tu as intérêt, répliqua-t-il avec un sourire attristé, sinon je risquerais de changer d'avis.

— Oh non, je vous en prie ! s'écria-t-elle. Je promets de bien me conduire.

Christianna ne regrettait qu'une seule chose : elle allait partir avant le retour de son frère. Mais peut-être viendrait-il la voir, puisqu'il n'avait pas grand-chose à faire à Vaduz et qu'il adorait voyager. Il était d'ailleurs allé à plusieurs reprises en Afrique.

Elle était ravie et avait hâte que l'aventure commence. Il serait temps, quand elle reviendrait, d'accepter son destin. Peut-être dirigerait-elle la fondation, puisque son frère ne s'y intéressait pas. En attendant, elle ne voulait penser qu'à son futur séjour en Afrique.

— Avant de partir, il faudra que tu suives plusieurs semaines de stage à Genève. Je te donnerai le numéro de téléphone du directeur, afin que ta secrétaire s'arrange avec lui. A moins qu'il puisse envoyer quelqu'un pour te former ici.

Christianna ne voulait bénéficier d'aucun régime de faveur ; elle désirait être traitée comme tout le monde. C'était son unique chance de connaître une existence normale, aussi déclara-t-elle qu'elle irait à Genève.

— Fort bien, répondit-il en se levant. Tu as amplement matière à réfléchir et à te réjouir...

S'arrêtant sur le seuil de la porte, il se retourna pour
la regarder. L'espace d'un instant, il ressembla à un vieil
homme triste et fatigué.

— Tu me manqueras terriblement, Cricky.

Il s'abstint d'ajouter que l'inquiétude le tarauderait
jour et nuit, même si, pour ne courir aucun risque, il
entendait lui imposer une protection rapprochée.

— Je vous aime, papa... Je vous remercie de tout
mon cœur.

— Moi aussi, je t'aime, Cricky, murmura-t-il.

Il hocha la tête, lui sourit, puis quitta la pièce, les
yeux pleins de larmes.

6

Une fois que son père eut accepté de la laisser travailler pour la Croix-Rouge, Christianna accomplit ses devoirs à Vaduz avec une énergie renouvelée. Elle coupa des rubans, rendit visite aux malades et aux personnes âgées, fit la lecture aux orphelins, assista aux réceptions officielles, sans le moindre murmure de protestation. Le prince fut touché de ses efforts et espéra qu'à son retour, elle assumerait ses obligations avec plus de sérénité.

Cependant, Christianna contenait mal son impatience. Avertie de son prochain départ pour l'Afrique, Marthe lui avait écrit. Elle la remerciait encore pour son dévouement en Russie et souhaitait la réussite de sa nouvelle aventure. Elle était persuadée que Christianna allait vivre une expérience qu'elle n'oublierait jamais et espérait la revoir là-bas puisqu'elle s'y rendait fréquemment.

Ni Christianna ni son père ne s'attendaient à la réaction de Freddy quand elle lui annonça ses projets par e-mail. Il était totalement opposé à l'idée qu'elle parte et il téléphona même à Hans Josef pour essayer de le convaincre de son erreur. Au grand soulagement de Christianna, celui-ci tint bon.

Freddy appela alors directement sa sœur.

— Es-tu complètement folle ? dit-il, furieux. Cricky, tu ne sais pas ce que tu fais. L'Afrique est dangereuse !

Tu risques d'être tuée par des rebelles ou de tomber malade. Je suis allé là-bas, ce n'est pas un endroit pour toi... Père a dû perdre la tête !

— Ne dis pas de bêtises, répondit-elle avec calme bien qu'un peu ennuyée par sa réaction. Tu y as passé un mois l'année dernière et tu as été enchanté de ton séjour.

— Je suis un homme, objecta-t-il.

Christianna leva les yeux au ciel. C'était le genre d'argument qu'elle détestait.

— Ne sois pas stupide. Quelle différence cela fait-il ?

— Moi, je n'ai pas peur des lions et des serpents, insinua-t-il.

— Moi non plus, prétendit-elle bravement, même si les serpents la terrifiaient.

— Mon œil ! Tu as failli avoir une crise cardiaque quand j'ai mis un serpent dans ton lit, lui rappela-t-il.

Elle éclata de rire.

— J'avais neuf ans !

— Tu n'es guère plus vieille. Tu devrais rester à Vaduz, c'est là qu'est ta place.

— Pour y faire quoi ? Il n'y a rien d'intéressant pour moi ici, et tu le sais.

— Tu peux assister à des réceptions avec père, ou te chercher un mari. Fais ce que les princesses sont censées faire !

Mais elle n'en avait justement aucune envie.

— Au fait, continua-t-il, je viens d'apprendre que Victoria est de nouveau fiancée et qu'il s'agit du prince héritier du Danemark. Ça ne durera pas !

Ils la connaissaient trop bien tous les deux pour que Christianna le contredise. D'ailleurs, un de ses cousins allemands lui avait confié que Victoria commençait déjà à se lasser de son prince, que tout le monde considérait pourtant comme un homme délicieux. En fait, Christianna n'imaginait pas Victoria mariée, du moins pas avant longtemps.

— Et toi ? Tu ne vas pas bientôt revenir à la maison ? Tu ne commences pas à en avoir assez d'être au loin ?

— Non, répondit Freddy avec un petit rire. Je m'amuse beaucoup trop.

— Eh bien, ici, ce n'est pas drôle sans toi. Je m'ennuie à mourir.

— Ce n'est pas une excuse pour partir en Afrique, au risque d'y trouver la mort.

Il semblait sincèrement inquiet. Même s'il la taquinait en permanence, Freddy l'adorait et était désolé d'apprendre qu'elle ne serait pas là quand il rentrerait à Vaduz. Il envisageait sérieusement d'aller la voir en Afrique si elle persistait à se lancer dans cette folie.

— Je ne vais pas me faire tuer, assura-t-elle. Je ne m'engage pas dans l'armée, je travaillerai dans un centre de la Croix-Rouge qui accueille des femmes et des enfants.

— Il n'empêche que tu devrais rester au palais. Comment va père ? s'enquit-il d'un ton détaché.

Il se sentait légèrement coupable de rester absent aussi longtemps ; mais pas suffisamment pour rentrer.

— Il va bien. Comme d'habitude, il travaille beaucoup trop. Tu ne pourrais pas essayer de rentrer à Noël, pour que l'on se voie avant que je parte ?

— J'ai encore trop de choses à découvrir. Je dois aller à Hong Kong, Pékin, Singapour, Shanghai et passer en Birmanie, au retour, pour dire bonjour à des amis.

— Ce sera triste pour nous, comme chaque fois que tu n'es pas là.

— Mais non, répliqua-t-il en riant. Tu t'amuses toujours beaucoup, à Gstaad.

Ils s'y rendaient tous les ans pour y passer les fêtes. Cette année, sans Freddy, ce serait morne et en plus, elle ne pourrait pas skier avec lui. Heureusement, il y aurait des amis et des parents que son père et elle avaient toujours plaisir à retrouver. Et puis, elle partirait quelques jours plus tard.

— Tu me manques beaucoup, tu sais, lui dit-elle dans un accès de nostalgie.

Même si son frère désapprouvait son projet, Christianna était heureuse de discuter avec lui. Freddy se montrait toujours très protecteur vis-à-vis d'elle, et cela lui plaisait. Mais elle avait beaucoup de difficulté à l'imaginer un jour sur le trône. Elle n'aimait pas beaucoup y penser, car cela sous-entendait que son père aurait alors disparu et elle espérait que ce jour arriverait le plus tard possible.

En attendant, Freddy ne faisait rien d'autre que se divertir. Il n'avait aucune envie de s'éterniser à Vaduz, trop petite à ses yeux, et quand il s'y trouvait, il s'ennuyait encore plus que Christianna. Pourtant, il effectuait beaucoup moins de corvées officielles qu'elle. Ce genre de mondanités ne l'avait jamais intéressé et il se dérobait à ses devoirs dès que l'occasion se présentait.

— Toi aussi, tu me manques, lui dit-il avec gentillesse. Au fait, qu'est-ce que c'est que cette histoire de Russie ? Père y a fait une allusion, mais je n'ai rien compris. Que faisais-tu là-bas ?

Christianna lui fit alors le récit de l'attaque terroriste contre l'école de Digora. Elle lui décrivit la prise d'otages, le nombre incroyable de victimes, les scènes horribles dont elle avait été témoin.

Ebranlé, Freddy comprit mieux la raison de son engagement à la Croix-Rouge.

— Que t'arrive-t-il, Cricky ? Tu ne vas pas entrer dans les ordres, n'est-ce pas ? demanda-t-il, inquiet.

Il n'arrivait pas à imaginer qu'elle soit partie en Russie pour porter secours aux victimes d'une prise d'otages. Il en avait entendu parler à la télévision, mais il ne lui serait jamais venu à l'idée de sauter dans un avion pour apporter son aide à la Croix-Rouge.

Christianna ne se faisait pas d'illusions sur son frère. Elle l'aimait beaucoup, mais elle savait qu'il était terriblement égoïste.

— Non, répondit-elle en riant. Je ne me rends pas en Afrique pour devenir religieuse.

— Alors j'aurai à chasser tes petits copains, à mon retour ?

— Eh non, assura Christianna en souriant, ni petits copains ni garçons infréquentables.

Elle n'avait eu aucun rendez-vous depuis son retour de Berkeley. Son absence de quatre ans avait distendu les liens avec ses rares amis de la principauté.

— Tu es le seul garçon infréquentable que je connaisse, ajouta-t-elle, narquoise.

— C'est vrai, acquiesça Freddy sans chercher à dissimuler sa fierté. Je mérite ce qualificatif, non ?

Qu'elle le traite de garçon infréquentable l'amusait toujours. Il n'avait pas d'autre ambition pour le moment... Au moins n'apparaissait-il plus dans la presse depuis qu'il était à Tokyo. Il y avait bien deux mois qu'il n'avait pas provoqué de scandale, ni défrayé la chronique avec ses amours tumultueuses.

Brusquement, il revint à la raison de son appel.

— Au fait, ne crois pas que je vais accepter que tu partes pour l'Afrique comme ça. Je ne laisserai pas tomber aussi facilement, et j'ai la ferme intention de rappeler père.

— Tu n'as pas intérêt à faire ça !

— Je suis sérieux. C'est un projet absolument insensé.

— Eh bien, pas pour moi. Je ne vais pas passer ma vie ici, à couper des rubans, pendant que tu t'amuses en faisant le tour du monde. D'ailleurs, qui ramèneras-tu à la maison ? le taquina-t-elle en retour.

— Je ne sais pas encore. D'autant que je vais découvrir la Chine et qu'il paraît que les filles sont superbes à Shanghai. Et puis, je viens juste d'être invité au Vietnam...

— Tu es incorrigible, Freddy.

Elle parlait plus comme une sœur aînée que comme une cadette. D'ailleurs, elle avait quelquefois l'impression d'être plus âgée que lui. Il était à la fois adorable, irrésistible et complètement irresponsable. Se marierait-il un jour ? Christianna en doutait beaucoup. Depuis plusieurs années, Freddy figurait parmi les play-boys les plus en vue, ce qui ne plaisait pas du tout à leur père. Celui-ci espérait qu'il cesserait bientôt de collectionner les mannequins et les starlettes pour épouser une jeune fille digne de son rang.

Malheureusement, la seule princesse avec laquelle son frère avait eu une liaison était mariée. D'une certaine manière, il valait donc mieux qu'il ne vive pas à Vaduz, en tout cas tant que sa conduite ne s'améliorait pas. Leur père était très affecté par ses écarts. Au moins, à Tokyo, il pouvait se livrer à ses frasques loin du regard de la principauté.

— Réfléchis quand même et vois si tu ne peux pas revenir pour Noël, insista Christianna avant qu'ils ne raccrochent.

— Toi aussi, réfléchis, et vois si tu ne peux pas recouvrer la raison. Oublie l'Afrique, Cricky. Ça ne va pas te plaire du tout. Rappelle-toi simplement les serpents et les bestioles...

— Merci pour tes encouragements. Et j'espère que tu reviendras avant mon départ. Sinon, nous ne nous verrons pas pendant au moins huit mois.

— Finalement, tu devrais peut-être songer à prendre le voile, lança-t-il en guise de dernière flèche.

Christianna lui recommanda de se conduire correctement, lui envoya un baiser, puis raccrocha. Elle s'inquiétait souvent à son sujet. Freddy se désintéressait tellement des fonctions dont il hériterait un jour ! Elle voulait croire qu'il mûrirait. Leur père caressait le même espoir, mais au fil des années ils éprouvaient tous deux un doute grandissant.

Quand elle lui rapporta leur conversation, Hans Josef soupira tout en secouant la tête.

— Je ne sais pas ce qu'il adviendra de ce pays quand il en prendra les rênes.

Bien que petit, le Liechtenstein bénéficiait d'une économie florissante, qui ne devait rien au hasard. Christianna était bien plus au fait que son frère de sa situation politique et économique et il arrivait au prince de regretter que les rôles ne puissent être inversés. Certes, il n'aurait pas aimé avoir une fille dévergondée, mais il était navré à la pensée qu'un play-boy irresponsable monterait sur le trône, et il n'avait pas encore trouvé de solution à ce problème. Heureusement, malgré ses soixante-sept ans, Hans Josef était en bonne santé et il semblait peu probable que Freddy lui succède de sitôt.

Les deux mois suivants passèrent très vite. Christianna se consacra à ses obligations avec un zèle renouvelé. Avant de partir pour l'Afrique, elle voulait avoir une conduite parfaite, ne serait-ce que pour montrer sa gratitude à son père.

Elle passa deux semaines à Genève afin de suivre le stage de la Croix-Rouge. Comme elle possédait déjà son diplôme de secouriste, les cours furent principalement consacrés au pays où elle devait être envoyée : les tribus locales et leurs coutumes, les dangers liés à la situation politique, les erreurs à éviter afin de ne pas offenser la population. Le stage porta également sur le sida, puisque c'était la raison d'être du centre où elle serait affectée. On lui indiqua les maladies contre lesquelles elle devait se faire vacciner, les insectes dont il fallait se méfier, et on lui apprit à identifier les serpents venimeux. A ce moment-là, elle se demanda si Freddy n'avait pas raison, tant elle détestait les serpents. Mais sa crainte fut passagère.

On lui décrivit aussi ses futures responsabilités et on la conseilla sur les vêtements qu'elle devait emporter. Elle rentra à Vaduz, prête à partir. Le médecin du palais commença aussitôt à lui faire les vaccinations indispensables. Il y en avait une dizaine et certaines risquaient de la rendre malade : hépatites A et B, typhoïde, fièvre jaune, méningite, rage, plus les rappels pour le tétanos, la rougeole et la poliomyélite. Elle commença également le traitement contre la malaria.

Christianna accepta tout de bon gré. La seule chose qui l'inquiétait un peu, c'était les serpents. On lui avait d'ailleurs recommandé de retourner ses bottes le matin avant de les enfiler, au cas où un hôte indésirable se serait glissé dedans pendant la nuit. Mais elle préférait ne pas y penser.

A part cela, tout s'annonçait pour le mieux, et notamment son futur travail. Elle serait chargée d'aider l'équipe médicale et les membres du centre, et jouerait en quelque sorte le rôle d'assistante polyvalente. Sa tâche était donc un peu difficile à décrire avec précision et elle en saurait davantage sur place, mais elle avait hâte de commencer.

Deux semaines avant Noël, juste après la fin de son stage à Genève, elle se rendit à Paris avec son père. Ils devaient assister au mariage d'une de ses cousines du côté maternel, une princesse de Bourbon, avec un duc. Ce fut une cérémonie grandiose, avec messe à Notre-Dame et réception dans un hôtel particulier de la rue de Varenne. Tout avait été préparé avec une attention extrême, y compris dans les moindres détails. Les compositions florales étaient exquises, le voile arachnéen et la somptueuse robe en dentelle de la mariée venaient de chez Chanel.

Quatre cents invités assistaient au mariage. Le Tout-Paris s'y pressait, ainsi que des représentants de toutes les familles régnantes. La soirée débuta à 20 heures. Les femmes rivalisaient d'élégance dans leurs robes du soir, tandis que le marié et les invités masculins arboraient des cravates immaculées. Christianna portait une robe en velours bleu nuit, bordée de zibeline, et la parure de saphirs de sa mère. Elle ne fut pas surprise de retrouver Victoria, qui venait juste de rompre ses fiançailles avec le prince danois. Plus indépendante que jamais, sa cousine clama haut et fort son soulagement d'être à nouveau célibataire.

— Quand ton voyou de frère rentre-t-il ? demanda-t-elle à Christianna, une étincelle espiègle dans le regard.

— Au train où ça va, jamais, répondit celle-ci. En tout cas, pas avant le printemps.

— C'est dommage, je voulais l'inviter à m'accompagner à Tahiti pour le nouvel an.

Victoria prononça ces mots d'une telle manière que Christianna se demanda soudain si elle ne tâtait pas le terrain pour une aventure.

— Peut-être qu'il te retrouvera là-bas, répliqua-t-elle tout en parcourant la salle des yeux.

Ce mariage était l'un des plus beaux auxquels elle avait assisté. De nombreux enfants entouraient la mariée, portant de jolis paniers remplis de pétales de fleurs.

— Je crois qu'il est en Chine, ajouta Christianna distraitement, car elle venait d'apercevoir une amie qu'elle n'avait pas revue depuis plusieurs années.

Son père se retira à 2 heures du matin, alors que la fête battait son plein. Christianna resta jusqu'à 5 heures. Sa voiture l'attendait et, accompagnée par ses gardes du corps, elle rentra au Ritz, où son père et elle étaient descendus. Le mariage avait été fabuleux et elle ne s'était pas amusée autant depuis des années.

Tout en se déshabillant, elle se fit la réflexion que sa vie en Europe n'aurait pu être plus éloignée de celle qui l'attendait en Afrique. Mais, si elle adorait les soirées comme celles-ci, la vie qu'elle allait mener avec la Croix-Rouge était celle qu'elle souhaitait. C'est en pensant à sa mission qu'elle se glissa, souriante, dans son lit.

Son père et elle passèrent le reste du week-end à Paris. Tandis qu'ils traversaient la place Vendôme pour retourner à leur hôtel, il lui rappela, non sans une pointe de mélancolie, qu'il n'était pas trop tard pour qu'elle change d'avis. Elle pouvait toujours s'inscrire à la Sorbonne. Christianna le regarda en souriant.

— Papa, je ne serai pas absente si longtemps que ça, lui fit-elle remarquer, même si elle espérait être autorisée à rester non pas six mois mais un an en Afrique.

— Tu vas tellement me manquer... dit-il tristement.

— Vous aussi, vous allez me manquer. Mais ce sera une expérience si passionnante... Je ne pourrai sans doute jamais retrouver une occasion pareille.

Elle devait saisir cette opportunité tant qu'elle était jeune. Plus tard, ses responsabilités l'empêcheraient de s'absenter, ce qu'ils savaient tous les deux. Hans Josef n'avait pas l'intention de revenir sur sa promesse. Cependant, il lui en coûtait énormément de la laisser partir.

Il insista pour qu'elle reste une journée supplémentaire à Paris, voire davantage. Mais comme son départ approchait, Christianna refusa, voulant rester le plus possible près de son père. Elle savait combien il détestait être séparé d'elle, et à quel point il avait déjà souffert de son séjour prolongé aux Etats-Unis. Bien plus proche de Christianna que de son fils, Hans Josef aimait beaucoup discuter avec elle des affaires de la principauté et accordait une grande importance à son avis.

Le lundi, elle fit les boutiques du faubourg Saint-Honoré et de l'avenue Montaigne avec Victoria. Elles déjeunèrent à l'Avenue qui, comme le bar de l'hôtel Costes, les Bains Douches, le Man Ray ou le Buddha Bar, figurait parmi les terrains de chasse favoris de Freddy. Comme lui, Christianna aimait beaucoup Paris, même si ce n'était pas pour les mêmes raisons.

A la fin de cette longue journée, elles s'effondrèrent dans la chambre du Ritz et se firent monter un dîner léger. Toutes les deux se ressentaient encore des fatigues du mariage. Elles se séparèrent le mardi matin, à l'aéroport, quand Christianna prit l'avion pour Zurich, et Victoria celui pour Londres, en se promettant de se revoir très bientôt. Si jamais elle n'allait pas à Tahiti, Victoria envisageait de lui rendre visite à Gstaad. A présent qu'elle n'était plus fiancée, elle paraissait un peu désœuvrée, et Christianna espérait la revoir avant son départ pour l'Afrique.

Les jours suivants, elle fut très occupée. Le palais avait annoncé officiellement qu'elle partait bientôt pour plusieurs mois, sans préciser la destination ni le but de son voyage, ce qui simplifiait la tâche des services de sécurité, surtout que Christianna ne voulait pas que l'on connaisse sa véritable identité lorsqu'elle travaillerait pour la Croix-Rouge. A l'annonce de son départ, elle fut sollicitée de tous côtés pour différentes cérémonies – inaugurations, poses de première pierre ou réceptions – et les accepta toutes. Aussi était-elle épuisée lorsqu'elle partit pour Gstaad avec son père.

Tous deux aimaient beaucoup séjourner dans cette station de ski très chic, fréquentée par des Européens et des Américains – stars de la mode et du cinéma aussi bien que têtes couronnées. C'était un des rares lieux de villégiature prisés par la jet-set qui plaisait aussi à Christianna. Son père et elle étant des skieurs chevronnés, ils passaient chaque année d'excellents moments sur les pistes.

Ils célébrèrent Noël tranquillement, en tête à tête, puis se rendirent à la messe de minuit. Un peu attristée par l'absence de Freddy, Christianna essaya de lui téléphoner à Hong Kong. Il était sorti, mais il les rappela le lendemain matin. Comme il lui demandait comment s'était passé le mariage de la princesse de Bourbon, elle lui fit part de l'invitation surprise de Victoria à Tahiti. Il regretta de ne pouvoir l'accepter, mais laissa entendre qu'il pourrait y aller à Pâques. Puis il conseilla une nouvelle fois à Christianna de renoncer à son projet, avant de leur souhaiter un joyeux Noël et de raccrocher.

Christianna et son père rentrèrent après le nouvel an et elle fut surprise quand elle réalisa qu'il ne restait plus que quatre jours avant son départ. Ces dernières journées passèrent bien trop vite au goût de son père. Il aurait voulu les passer avec elle, mais ses obligations l'en empêchèrent. Ce fut avec un visage sombre qu'il entra dans sa chambre le dernier jour. Christianna était en train d'achever ses préparatifs. Le chien, étendu à côté de sa valise, paraissait morose, lui aussi.

— Tu vas nous manquer, à Charles et à moi, dit son père avec tristesse.

— Vous voudrez bien vous occuper de lui à ma place ? demanda-t-elle en le serrant dans ses bras.

Eux aussi lui manqueraient. Elle avait hâte, néanmoins, de se lancer dans ce qui allait être la grande aventure de son existence.

— Oui, je m'occuperai de Charles. Mais... qui s'occupera de moi ?

Hans Josef ne plaisantait qu'à moitié. La compagnie de Christianna lui était d'autant plus précieuse qu'il n'avait plus qu'elle, puisque Freddy était rarement présent. Et quand, par exception, celui-ci se trouvait à Vaduz, il lui apportait plus d'ennuis que de réconfort.

— Je serai bientôt de retour, papa. Et Freddy devrait rentrer dans un mois ou deux.

Son père leva les yeux au ciel et ils éclatèrent de rire.

— Je ne pense pas que ton frère prendra un jour soin de moi, ni de quiconque. D'ailleurs, je crois que ça me ferait peur. C'est plutôt à nous que reviendra le soin de nous occuper de lui, si tu veux mon avis.

Christianna rit de nouveau, tout en sachant que son père s'inquiétait, comme elle, de ce qui se passerait quand Freddy régnerait. Espérant la voir devenir conseillère de son frère, Hans Josef essayait de lui en apprendre le plus possible. Comme elle était avide de s'instruire et soucieuse de ses responsabilités, il se reposait beaucoup sur elle. Christianna l'avait toujours secondé, ce qui rendrait son absence encore plus douloureuse. Hans Josef reconnaissait lui-même qu'il lui imposait parfois un trop lourd fardeau.

— Je suis certaine qu'il mûrira un jour ou l'autre, assura Christianna en s'efforçant de paraître plus confiante qu'elle ne l'était vraiment.

— Je voudrais bien être aussi optimiste que toi. Freddy me manque, bien sûr, mais pas les problèmes qui accompagnent toujours ses visites. C'est merveilleusement calme, quand il n'est pas là, dit-il avec l'honnêteté qui caractérisait leurs rapports.

— Je le sais. Mais Freddy est unique, non ? répondit-elle d'une voix pleine d'adoration.

Dans son enfance, elle le considérait comme un héros, même s'il ne cessait de la taquiner. Une habitude qu'il n'avait pas perdue, d'ailleurs.

— Je vous appellerai dès que possible, papa. Apparemment, on peut téléphoner de la poste, là-bas, mais on m'a prévenue que ça ne marche pas toujours. Il arrive que la ligne soit coupée pendant des semaines. Dans ce cas, il ne reste plus que la radio. Mais je vous ferai parvenir des nouvelles d'une façon ou d'une autre, je vous le promets.

Christianna comptait beaucoup sur ses gardes du corps pour l'aider à rester en contact avec son père. Elle savait qu'il serait très inquiet s'il n'avait pas de ses nouvelles et que cela pourrait le pousser à lui faire abréger son séjour. Or, elle espérait rester là-bas une année entière.

Leur dernière soirée fut douce-amère. Ils dînèrent dans la salle à manger privée et parlèrent des projets de Christianna. Puis elle interrogea son père sur les récentes réformes économiques et sur les réactions qu'elles avaient suscitées au Parlement. Ravi qu'elle aborde ce sujet, Hans Josef en discuta longuement avec elle, mais cette conversation lui fit sentir combien sa vie allait être solitaire une fois Christianna partie. Il aurait souhaité que les mois à venir passent à la vitesse de l'éclair, alors qu'il savait qu'il les trouverait interminables, privé de la présence lumineuse de sa fille.

Très égoïstement, Hans Josef lui demanda de revenir au bout de six mois. Christianna lui répondit qu'il était préférable d'attendre avant d'en décider. Peut-être voudrait-elle rentrer d'elle-même ou, au contraire, aurait-elle besoin de quelques mois supplémentaires afin d'achever ce qu'elle aurait commencé.

Comme toujours, leur discussion avait été empreinte de sérieux et d'affection. C'était l'une des raisons pour lesquelles Hans Josef n'avait jamais cherché à se remarier. Ayant Christianna pour lui tenir compagnie, il n'avait pas besoin d'une nouvelle épouse ; sans compter qu'il se trouvait trop âgé, désormais, pour refaire sa vie. Son existence lui plaisait ainsi. Il embrassa Christianna et lui souhaita une bonne nuit, mais il avait le cœur lourd à l'idée de la voir partir.

Ils se retrouvèrent une dernière fois au petit déjeuner. Christianna avait mis un jean en prévision du long voyage en avion. Ce serait vraisemblablement sa tenue quotidienne pendant les mois à venir. Elle n'emportait qu'une robe, deux jupes, les shorts qu'elle portait à l'université et plusieurs jeans et tee-shirts. A cela s'ajoutaient des chapeaux, une moustiquaire, des médicaments, ainsi que des bottes et des grosses chaussures solides pour la protéger des serpents tant redoutés.

— Ce n'est pas pire que quand je retournais en Californie après les vacances, papa, dit-elle pour le consoler, tant il paraissait accablé. Essayez de voir les choses de cette façon.

— La seule chose que je vois, c'est que je préférerais que tu restes ici.

Il pouvait à peine parler quand ils se dirent adieu. Christianna l'embrassa très fort et il la serra longuement dans ses bras.

— Tu sais combien tu comptes pour moi, Cricky, n'est-ce pas ? Sois prudente.

— Vous aussi, papa. Je vous promets de vous téléphoner dès mon arrivée, murmura-t-elle la gorge serrée, au bord des larmes.

Elle éprouvait plus de difficulté que prévu à quitter son père, sachant combien il serait seul. Mais, pour la première et la dernière fois sans doute, elle allait pouvoir vivre sa vie. Ensuite elle se vouerait à ses obligations princières.

— Je t'aime, Cricky, murmura-t-il avant de se tourner vers ses gardes du corps. Veillez sur elle à toute heure, de jour comme de nuit, leur recommanda-t-il avec insistance.

Il s'agissait des deux hommes qui l'avaient accompagnée en Russie, Max et Samuel, et ils étaient aussi excités qu'elle à l'idée de partir pour l'Afrique. Elle trouvait un peu ridicule d'être escortée de deux gardes du corps, mais son père s'était montré intraitable sur ce point. Heureusement, le directeur du centre de la Croix-Rouge lui avait assuré qu'il comprenait parfaitement la nécessité de leur présence. Par e-mail, il lui avait promis de ne pas divulguer son identité.

Christianna ne voulait surtout pas qu'on sache qu'elle était princesse. Elle ne désirait qu'une chose : être traitée comme tout le monde.

Il était bien sûr hors de question que ses gardes du corps s'adressent à elle en l'appelant « Votre Altesse Sérénissime ». Ayant réfléchi aux moindres détails, Christianna avait demandé à Max et à Samuel de jouer le rôle d'amis, bénévoles comme elle.

— Je vous aime, papa, dit-elle au moment où Hans Josef refermait la portière de la voiture.

Il aurait voulu l'accompagner à l'aéroport, mais il avait une réunion avec ses ministres ce matin-là, pour discuter de la politique économique dont il avait parlé avec elle la veille. Il devait donc lui faire ses adieux au palais.

— Moi aussi, je t'aime. Ne l'oublie pas. Prends bien soin de toi, lui répéta-t-il, et sois prudente.

Christianna sourit et se pencha par la portière pour lui envoyer un dernier baiser. Les liens qui les unissaient, depuis la mort de sa mère, étaient indestructibles.

— Au revoir ! cria-t-elle en agitant la main quand la voiture s'éloigna.

Hans Josef fit de même, jusqu'au moment où la voiture, après avoir franchi les grilles, tourna et disparut. Alors, le dos voûté, il retourna à pas lents vers le palais. C'était pour qu'elle soit heureuse qu'il la laissait aller en Afrique. Pour lui, en revanche, les six ou douze prochains mois s'annonçaient tristes et solitaires.

Quand il passa la porte, le chien le suivit, l'air misérable. Privés de la présence joyeuse de Christianna, ils paraissaient aussi mélancoliques et esseulés l'un que l'autre.

7

Le vol pour Francfort partit de Zurich à l'heure prévue. Christianna était en première classe et ses gardes du corps en classe affaires. Malgré ses recommandations, le palais avait averti la compagnie de sa présence à bord, et elle en était contrariée. C'était exactement ce qu'elle aurait voulu éviter. Elle se calma en se disant qu'elle allait être comme tout le monde durant l'année à venir. Ce séjour en Afrique lui permettrait de vivre comme quelqu'un d'ordinaire, sans aucun des privilèges ou des contraintes qui s'attachaient à sa condition princière. Elle y tenait par-dessus tout.

Lors du changement d'avion à Francfort, personne ne lui accorda une attention particulière, ce qui la rasséréna. Elle porta elle-même son sac à dos, pendant que ses gardes du corps s'occupaient des autres bagages.

Entre les deux vols, tous trois bavardèrent en essayant d'imaginer la vie qui les attendait. Samuel, qui avait déjà séjourné en Afrique, s'attendait à des conditions assez rudes. Pourtant, à Genève, le directeur avait assuré à Christianna qu'elle bénéficierait d'un confort relatif, ce à quoi elle avait répondu qu'elle s'en moquait. Au cas où les circonstances l'exigeraient, elle était décidée à vivre à la dure, comme les autres. Si on lui réservait un traitement de faveur, tout serait gâché, et son désir de connaître une vie normale ne pourrait plus jamais se concrétiser.

Depuis plusieurs semaines, Samuel avait collecté, auprès du ministère des Affaires étrangères américain, des informations sur la situation politique en Erythrée, le pays d'Afrique orientale dans lequel ils se rendaient. Pendant des années, l'Erythrée avait connu de sérieux problèmes avec son voisin, l'Ethiopie. Depuis la signature d'un cessez-le-feu entre les deux pays, tout était calme, et les escarmouches sur leur frontière commune avaient cessé. Samuel avait promis à Hans Josef de l'avertir si la situation changeait ou si un événement inquiétant survenait dans les environs. Il s'était également engagé à rapatrier Christianna si cela s'avérait nécessaire. Mais, comme l'avait souligné le directeur de la Croix-Rouge, il n'y avait aucun motif d'inquiétude pour le moment. Christianna allait pouvoir s'investir totalement dans sa tâche, et abandonner les problèmes de sécurité à ses gardes du corps. C'était leur rôle.

Sur place, Christianna, Sam et Max prétendraient être trois amis originaires du Liechtenstein et engagés à la Croix-Rouge pour une mission d'un an. L'histoire était plausible et il n'y avait aucune raison pour que quiconque la mette en doute.

Après dix heures de vol et une escale au Caire, ils arrivèrent à Asmara. Ils voyageaient déjà depuis quatorze heures et Christianna commençait à se sentir fatiguée. Les douaniers regardèrent à peine son passeport et ne remarquèrent pas, à son grand soulagement, l'absence du nom de famille. Elle craignait toujours que la presse ne soit alertée et ne dévoile sa présence sur le territoire africain. Elle voulait éviter à tout prix que l'on sache où elle se rendait.

Une fois sortis de l'aéroport, ils regardèrent autour d'eux. Avant leur départ, Max avait reçu un e-mail lui confirmant qu'on viendrait les chercher, mais sans lui préciser qui se présenterait, ni dans quel genre de véhicule. Comme personne ne paraissait être au rendez-vous, ils marchèrent jusqu'à une petite hutte au toit de chaume pour y acheter trois sodas à l'orange. La boisson, fabriquée par une société africaine, était si sucrée qu'elle en était presque écœurante. Ils la burent néanmoins, car ils avaient soif et il faisait chaud. C'était pourtant l'hiver en Afrique de l'Est, mais le temps était beau et sec.

Bien que peu accidenté, le paysage était magnifique. Il baignait dans une lumière douce, un peu voilée, qui rappela à Christianna la pâle luminescence des perles de sa mère. Elle s'en imprégna tandis qu'ils patientaient, assis sur leurs sacs, à l'extérieur de la hutte. Finalement, un vieux car scolaire jaune, tout cabossé, s'arrêta non loin d'eux. Le drapeau de la Croix-Rouge était scotché de chaque côté et il ressemblait à une épave près de rendre l'âme. Pourtant, il venait de Senafe, à cinq heures de route.

La portière s'ouvrit, et un homme brun, grand, à l'allure un peu débraillée, descendit du véhicule. Il sourit quand il les vit assis tous les trois sur leurs sacs et se dirigea vers eux en les priant d'excuser son arrivée tardive. Il suffisait de regarder le car antédiluvien pour savoir à quoi s'en tenir.

— Je suis Geoffrey McDonald. Désolé du retard, j'ai crevé en route et il m'a fallu une éternité pour changer la roue. Vous n'êtes pas trop fatiguée, Votre Altesse ?

Il avait reconnu Christianna d'après une photo qu'il avait vue dans un *Point de Vue* que quelqu'un avait laissé traîner. Elle paraissait plus jeune qu'il ne s'y attendait, et le long voyage ne lui avait fait perdre ni sa beauté ni sa fraîcheur.

— Je vous en prie, ne m'appelez pas comme ça, dit-elle aussitôt. J'espère que le directeur, à Genève, vous a averti. « Christianna » suffira.

— Pas de problème, dit-il sur un ton d'excuse tout en la débarrassant de son sac à dos.

Il serra la main aux deux gardes du corps. D'après l'étiquette, il n'était pas censé tendre le premier la main à Christianna, mais elle lui évita tout impair en lui tendant la sienne. Il la serra, l'air légèrement emprunté, un sourire incertain sur les lèvres. Christianna le trouva tout de suite sympathique, avec son allure de savant anglais distrait.

— J'espère que personne n'est au courant de ma venue, insista-t-elle.

— Non, personne, assura-t-il. C'est plutôt excitant d'avoir une princesse parmi nous, même si personne ne le sait. Ma mère serait très impressionnée, avoua-t-il. Mais je ne dirai rien jusqu'à ce que vous soyez repartie.

Il émanait de lui une simplicité juvénile qui le rendait très attachant, et Christianna se sentit immédiatement à l'aise avec lui.

— Je ne veux pas que quiconque soit au courant, répéta-t-elle alors qu'ils se dirigeaient vers le car, suivis par les deux gardes qui portaient les bagages.

— Je comprends. Nous sommes très heureux de vous accueillir parmi nous. Nous avons besoin de toutes les bonnes volontés, car cela fait huit mois que nous manquons de personnel. Deux de nos collègues ont attrapé la typhoïde et ont dû rentrer chez eux.

Geoffrey McDonald avait une quarantaine d'années. Il expliqua à Christianna qu'il était né en Angleterre, mais qu'il avait toujours vécu en Afrique. Il avait grandi au Cap, en Afrique du Sud, et dirigeait le centre de Senafe depuis quatre ans. Celui-ci s'était considérablement développé depuis son arrivée.

— Les habitants se sont habitués à nous. Au début, ils se méfiaient un peu, bien que les gens soient très cordiaux dans cette région. En plus de l'hôpital réservé aux malades du sida, nous avons ouvert un dispensaire.

Un médecin vient deux fois par mois, pour me donner un coup de main.

Il ajouta que l'implantation de l'unité sida avait été un grand succès. Sa vocation était à la fois de prévenir la propagation de la maladie et de soigner les personnes déjà atteintes.

— Le centre est plein à craquer. Vous vous en rendrez compte quand nous y arriverons. Bien entendu, nous soignons aussi les maladies propres à la région, et toutes les autres affections.

Il redescendit du car pour aller s'acheter un soda, lui aussi. A sa tenue poussiéreuse et chiffonnée, à son air fatigué, un peu hagard, on devinait qu'il travaillait trop. Christianna fut touchée qu'il ait pris la peine de venir les chercher lui-même.

Même s'ils étaient abrutis par leur long voyage, le simple fait d'être là et d'essayer d'absorber toutes les sensations nouvelles était excitant. Samuel et Max se taisaient. Toujours sur le qui-vive et en permanence conscients de leur mission, ils étudiaient l'environnement. Jusqu'à présent, tout allait bien.

Une fois remonté dans le car, Geoff mit le contact. Le moteur toussa, cracha et pétarada de manière spectaculaire, avant de consentir à démarrer dans un tressautement impressionnant de toute la carcasse. Geoff se tourna vers Samuel et Max avec un large sourire.

— J'espère que l'un de vous s'y connaît en mécanique. Nous manquons cruellement d'hommes capables, au camp. Parmi le personnel médical, personne ne sait réparer une voiture. Ils sont tous surdiplômés, mais nous avons besoin de plombiers, d'électriciens et de mécaniciens.

Comme pour illustrer son propos, alors que le car s'engageait sur la route en bringuebalant bruyamment, le moteur hoqueta avant de repartir.

— Nous ferons de notre mieux, assura Max en souriant.

Il ne précisa pas que ses capacités touchaient plutôt au domaine des armes ; il était prêt à s'essayer à la mécanique s'il le fallait.

Après avoir péniblement gravi une colline, le car faillit flancher de nouveau. Geoff bavardait avec ses trois passagers mais Christianna le rendait légèrement nerveux. Il ne parvenait pas à oublier qui elle était.

Elle l'interrogea sur l'unité consacrée au sida, sur l'épidémie en Afrique, et sur les différents soins médicaux prodigués par le centre. Geoff lui expliqua qu'il était lui-même médecin – spécialiste en médecine tropicale, ce qui l'avait amené ici. Tout en discutant, Christianna observait le paysage qui défilait.

De chaque côté de la route, des gens marchaient, vêtus de tenues colorées ou enveloppés de simples tissus de toile blanche. Un troupeau de chèvres coupa soudain le passage et le car dut s'arrêter. Cette fois, le moteur cala et refusa de redémarrer. Pendant ce temps, un homme en turban, tenant un chameau par la bride, essayait d'aider le jeune chevrier à rassembler son troupeau. A force d'insister sur le démarreur, Geoff finit par noyer le moteur. Il leur fallut donc patienter un certain temps avant de pouvoir repartir, ce qui leur fournit une occasion supplémentaire de discuter.

Geoff se montra extrêmement précis dans les renseignements qu'il leur fournit. Il expliqua que l'unité sida ne traitait pas seulement des jeunes femmes, mais également des enfants. La plupart des femmes avaient été violées. Elles avaient été chassées de leur tribu parce qu'elles avaient perdu leur virginité ou, pire, parce qu'elles étaient enceintes. Comme elles ne pouvaient plus être données en mariage, elles ne présentaient plus aucun intérêt pour servir de monnaie d'échange contre du bétail, des terres ou de l'argent. Quand la maladie se déclarait, elles étaient en général abandonnées à leur triste sort. Le nombre d'hommes et de femmes atteints par le virus était impressionnant, et le fait qu'il continuait à augmenter, très alarmant. Ils soignaient également de nombreux cas de tuberculose, de malaria, de kala-azar (une forme de fièvre noire) ou de maladie du sommeil.

— C'est comme si nous vidions l'océan avec un dé à coudre, soupira Geoff, soulignant par cette image la situation désespérée des malades, dont la plupart étaient des réfugiés, victimes des conflits frontaliers avec l'Ethiopie, quelques années auparavant.

Selon Geoff, la trêve restait fragile, car l'Ethiopie convoitait toujours Massawa, le port que possédait l'Erythrée sur la mer Rouge.

— Nous ne pouvons rien faire d'autre que prendre soin d'eux, soulager leurs souffrances et aider certains jusqu'à leur mort. Nous essayons aussi d'apprendre aux autres à se protéger des maladies.

La tâche semblait écrasante. Max et Samuel, comme Christianna, posèrent beaucoup de questions. La mission du centre de la Croix-Rouge n'était pas dangereuse, mais elle était décourageante : le taux de mortalité, déjà élevé, atteignait les cent pour cent pour les malades du sida ; la plupart des femmes et des enfants arrivaient trop tard pour que la maladie puisse être contrôlée et leur état, stabilisé. L'une des préoccupations principales était d'éviter qu'une mère atteinte par le virus n'infecte son nouveau-né. Tous deux recevaient un traitement, et on essayait de convaincre la mère de renoncer à allaiter. Pour des raisons culturelles et économiques, l'échec était fréquent. La pauvreté était telle que les mères revendaient le lait maternisé qu'on leur donnait et continuaient d'allaiter leur nourrisson, qui ne tardait pas à être contaminé à son tour.

Soigner les gens, les éduquer, était un combat permanent et demandait des moyens que l'équipe médicale n'obtenait pas toujours...

— Nous faisons ce que nous pouvons, expliqua Geoff, et quelquefois, c'est très peu. Et cela aussi nous devons l'accepter.

Il leur apprit qu'une équipe de Médecins Sans Frontières passait souvent dans la région et leur donnait un coup de main. Si le centre accueillait avec reconnaissance l'aide apportée par différentes organisations humanitaires, la totalité de son financement provenait de la Croix-Rouge, les autorités locales étant trop pauvres pour fournir la moindre contribution. Geoff et ses associés voulaient demander des subventions à des organismes caritatifs, mais ils n'avaient pas le temps de le faire.

En l'écoutant, Christianna songea qu'elle pourrait les aider par l'intermédiaire de la fondation de sa mère, qui contribuait généreusement à des actions de ce type. Au cours des semaines et des mois à venir, elle en apprendrait davantage sur les besoins du centre et serait à même d'en parler à la fondation à son retour.

Durant les cinq heures qu'il leur fallut pour atteindre le camp, ils ne cessèrent pratiquement pas de discuter. Geoff était un homme intéressant, agréable, ouvert, qui connaissait bien l'Afrique et les maux qui la rongeaient. Il était conscient que l'action de la Croix-Rouge était limitée, mais elle faisait tout ce qui était en son pouvoir pour améliorer la situation.

Malgré le bruit, les secousses et les odeurs du moteur, Christianna s'endormit juste avant qu'ils n'arrivent. Elle était si fatiguée que même une bombe ne l'aurait pas réveillée.

Elle sursauta quand Max posa la main sur son bras. Ils étaient dans le camp et de nombreux membres de la Croix-Rouge entouraient le car, attendant avec curiosité de voir leurs nouveaux collaborateurs. Ils en parlaient depuis des semaines, mais ne savaient pas grand-chose d'eux, à part qu'il s'agissait de deux hommes et d'une femme et qu'ils venaient d'Europe. Une vague rumeur disait qu'ils étaient suisses, une autre qu'ils étaient allemands ou que les deux hommes étaient allemands et la femme suisse. Personne n'avait mentionné le Liechtenstein. Peut-être avaient-ils été induits en erreur par le fait que tout avait été organisé par le bureau de Genève.

En fait, peu importait leur pays d'origine. Ils étaient les bienvenus au centre, qui avait cruellement besoin d'eux. Même s'ils n'étaient ni infirmières ni médecins, ils apportaient leur énergie et leur bonne volonté.

Quand Christianna jeta un coup d'œil à la ronde, elle vit une dizaine de personnes aux tenues les plus variées – jeans, shorts, tee-shirts ou blouses blanches de médecin –, mais toutes en grosses chaussures ; certaines femmes avaient les cheveux courts, d'autres portaient un foulard sur la tête. L'une d'elles, d'âge moyen, au visage masqué et au sourire chaleureux, avait un stéthoscope autour du cou ; une grande brune ravissante observait le car, un petit Africain dans les bras. Hommes et femmes semblaient en nombre égal. Ils étaient de tous âges, entre celui de Christianna et la cinquantaine. Au milieu du groupe se trouvaient quelques Africaines en boubous colorés, dont certaines tenaient des enfants par la main. Le centre semblait constitué de cases fraîchement peintes en blanc que bordait, de chaque côté, une rangée de grandes tentes de type militaire.

Au mépris de tout protocole, Geoff tendit la main à Christianna pour l'aider à descendre du car. Elle le remercia d'un sourire. Puis, tandis que Max et Samuel déchargeaient les bagages, elle regarda s'approcher les membres du centre, non sans une légère appréhension. Mais, après cet interminable voyage, rien ne la distinguait des autres bénévoles.

Geoff la présenta d'abord à la plus âgée des femmes. Elle s'appelait Mary Walker, était anglaise et, comme l'indiquait le stéthoscope pendu à son cou, médecin. C'était elle qui dirigeait l'unité sida. Avec ses cheveux blancs rassemblés en une longue natte, son visage souriant, mais marqué, et ses yeux bleus perçants, elle rappela immédiatement Marthe à Christianna. Elle lui souhaita la bienvenue d'une voix chaleureuse, accompagnée d'une poignée de main ferme et vigoureuse. Ce fut ensuite au tour des deux femmes qui l'entouraient. La première, Fiona, était une jeune et ravissante Irlandaise, aux boucles brunes et aux yeux verts. Sagefemme de son état, elle sillonnait les zones les plus isolées de la région pour mettre des enfants au monde et ramener au centre les bébés ou leur mère, quand ils étaient malades.

L'autre jeune femme était une Américaine qui, comme Geoff, avait grandi au Cap. Elle s'appelait Maggie et avait fait ses études d'infirmière aux Etats-Unis, mais l'Afrique lui avait vite manqué. Quand elle avait rencontré Geoff et qu'il lui avait parlé de l'endroit où il travaillait, elle avait tout de suite accepté de l'y rejoindre. Christianna comprit très vite, en le voyant passer son bras autour des épaules de la jeune femme, qu'ils étaient ensemble. Maggie embrassa gentiment Christianna. Fiona lui adressa un sourire malicieux tout en lui serrant la main.

Des quatre hommes présents, deux étaient allemands, l'un français et le dernier, suisse. Klaus, Ernst, Didier et Karl avaient tous une trentaine d'années. Quand ils se furent présentés, la jeune femme brune qui portait un enfant s'avança à son tour pour serrer la main à Christianna et aux deux hommes. Elle s'appelait Laure et était française. Elle était très belle et avait des yeux magnifiques, mais paraissait beaucoup plus réservée que les autres. Christianna se demanda si elle était timide car, même quand elle s'adressa à elle en français, la jeune femme ne se dérida pas, son attitude confinant même à l'hostilité.

Geoff expliqua que Laure était à Senafe depuis plusieurs mois, après avoir passé quelques années à l'Unicef. Geoff et Mary étaient les seuls médecins du centre, Fiona la seule sage-femme et Maggie l'unique infirmière. Les autres étaient tous des bénévoles venus à Senafe, comme Christianna, dans l'espoir de changer les choses.

Le camp se trouvait à l'extérieur de la ville, vers le nord, dans la province de Debub. La frontière éthiopienne était proche, ce qui aurait pu être dangereux dans les années ayant précédé le cessez-le-feu ; mais le calme régnait à présent dans cette région un peu reculée.

Christianna ne pouvait s'empêcher de regarder autour d'elle avec curiosité et elle fut frappée par la beauté des Africaines qui se tenaient un peu en retrait, souriant timidement. Elles portaient des vêtements chamarrés, et de nombreux bijoux brillaient dans leurs cheveux, à leurs oreilles et autour de leur cou.

Six autres personnes, quatre femmes et deux hommes, travaillaient en permanence au centre. Occupés à soigner des femmes et des enfants, ils n'avaient pu se libérer pour accueillir les nouveaux arrivants. En revanche, le groupe d'Africaines aux parures multicolores ne cessait d'augmenter, et toutes observaient en souriant amicalement les trois Européens descendus du car. Elles apparurent incroyablement exotiques à Christianna. Elles avaient les cheveux coiffés en petites tresses très serrées et ornées de perles ; leur corps était paré de nombreux bijoux et drapé dans des cotonnades aux couleurs vives, quelquefois ornées de fil doré ou métallique ; si certaines étaient entièrement couvertes, d'autres avaient le buste nu. Leurs toilettes élaborées, le soin qu'elles apportaient à leur parure contrastaient vivement avec la simplicité dénuée de charme des Occidentaux. Leurs jeans, shorts, tee-shirts et grosses chaussures n'avaient rien de sexy, ni d'attrayant.

Geoff expliqua à Christianna que l'Erythrée comptait neuf groupes ethniques, ou tribus : les Tigriniens, Tigréens, Rashaida, Afar, Saho, Bilen, Hidareb, Kunama et Nara. Elle fut immédiatement frappée par le sourire chaleureux des Africaines. L'une d'elles vint l'embrasser, en lui expliquant qu'elle venait du Ghana et s'appelait Akuba. Elle lui apprit fièrement qu'elle était volontaire au service de la Croix-Rouge. Christianna fit aussi la connaissance de Yaw, l'un des Africains employés au centre.

Il était difficile d'assimiler en une seule fois toutes les informations concernant les gens, le pays, la culture, le mode de vie ou le travail. Tandis qu'elle parcourait les lieux du regard, tentant de tout absorber, Christianna se sentit submergée par tout ce qui s'offrait à ses sens, excitée par tant de nouveauté, et sous le charme de la gentillesse et de la douceur des Africains. Leurs visages ressemblaient à ceux des Ethiopiens. Malgré un long passé de lutte et de haine, les deux peuples avaient des liens évidents. Durant les combats ayant précédé la signature de l'accord de paix, un cinquième des Erythréens avaient fui le pays. Pourtant, ceux qu'elle voyait là n'avaient rien d'aigri et ils paraissaient au contraire très ouverts.

— Vous devez être épuisée, intervint Geoff en mettant un terme aux présentations.

Il voyait que Christianna était lasse. Elle venait de faire cinq heures de route, après être arrivée de l'autre bout du monde. Mais elle n'avait jamais été plus heureuse et, comme une enfant invitée à une fête d'anniversaire, elle voulait en profiter au maximum.

— Tout va bien, assura-t-elle vaillamment.

118

Elle bavarda quelques instants avec Akuba, parla ensuite avec le groupe d'Erythréennes, puis se mêla à ceux avec lesquels elle allait travailler les mois suivants. Elle était très impatiente de les connaître et de se mettre elle-même à l'ouvrage.

— Viens, lui dit Fiona avec un grand sourire en adoptant d'emblée le tutoiement. Je t'emmène au Ritz.

De la main, elle désigna l'une des grandes tentes qui bordaient l'espace réservé aux unités de soins. Les femmes vivaient d'un côté, les hommes de l'autre. Quant à ceux qui étaient ensemble, comme Maggie et Geoff, ils occupaient des tentes séparées, plus petites. On appelait la tente réservée aux hommes le George-V, du nom du célèbre hôtel parisien, et celle des femmes, le Ritz.

Quand Christianna prit sa valise des mains de Samuel, il eut l'air ennuyé. Il était inquiet de la voir partir seule, alors que Max et lui n'avaient pas eu le temps d'examiner les lieux. Christianna lui sourit en secouant la tête et emboîta le pas à Fiona. La vraie vie commençait.

La tente dans laquelle Fiona la conduisit était plus spacieuse et plus claire qu'il n'y paraissait de l'extérieur. Elle avait été achetée à l'armée et était en grosse toile. Ils avaient posé des planches sur le sol, sur lequel huit lits de camp étaient alignés. L'un d'eux était inoccupé depuis que Maggie vivait avec Geoff. Avec les nouveaux arrivants, il y aurait huit hommes au George-V. Les Africains travaillant au centre habitaient dans des cases qu'ils avaient construites eux-mêmes.

Fiona emmena Christianna jusqu'à son lit, au fond de la tente, et lui montra la petite table de nuit munie d'un tiroir et la cantine de l'armée toute bosselée, qui se trouvait à son pied.

— Voilà ton placard, indiqua-t-elle en riant. Ne me demande pas pourquoi, mais quand je suis arrivée ici, j'avais emporté toute ma garde-robe. J'ai dû rapidement la renvoyer ! Je ne porte que des jeans ou des shorts. Même lorsque nous allons dîner à Senafe, ce qui arrive rarement, personne ne s'habille.

Christianna portait un jean, un tee-shirt blanc à manches longues, un vieux blouson acheté dans un dépôt-vente à Berkeley et des baskets ; comme bijoux, uniquement sa chevalière et de minuscules boucles d'oreilles en argent. Les Africaines qu'elle venait de rencontrer portaient bien plus de bijoux qu'elle. Même si elle faisait tout pour paraître aussi simple que possible, elle restait élégante.

Après quelques minutes de conversation, elle apprit que Fiona, qui paraissait avoir quinze ans, en avait le double. Christianna avait supposé qu'elles avaient le même âge. En revanche, Laure était âgée de vingt-trois ans. Quant aux autres, ils avaient autour de la trentaine, à l'exception de Klaus et de Didier, plus âgés. Tous formaient une excellente équipe, affirma Fiona.

Tout en l'écoutant, Christianna s'était assise sur son lit. Quelques instants plus tard, Fiona se laissa tomber à côté d'elle, comme une « ancienne » dans un pensionnat qui accueillerait une nouvelle. Bien que naturel, son geste intimida un peu Christianna. Même si elle avait aspiré à venir ici, elle se sentait désorientée, ne serait-ce qu'en raison des différences culturelles.

— Comment sont tes deux amis ? demanda Fiona avec un léger gloussement.

Elle raconta à Christianna qu'elle était allée dîner avec Ernst à plusieurs reprises, mais qu'ils avaient décidé de ne pas aller plus loin. Ils étaient juste amis, ce qui, selon Fiona, était bien plus simple. Geoff et Maggie constituaient une exception. En général, les membres du groupe préféraient l'amitié à l'amour. C'était moins compliqué. Certes, une idylle se nouait de temps à autre, mais le fait que tous restaient rarement plus d'un an empêchait toute relation sérieuse.

— Allez, parle-moi de Sam et de Max, insista Fiona.

Christianna ne put s'empêcher de rire. Pour elle, pendant les six ou douze mois qu'ils passeraient en Afrique, les deux hommes étaient en service. Ils n'étaient donc pas censés s'intéresser à autre chose qu'à sa sécurité. Mais Christianna ne voyait pas d'objection à ce qu'ils aient une aventure ou même une histoire sérieuse. Ils étaient jeunes, et elle n'avait pas l'intention de leur imposer une année d'abstinence. Veiller sur elle, comme leur mission l'exigeait, ne devait pas les empêcher de s'amuser.

— Tous les deux sont tout à fait charmants. Consciencieux, responsables, honnêtes, travailleurs, gentils...

Cette débauche de qualités fit rire Fiona. Avec ses cheveux noirs et ses yeux verts pétillants, elle ressemblait à un lutin. Christianna espéra qu'elles deviendraient amies, malgré leur différence d'âge. Laure, qui avait vingt-trois ans comme elle, était loin d'être aussi agréable. Non seulement elle ne lui avait pas dit un mot, mais elle l'avait quasiment fusillée du regard quand elle était descendue du car, sans que Christianna sache pourquoi, alors que tous les autres s'étaient montrés adorables avec elle.

— On dirait que tu vantes leurs qualités professionnelles, la taquina Fiona.

Elle ne croyait pas si bien dire !

— Ce que je veux savoir, reprit Fiona, c'est s'ils sont sympas, en plus d'être canon ?

— Très sympas. Samuel a fait partie d'un commando israélien. Les armes n'ont pas de secret pour lui.

Christianna s'aperçut qu'elle venait de commettre une nouvelle maladresse et s'adjura de se montrer plus prudente à l'avenir. Elle était fatiguée, après cette longue journée.

— Ça ferait plutôt peur, à moins que nous n'ayons une autre guerre avec l'Ethiopie. Dans ce cas, ce serait un atout. Je suppose qu'ils ne sont pas mariés ? Sinon, ils ne seraient pas ici...

Mary Walker, elle, était mariée, lors de son premier séjour. Envoyée pour une mission de trois mois, elle n'était jamais repartie et avait divorcé. Elle aimait trop l'Afrique de l'Est et ses habitants pour les quitter. Seul médecin avec Geoff, c'était une spécialiste du sida. Sa passion pour ceux qu'elle soignait avait eu raison de son mariage. C'est à Senafe qu'elle avait pris conscience qu'il n'existait plus depuis des années, et elle était restée.

— Ils ont des copines, chez eux ? demanda Fiona.

Christianna commença par secouer la tête, puis elle hésita.

— Je ne crois pas. Je ne le leur ai jamais demandé.

Elle devait admettre que cela semblait bizarre, puisque tous trois prétendaient être amis. Mais Christianna ne voulait pas se trahir.

— Comment les as-tu connus ? s'enquit Fiona en sautant avec légèreté sur son propre lit, voisin de celui de Christianna.

Elles allaient pouvoir échanger des secrets, la nuit, comme des collégiennes.

— En fait, je les connais depuis longtemps. Ils travaillent pour mon père, précisa Christianna, heureuse de pouvoir se montrer enfin honnête. Quand je leur ai dit que je venais ici, ils se sont portés volontaires, eux aussi. Nous sommes allés en Russie ensemble, lors de la prise d'otages de Digora. La femme qui dirigeait l'antenne de la Croix-Rouge, là-bas, était admirable. Elle m'a beaucoup plu et ce qu'elle accomplissait aussi. Après cela, j'ai décidé de venir ici, et eux aussi.

Le visage de Christianna devint grave et triste.

— Cela a changé beaucoup de choses pour nous trois, je crois. Alors, nous voilà...

Elle sourit à sa nouvelle amie. Elle l'aimait déjà. Tout le monde, au centre, l'adorait. Elle était chaleureuse, ouverte, dynamique et se dépensait sans compter. Comme beaucoup d'autres, elle était amoureuse de l'Afrique. C'était un lieu magique, qui devenait comme une drogue une fois qu'on y avait goûté.

— Comment s'appelait cette femme ? demanda-t-elle avec intérêt.

— Marthe.

— Evidemment. Moi aussi, je la connais, comme tout le monde ! C'est la tante de Laure, ce qui explique sa présence ici. Laure a rompu ses fiançailles, ou son mariage a capoté, quelque chose comme ça. Elle n'en parle jamais. Mais on dit qu'elle est venue ici pour se remettre. Je ne suis pas sûre qu'elle aime beaucoup cet endroit... Ou alors, elle est très malheureuse, tout simplement. Il est difficile de surmonter ce genre d'épreuve. Moi aussi, j'ai été fiancée...

Elle pouffa, avant de continuer :

— ... pendant dix minutes. A un homme affreux. Je me suis enfuie en Espagne pendant un an, pour me débarrasser de lui. Il en a épousé une autre. Un type horrible ! Il buvait.

Christianna sourit en essayant d'avoir l'air compatissante. Cela faisait beaucoup d'informations à digérer d'un coup, et elle était si fatiguée, notamment à cause du décalage horaire, qu'elle avait peur de dire une bêtise. La pensée de révéler, par inadvertance, qu'elle était princesse et vivait dans un palais la faisait frémir. Elle devait se montrer prudente et s'obliger, jusqu'à ce qu'elle soit habituée à sa nouvelle vie, à tourner sa langue sept fois dans sa bouche avant de parler.

— Tu as un petit copain, chez toi ? demanda Fiona avec curiosité.

— Non. Je viens juste de finir mes études aux Etats-Unis. Je suis rentrée en juin à la maison, puis je suis venue ici.

— Quel genre de métier feras-tu, ensuite ? La médecine te tente ? Moi, j'adore être sage-femme. Accompagne-moi un jour et tu verras. Je suis émerveillée à chaque nouvelle naissance. C'est toujours un miracle ! Evidemment, parfois les choses se passent mal. Mais la plupart du temps, c'est un heureux événement.

Christianna hésita un peu avant de répondre à sa question.

— J'envisage les relations publiques. Mon père est là-dedans, et son travail touche aussi à la politique et à l'économie. Le monde des affaires m'intéresse. J'ai d'ailleurs étudié l'économie à l'université.

Présenté ainsi, rien de tout cela n'était faux.

— Je suis nulle en maths, déclara Fiona. C'est tout juste si je suis capable de compter.

Mais Christianna savait qu'il lui avait fallu sept ans pour devenir sage-femme, études d'infirmière comprises. Fiona avait donc dû être bonne élève ou, du moins, per-sévérante. L'amour qu'elle portait à son métier l'avait sans doute aidée.

— Je crois que je trouverais le monde des affaires très ennuyeux, continua-t-elle avec honnêteté. Tous ces chiffres ! Moi, j'aime travailler avec les gens. Tu ne peux jamais savoir ce qui arrivera, surtout ici.

Fiona s'allongea sur son lit avec un soupir. Ce soir, elle allait voir des patientes. Quand c'était le cas, elle essayait de se reposer un peu avant de partir, afin d'être fraîche et dispose. Plusieurs naissances devaient avoir lieu prochainement. Si on avait besoin d'elle, quelqu'un viendrait vite la prévenir et elle partirait dans la vieille Coccinelle Volkswagen qui se trouvait au centre depuis des années. Chaque fois, elle ressentait la même excita-tion. En Afrique, il arrivait souvent qu'elle sauve la vie de la mère et de l'enfant. Elle opérait des miracles, malgré les conditions incroyablement rudimentaires dans lesquelles elle travaillait.

Christianna resta allongée quelques minutes, elle aussi. Elle aurait voulu défaire ses bagages et explorer les lieux, et se sentait trop énervée pour dormir mais, soudain, son corps se fit pesant et ses paupières se mirent à papilloter. Fiona se pencha pour la regarder et sourit. Elle la trouvait très sympathique et l'admirait d'avoir eu le courage de venir en Afrique à son âge. Tandis qu'elle l'observait, Christianna rouvrit les yeux.

— Et les serpents ? demanda-t-elle brusquement.

Elle paraissait inquiète, mais Fiona éclata de rire.

— Tout le monde demande ça, le premier jour. Ils sont effrayants, mais on n'en voit pas beaucoup.

Elle s'abstint de lui dire qu'une vipère heurtante s'était faufilée dans la tente deux semaines plus tôt. C'était exceptionnel.

— Nous te montrerons des photos de ceux dont tu dois te méfier. Tu t'y habitueras, au bout d'un moment.

Elle rencontrait plus de serpents que les autres membres de l'équipe, car elle parcourait la brousse pour aller voir ses patientes.

Toutes deux se turent pendant quelques instants et, sans même s'en rendre compte, Christianna glissa doucement dans le sommeil. Elle était épuisée. Quand elle se réveilla, Fiona avait disparu. Elle sortit alors de la tente. Plusieurs personnes circulaient dans le camp.

Elle sourit à Akuba, qui entrait dans une des cases en tenant un enfant par la main. Elle vit aussi l'homme appelé Yaw, occupé à marteler un objet. Quand elle regarda autour d'elle, la beauté de la nuit la frappa, avec cette lumière africaine que les gens ne manquaient jamais d'évoquer et cette douceur caressante de l'air sur la peau. Elle remarqua alors qu'une autre tente se dressait derrière les cases. En suivant le bruit qui en provenait, elle tomba sur l'équipe de la Croix-Rouge au complet qui dînait, tous assis sur des bancs grossiers devant de longues tables. Christianna fut alors saisie d'embarras. Elle se sentait beaucoup plus en forme que lorsqu'elle les avait quittés, cette sieste lui avait fait du bien, mais elle craignait qu'on ne la prenne déjà pour une paresseuse.

— Je suis vraiment désolée, dit-elle quand elle vit Geoff et Maggie.

Seule Fiona manquait à l'appel. Elle était partie pour un accouchement dans la brousse. En comptant Christianna, Max et Samuel, il y avait là dix-sept membres de la Croix-Rouge, plus une dizaine d'Erythréens, ainsi qu'Akuba et Yaw, qui venaient du Ghana.

— Je me suis endormie, expliqua-t-elle, mortifiée.

Mais Samuel et Max eurent l'air heureux de la voir, de même que les autres. Ils venaient juste de commencer leur repas, constitué de poulet, de légumes, et d'un énorme saladier de riz et de fruits mélangés. Tous travaillaient beaucoup et les portions étaient généreuses.

— Vous aviez besoin de vous reposer, affirma Geoff. Nous vous ferons faire le tour des lieux, demain. J'ai déjà tout montré à Sam et à Max.

Ils lui avaient discrètement demandé l'autorisation de tout visiter, par mesure de sécurité. Ce qu'ils avaient vu les avait fascinés. Les enfants, entre autres, les avaient ravis. Il y en avait des dizaines dans le camp, pleins de vie, rieurs et joueurs, comme certains de leurs aînés. Les gens d'ici semblaient particulièrement gais ; ils ne cessaient de sourire ou de rire. Même les malades se montraient gentils et enjoués.

Mary indiqua une place vide à Christianna, à côté de Laure. Elle s'y assit, après avoir enjambé le banc. Laure s'entretenait en français avec son voisin, Didier. De l'autre côté de Christianna se trouvait Ernst, qui bavardait à bâtons rompus avec Max et Sam en suisse allemand. Ils avaient tous les trois la nationalité suisse, même si Samuel, à moitié israélien, avait servi dans les deux armées. Christianna les comprenait et rit à deux reprises. Puis elle s'adressa à Laure en français, mais n'obtint aucune réponse. Laure l'ignora de façon manifeste et continua de discuter avec Didier. Christianna n'avait aucune idée de ce qu'elle avait fait pour mériter un tel traitement.

Elle entama alors la conversation avec Mary, de l'autre côté de la table. Celle-ci parlait de l'épidémie de sida, à laquelle ils étaient confrontés. Elle expliqua ensuite à Christianna quel genre de maladie était le kala-azar. Cette forme de fièvre noire ressemblait à la peste, car les pieds, le visage, les mains et l'abdomen du malade devenaient noirs. Christianna trouva ces détails d'autant plus horribles qu'ils étaient à table. Geoff ajouta quelques précisions encore plus répugnantes, ce qui n'empêcha pas Christianna d'être fascinée par ce qu'ils disaient et par le travail qu'ils accomplissaient.

Mary lui apprit que des membres de Médecins Sans Frontières viendraient dans deux ou trois semaines. Une fois par mois, un avion les amenait pour leur donner un coup de main. Quand leur présence était nécessaire, des chirurgiens les accompagnaient. Ils venaient aussi en cas d'urgence ; mais, la plupart du temps, Mary et Geoff faisaient face, pratiquant appendicectomies et césariennes. Comme le dit Geoff en plaisantant : « Nous opérons tous azimuts ! » Il tenait en haute estime les équipes de MSF, qui survolaient l'Afrique dans de petits avions pour apporter des soins là où c'était nécessaire, même dans les pays en guerre ou les régions les plus reculées.

— Ils sont vraiment incroyables, conclut-il en se servant une énorme part de dessert.

Geoff devait brûler tout ce qu'il mangeait, car il était mince comme un fil. Comme tous les hommes présents, il avait un solide coup de fourchette. Les femmes semblaient manger un peu moins, mais elles avaient fait honneur au repas, elles aussi. Tous et toutes travaillaient dur et aimaient se retrouver autour de la table pour discuter et rire ensemble. La plupart d'entre eux déjeunaient sur le pouce, et Mary informa Christianna que le petit déjeuner était servi dans cette même tente à 6 h 30. Leur journée de travail commençait tôt.

C'étaient des Africaines qui s'occupaient de la cuisine. Elles avaient appris à préparer les plats que les Européens appréciaient. Maggie, l'unique Américaine du camp, clamait qu'une seule chose lui manquait vraiment : la crème glacée de son pays. Elle prétendait qu'il lui arrivait d'en rêver. Bien que très éloignée de chez elle, Maggie paraissait extrêmement heureuse, comme tous les autres, à l'exception de Laure, que Christianna avait observée tout au long du repas. Elle semblait toujours triste et ne parlait que très peu. Le seul avec lequel elle s'entretenait à voix basse, en français, était Didier. Elle ne s'adressait guère aux autres et n'avait pas dit un mot à Christianna de la soirée.

Hormis Laure, tous avaient envie de mieux connaître Christianna et ses deux compagnons. D'ailleurs, Max et Sam semblaient déjà bien intégrés dans le groupe d'hommes. Durant tout le repas, les plaisanteries et les mauvaises blagues avaient fusé, en français, en anglais et en allemand, trois langues que parlait Christianna. Faire partie d'un groupe aussi cosmopolite était formidable.

Il était tard lorsqu'ils se levèrent et sortirent dans la chaude nuit africaine, sans cesser de parler et de rire. Les hommes invitèrent Max et Sam à jouer aux cartes. Ils acceptèrent, en prévenant qu'ils les rejoindraient dans quelques minutes. Ils ne pouvaient le dire, bien sûr, mais ils devaient d'abord s'assurer que Christianna était en sécurité pour la nuit. Tandis que Geoff et Maggie se dirigeaient vers leur tente, bras dessus bras dessous, les femmes avancèrent lentement vers la leur en bavardant. Fiona n'était pas rentrée et les autres supposèrent qu'elle aidait un bébé à venir au monde. Le taux de mortalité des nouveau-nés en Afrique de l'Est était terrifiant, surtout dans les vingt-quatre heures précédant ou suivant la naissance. Fiona tentait d'infléchir ces chiffres ; elle avait réussi à convaincre de nombreuses femmes de l'utilité d'un suivi prénatal et essayait d'être présente à chaque accouchement.

Christianna demanda à ses compagnes si elles ne s'inquiétaient pas de la savoir seule dans la brousse, en pleine nuit. Selon Mary, Fiona n'était pas peureuse et les environs étaient assez sûrs. Certes, le camp se situait non loin de la frontière avec l'Ethiopie, ce qui était un peu préoccupant, mais il n'y avait pas eu de problèmes, ni de violation de la trêve, au cours des dernières années. Cela pouvait toujours arriver, bien sûr, car la tension subsistait entre les deux pays, les Ethiopiens étant persuadés que l'accord leur était défavorable. Ils guignaient toujours les ports érythréens, mais il n'y avait pas eu de conflit à Senafe, et la jeune sage-femme irlandaise était très aimée de la population.

Ushi, une Allemande dont Christianna venait de faire la connaissance, lui dit que Fiona emportait toujours un pistolet lorsqu'elle circulait la nuit. Elle n'aurait pas peur de s'en servir, le cas échéant, mais elle n'en avait jamais eu l'occasion. Le port d'armes n'était pas encouragé, mais étant donné les circonstances, Fiona agissait sagement.

Ushi – diminutif d'Ursula – était enseignante. Lors du dîner, elle s'était montrée amicale avec Christianna et ses deux compagnons. Seule Laure gardait ses distances. A cet instant, elle marchait devant les autres en silence. Elle ne semblait pas du tout heureuse et n'avait cessé de regarder Christianna avec aversion.

Tout en enfilant leur pyjama, les femmes continuèrent de bavarder dans la tente. Christianna aspirait à une douche ou à un bain, mais on l'avait d'ores et déjà avertie que c'était impossible à cette heure tardive. En effet, on n'utilisait la douche en plein air que le matin, ou tôt dans la soirée, car on recourait à de jeunes autochtones – filles pour les femmes, garçons pour les hommes – pour se faire asperger d'eau. Un système primitif, mais Christianna avait été prévenue et n'était donc pas surprise. Elle ne craignait pas le manque de confort.

Les autres la taquinèrent en prétendant que des lions et des serpents pouvaient pénétrer dans la tente durant la nuit. Toutes les nouvelles venues avaient droit à ce genre de bizutage. Christianna adorait cette ambiance, qui correspondait exactement à ce qu'elle avait espéré. En outre, elle aimait déjà beaucoup les femmes de Senafe qu'elle avait rencontrées, belles, douces, exotiques et toujours souriantes.

Elle s'endormit dès que sa tête toucha l'oreiller. Certaines de ses compagnes l'imitèrent, d'autres lurent à la lueur de leur torche. Auparavant, elles lui avaient montré où se trouvaient les toilettes – des latrines, en vérité. L'une d'elles y était allée avec Christianna, car elle craignait toujours les serpents, mais rien n'était arrivé. Ces commodités rudimentaires n'étaient rien d'autre qu'un trou surmonté d'une planche, et flanqué d'une pelle et d'un gros sac de chaux. Christianna songea, avec un frémissement intérieur, qu'il lui faudrait un moment pour s'y habituer. Mais, nécessité faisant loi, elle ne douta pas d'y arriver.

Tandis qu'elle dormait à poings fermés, quelques-unes de ses compagnes en profitèrent pour échanger leurs impressions à voix basse et dire que Christianna leur plaisait beaucoup. Elle avait l'air très gentille et constituerait une bonne recrue pour le centre. Elle semblait venir d'une bonne famille, riche de surcroît. Elle était bien élevée, discrète, parlait plusieurs langues couramment et n'était pas prétentieuse. On devinait qu'elle était franche et naturelle, ce que toutes appréciaient.

En les entendant discuter, Laure haussa les épaules sans rien dire. Mary se demanda si elle était jalouse, car Christianna avait le même âge qu'elle. Mais Laure n'était pas proche non plus des autres membres du camp. Elle était grincheuse et maussade, la plupart du temps. D'après le planning, elle retournerait chez elle dans deux mois. Elle faisait partie des quelques exceptions qui ne succombaient pas aux charmes de l'Afrique. Rien ne lui plaisait dans son séjour, peut-être parce qu'elle avait apporté ses problèmes et ses chagrins avec elle.

Par Marthe, Mary savait que son fiancé l'avait abandonnée à deux jours du mariage, pour s'enfuir avec sa meilleure amie et l'épouser. Depuis, Laure était malheureuse et même son séjour au camp ne lui avait pas apporté le changement escompté. A son retour, elle travaillerait pour l'Unicef, à Genève, sans avoir tiré beaucoup de profits de ce qui aurait dû être une expérience extraordinaire. Elle était amère et même cynique pour quelqu'un d'aussi jeune.

Tout le monde dormait quand Fiona rentra, à 4 heures du matin. Elle avait mis deux bébés au monde et tout s'était bien passé. A peine se fut-elle glissée dans son lit qu'elle s'endormit. Quand les réveils sonnèrent à 6 heures, les femmes se levèrent toutes de bonne humeur et se dirigèrent ensemble vers la douche, en peignoir, leur serviette sur le bras. Fiona se joignit à elles, gaie comme un pinson après ses deux heures de sommeil. Elle avait l'habitude et ne restait au lit qu'exceptionnellement, quand la nuit avait été vraiment difficile. Même dans ces conditions, elle conservait sa bonne humeur. Sous la douche, elle adorait chanter à tue-tête de vieilles chansons irlandaises, simplement pour provoquer ses compagnes ; celles-ci ne manquaient pas de protester en la traitant de casserole, ce qui la ravissait. C'était le clown du camp.

Christianna s'habilla et se rendit dans la tente qui servait de cantine. Elle prit un copieux petit déjeuner constitué de porridge, d'œufs et de fruits cultivés dans le camp, ainsi qu'un grand verre de jus d'orange. Le petit déjeuner ne durait pas longtemps, car tout le monde commençait à travailler à 7 heures. Mary l'invita à la suivre dans la case principale, l'unité sida où les femmes et les enfants malades étaient logés et soignés. Auparavant, elle s'arrêta une minute devant Samuel pour lui demander où Max partait dans une vieille voiture. Il lui expliqua qu'il se rendait à la poste de Senafe, pour appeler son père et lui donner des nouvelles.

Comme Geoff l'avait fait durant le trajet, Mary lui indiqua les traitements qui étaient dispensés au centre. On donnait aux femmes enceintes séropositives une dose unique de névirapine, au début de la phase de travail, ainsi qu'une faible dose du même médicament au nourrisson dans les jours suivant l'accouchement. Selon certaines études, le risque de transmission mère-enfant était alors réduit de moitié. Le vrai problème survenait lorsqu'il fallait convaincre les mères de nourrir leurs enfants au biberon, car un enfant qui prenait le lait maternel développait presque systématiquement le virus. Malheureusement, le biberon ne leur était pas familier et elles s'en méfiaient. Les bénévoles avaient beau leur en donner, lorsqu'elles retournaient dans leur foyer, elles ne les utilisaient pas, et souvent les revendaient ou les échangeaient contre quelque chose dont elles avaient besoin. C'était une lutte difficile, reconnut Mary.

Les actions de prévention constituaient également une part importante de leur travail et Mary était persuadée que Christianna y excellerait. Elle avait remarqué ses manières douces et attentionnées auprès des Africaines. Elle avait une façon presque professionnelle d'aller de lit en lit, disant quelques mots, offrant un peu de réconfort, et les traitant avec bonté et compassion.

— Vous avez déjà travaillé dans un hôpital ? lui demanda Mary avec intérêt.

Elle ne pouvait pas savoir le nombre d'hôpitaux que Christianna avait visités. Cela faisait partie de ses obligations de princesse. Elle savait exactement combien de temps rester au chevet de chaque malade pour ne pas le fatiguer, tout en lui montrant qu'elle s'intéressait à ce qu'il lui disait et en lui donnant l'impression de bénéficier de toute son attention.

— Pas vraiment, répondit Christianna. J'ai fait un peu de bénévolat comme visiteuse…

— Vous avez un très bon contact avec les malades. Vous devriez peut-être songer à devenir infirmière ou médecin.

— Ça m'aurait beaucoup plu, assura Christianna avec un petit sourire, sachant qu'il ne pouvait en être question.

Mary était également impressionnée de voir le calme de Christianna devant les affections les plus graves ou les blessures les plus horribles. En toute circonstance, elle restait souriante et compatissante, et gardait son sang-froid.

— Mais mon père souhaite que j'entre dans l'affaire familiale à mon retour, ajouta-t-elle.

— Quel dommage ! Quelque chose me dit que vous avez un don pour ça.

Les deux femmes se sourirent, puis Mary continua de lui présenter les patientes. Elles se rendirent ensuite dans une case voisine, qui servait à Geoff de lieu de consultation et de vaccination. La minuscule salle d'attente était pleine de patientes et d'enfants qui jouaient. Une fois de plus, Christianna s'arrêta pour parler brièvement avec chacune d'elles, comme si elle en avait l'habitude.

Fiona prit ensuite le relais et l'emmena faire la connaissance de quelques-unes des futures mamans. Après leur départ, Mary resta avec Geoff pour s'entretenir avec lui.

— Christianna est une excellente recrue, fit-elle remarquer. Elle a un très bon contact avec les patients. On croirait qu'elle a déjà fait ça. J'aimerais bien l'engager pour la prévention. Et elle pourrait aussi seconder Ushi avec les enfants.

— Si tu veux, cria Geoff pour couvrir les hurlements de l'enfant qu'il venait de vacciner.

Il n'était pas surpris d'apprendre que Christianna se débrouillait bien avec les malades. Il savait qui elle était et il se doutait qu'elle visitait des hôpitaux depuis longtemps. Elle n'avait pas besoin d'afficher son titre de princesse. Il suffisait à Geoff de voir ses manières affables pour savoir qui elle était. Tout le monde se sentait à l'aise avec elle, et elle n'hésitait pas à s'amuser, à taquiner les autres, à rire et à plaisanter comme tout un chacun. Malgré ses réticences initiales, Geoff était heureux de sa venue. A présent, il voyait qu'elle paraissait n'avoir aucune difficulté à s'intégrer. De plus, son aide et celle de ses deux compagnons étaient les bienvenues. Toutefois, Geoff était surpris de constater qu'elle n'était ni difficile, ni exigeante, ni capricieuse mais, bien au contraire, ouverte, modeste et pleine de bonne volonté.

Christianna passa le reste de la matinée avec Fiona et ses patientes. A l'heure du déjeuner, elle se rendit à la cantine pour manger un morceau, sans même prendre le temps de s'asseoir. Elle passa le reste de la journée avec Ushi, qui faisait l'école aux enfants. Christianna adorait enseigner et elle leur apprit deux nouvelles chansons en français. A la fin de la classe, quand elles sortirent pour s'aérer, Ushi la regarda avec un large sourire, avant de la couvrir de compliments, comme les autres.

— Tu as un don, tu sais, lui dit-elle tout en allumant une cigarette.

— Non, répondit doucement Christianna, c'est d'être ici, en Afrique, qui est un don.

Elle semblait si heureuse et si reconnaissante qu'Ushi l'embrassa.

— Bienvenue en Afrique, lui dit-elle. Je pense que tu vas adorer y vivre, et que c'est là qu'est ta place.

— Moi aussi, je le pense, répondit Christianna avec une certaine tristesse.

Elle venait juste d'arriver, mais pensait déjà au moment où elle devrait repartir. Elle avait trouvé la vie qu'elle voulait mener, mais savait avec certitude qu'il lui faudrait un jour l'abandonner. Plongée dans ses pensées, elle garda le silence durant leur marche jusqu'à la tente.

— Qu'est-ce qui te rend si songeuse ? lui demanda Fiona quand elle l'aperçut.

Elle venait juste de rentrer et se préparait à repartir pour la nuit.

— Je ne veux plus jamais m'en aller, déclara Christianna d'une voix lugubre.

— Ouh, ouh, les autres ! Elle l'a attrapée ! claironna Fiona.

La plupart des femmes venaient juste de terminer leur travail et profitaient d'une petite pause avant d'aller dîner.

— Elle a attrapé la fièvre africaine ! C'est le cas le plus foudroyant que j'aie jamais vu.

Christianna, qui s'était assise sur son lit, sourit en l'entendant. Elle avait travaillé dix heures d'affilée et adoré chaque minute.

— Attends d'avoir vu un serpent...

Les autres éclatèrent de rire, de même que Christianna. Elle fit ensuite une partie de Scrabble en allemand avec Ushi, pendant que Fiona se vernissait les ongles. Même ici, elle portait un vernis d'un rouge éclatant. C'était le seul vice auquel elle ne pouvait renoncer, prétendait-elle.

Un peu plus tard, en les regardant toutes, Christianna eut la certitude de n'avoir jamais été aussi heureuse de sa vie.

8

Le lendemain matin, quand Christianna sortit de sa tente pour aller prendre son petit déjeuner, elle eut la surprise de trouver Max, qui l'attendait discrètement.

— Votre Altesse... chuchota-t-il.

A peine eut-il prononcé ces mots que Christianna l'interrompit, ennuyée.

— Ne m'appelez... Ne m'appelle pas comme ça, se reprit-elle en parlant à voix basse, elle aussi. Juste Cricky, comme tout le monde.

La veille, elle avait donné son diminutif aux autres membres du camp, et Max et Sam étaient censés l'utiliser, tout comme ils devaient la tutoyer.

— Je ne peux pas, Votre... Oh... Je suis désolé, murmura-t-il en rougissant.

— Il le faut, répliqua Christianna en ajoutant, encore plus bas : C'est un ordre royal.

Max sourit, et elle lui demanda alors :

— Pourquoi m'attendais-tu ?

Aux yeux de Maggie et de Fiona, qui se dirigeaient alors vers la cantine, ils devaient avoir l'air de deux conspirateurs.

— J'ai parlé à votre... à ton père, hier. Je n'ai pas réussi à te voir seul à seule pour te le dire.

— Il va bien ? demanda Christianna, soudain inquiète.

Son visage s'éclaircit quand Max hocha la tête.

— Oui, il va bien. Il m'a dit de vous... de te transmettre toute son affection. Si tu veux lui parler, je peux te conduire jusqu'à la poste de Senafe. Ce n'est pas très loin.

— Dans quelques jours, peut-être. Pour le moment, je n'ai pas le temps. Il y a trop de choses à faire ici.

— Je suis sûr qu'il comprend. Je lui ai dit que tout allait bien.

— Parfait. Il n'y a rien d'autre ?

De la tête, Max répondit par la négative. Christianna lui sourit.

— Merci, Max.

— Je vous en prie, Votre...

Il s'arrêta net, ce qui fit rire Christianna.

— Max, il faut t'entraîner. *Cricky.* Sinon, tu es renvoyé.

Tous deux éclatèrent de rire, tandis qu'il l'accompagnait à la cantine. Les autres étaient déjà à table quand ils entrèrent dans la tente.

— Traînards ! se moqua Fiona. Nous avons tout dévoré.

Elle flirtait avec Max, ce qui amusait Christianna et Sam. Quant à Max, il semblait y prendre plaisir. Les deux hommes se sentaient déjà à l'aise dans le groupe.

Comme la veille, Christianna apprécia de partager son petit déjeuner avec les autres. Une demi-heure plus tard, elle se mit au travail. Mary lui avait remis une pile de livres sur le sida, en lui donnant quelques directives sur les points sur lesquels elle devrait insister. Elle souhaitait que Christianna élabore son propre cours, qu'elle donnerait en anglais et qui serait simultanément traduit par une interprète locale en tigrinya.

Elle étudia une bonne partie de la matinée, puis alla voir quelques patients avec Mary, avant de replonger dans les livres, en sautant même le déjeuner. Dans l'après-midi, elle se rendit dans la salle de classe d'Ushi. Elle adorait être avec les enfants et c'était réciproque.

Après l'école, elle lut une histoire aux plus jeunes, puis sortit dans le camp pour prendre un peu d'exercice. Elle avait été enfermée toute la journée.

Au moment où ses yeux se posaient sur Laure, assise un peu à l'écart, Akuba passa à côté d'elle, tenant un de ses enfants par la main. Christianna lui fit un signe tout en souriant. Elle n'était là que depuis deux jours, mais elle avait déjà l'impression d'être chez elle. Tout était nouveau pour elle mais elle se sentait à l'aise et aimait les gens et le pays, comme si elle y était déjà venue.

Au moment de partir se promener, Christianna décida d'aller parler à Laure. Elle avait déjà tissé des liens d'amitié avec les autres et voulait tenter un geste vers cette jeune Française maussade. Celle-ci avait toujours l'air triste. La seule fois où Christianna l'avait vue sourire, c'était quand elle parlait à un enfant. Le travail de Laure consistait à s'occuper des formalités administratives, c'est-à-dire principalement à remplir et à classer les dossiers médicaux. C'était une tâche fastidieuse, dans laquelle elle excellait, apparemment. Geoff disait qu'elle était méthodique et précise.

— Bonjour, dit Christianna avec circonspection. Aimerais-tu venir te promener un peu avec moi ? J'ai besoin de prendre l'air.

Malgré la chaleur, l'air sentait délicieusement bon, rempli d'un parfum de fleurs qui semblait ne jamais se dissiper. La jeune Française hésita et, l'espace d'un instant, Christianna crut qu'elle allait décliner l'invitation. Aussi fut-elle surprise quand Laure acquiesça en silence. Elle se leva et elles commencèrent à marcher sans rien dire.

Après avoir croisé des femmes en tenue traditionnelle, elles empruntèrent un chemin que Laure semblait connaître et qui les mena jusqu'à une petite rivière. Christianna parut soudain anxieuse.

— Tu crois qu'il y a des serpents ? J'en ai une peur bleue, avoua-t-elle.

— Je ne pense pas, répondit Laure avec un sourire timide. Je suis déjà venue ici et je n'en ai jamais vu.

La jeune femme semblait un peu plus détendue. Brusquement, Christianna aperçut un phacochère, qui lui rappela qu'elle se trouvait en Afrique, et pas simplement dans une agréable campagne, quelque part en Europe. Ici, tout était différent et excitant.

Après avoir encore marché, les deux jeunes femmes s'assirent sur un gros tronc, au bord d'un ruisseau. L'endroit était incroyablement calme et elles restèrent à le regarder en silence pendant un bon moment.

— J'ai rencontré ta tante Marthe en Russie, finit par dire Christianna en se tournant vers Laure, qui paraissait toujours tourmentée, comme si quelque chose la rongeait.

— Le nombre de gens qui la connaissent est étonnant, répondit celle-ci.

— C'est une femme admirable, ajouta Christianna avec feu en se rappelant leur rencontre en Russie.

— Elle est même plus que cela. C'est une espèce de sainte. Sais-tu qu'elle a perdu son mari et ses deux enfants ? Elle est restée trop longtemps au Soudan, lorsque la guerre a éclaté. Malgré cela, elle aime encore l'Afrique, elle l'a dans le sang. A présent, elle consacre sa vie aux autres. J'aimerais lui ressembler davantage et être capable de me dévouer comme elle. Mais je déteste être ici.

Ses paroles surprirent Christianna et la touchèrent. Non seulement Laure se confiait à elle, mais elle le faisait avec une franchise désarmante.

— Peu de personnes peuvent faire ce qu'elle fait, poursuivit Christianna. Je crois que c'est un don.

— Tu as le même don, assura Laure.

Christianna lui jeta un regard incrédule.

— Comment peux-tu dire cela ? Tu ne me connais pas.

Pourtant, les paroles de Laure la flattaient ; il s'agissait d'un beau compliment.

— Je t'ai vue au moment où tu quittais la classe avec Ushi, hier. Tu parlais avec tout le monde et les enfants s'accrochaient à toi. Ensuite, quand je suis allée chercher les dossiers dans le bureau de Mary, toutes ses patientes parlaient de toi. C'est un don, répéta-t-elle.

— Toi aussi, tu t'entends bien avec les enfants. Quand tu es avec eux, tu souris toujours.

— Les enfants sont toujours honnêtes, déclara Laure d'un air triste. Les adultes, jamais. Ils mentent, ils trichent, ils blessent. Je crois que la plupart des gens sont profondément mauvais.

Christianna eut le cœur serré de l'entendre parler ainsi. Laure avait dû connaître de grosses désillusions et beaucoup souffrir pour tenir de tels propos. En voyant son expression, Christianna eut une intuition et lança :

— La trahison est une chose terrible, surtout venant de personnes qu'on aime...

Il y eut un long silence, pendant lequel Laure la dévisagea, comme pour déterminer si elle méritait sa confiance, avant de se décider :

— On t'a dit pourquoi j'étais ici. Je suppose que ce n'est pas un secret. Tout le monde était au courant à Genève... à Paris aussi... Partout, même ici. J'étais fiancée à un homme qui s'est complètement moqué de moi et qui est parti avec celle que je croyais être ma meilleure amie.

Elle paraissait extrêmement amère, mais aussi peinée et meurtrie.

— Ne te laisse pas détruire. Ne lui donne pas cette satisfaction. Il n'en vaut pas la peine, pas plus que ta soi-disant amie. Tôt ou tard, ils paieront pour ce qu'ils t'ont fait. Ce genre de chose a toujours un prix. On ne peut pas trouver le bonheur au détriment d'autrui.

Christianna espérait ainsi apaiser un peu sa douleur.

— Ils vont avoir un bébé. Elle était déjà enceinte quand elle s'est enfuie avec lui. Il lui a fait un enfant, alors que nous étions fiancés. Je ne l'ai découvert que plus tard.

En l'écoutant, Christianna se rappela soudain une expression qu'elle entendait presque quotidiennement à Berkeley.

— Dans ce cas, tout ce qu'on peut dire de leur conduite, c'est que « c'est nul » et que « ça craint ». Et c'est bien en dessous de la vérité !

Laure esquissa un sourire en entendant cette expression ; puis, soudain, son sourire s'élargit et elle finit par éclater franchement de rire.

— C'est la chose la plus stupide que j'aie jamais entendue ! s'exclama-t-elle.

Laure était encore plus belle quand elle riait, et il était difficile d'imaginer qu'un homme ait pu la laisser tomber. Il devait être particulièrement idiot, surtout pour l'abandonner de cette manière.

— C'est vrai, c'est stupide, acquiesça Christianna avec un petit rire. Mais ça dit bien ce que ça veut dire, non ? Ça craint ! répéta-t-elle avec force.

Tout à coup, la vie paraissait plus simple. Elles se sentaient comme deux gamines qui viennent de quitter l'école.

— C'était sûrement un vrai imbécile, reprit Christianna. Quand nous sommes descendus du car, il y a deux jours, je me suis fait la réflexion que je n'avais jamais vu de femme plus jolie que toi.

Christianna disait la vérité. La beauté de Laure était à couper le souffle.

— Ne dis pas de bêtises, protesta cette dernière, embarrassée. J'ai l'air d'une asperge. J'ai toujours détesté ma taille, et je rêvais d'être petite, comme toi. En fait, ma soi-disant amie – celle avec laquelle il m'a trompée – te ressemble beaucoup. C'est pourquoi je t'en voulais. Et puis, quand tu m'as proposé d'aller me promener avec toi, je me suis dit que tu n'étais pas elle. Je suis désolée de m'être montrée antipathique. Mais dès que je te regardais, j'avais l'impression de la voir et j'étais furieuse contre toi.

— Tu ne l'étais pas, mentit Christianna, tu avais simplement l'air triste.

— Non, je me suis montrée odieuse, insista Laure. Mais tu me la rappelais tellement !

Elles riaient quand Yaw passa sur le chemin à vélo. En les entendant, il ralentit, les dépassa, puis, ayant levé les yeux vers l'arbre qui se trouvait derrière elle, leur cria quelque chose. Elles le saluèrent de la main, croyant qu'il leur disait simplement bonjour.

— Courez ! leur cria-t-il. Allez-vous-en !

Il faisait de grands gestes frénétiques et elles se regardèrent, toujours hilares, avant de se lever et de le suivre. Elles ne comprenaient pas ce que Yaw voulait, ni ce qu'il disait, mais il ne cessait de crier. Elles gloussaient encore quand elles se retournèrent pour voir ce que Yaw leur montrait dans l'arbre. Sur une grosse branche, juste au-dessus de l'endroit où elles étaient assises un instant auparavant, un énorme mamba vert se chauffait au soleil. Comme sur un signal, il glissa alors le long du tronc et rampa vers la rivière. A cette vue, les deux filles prirent leurs jambes à leur cou en hurlant, tandis que Yaw éclatait de rire et poursuivait son chemin. Elles ne s'arrêtèrent de courir que parvenues au camp. Bien qu'essoufflées, elles partirent d'un nouvel éclat de rire.

— Mon Dieu, tu as vu ce monstre ?

Elles avaient couru si vite que Christianna avait un point de côté.

— Tu m'avais dit que tu n'avais jamais vu de serpents, là-bas !

— Peut-être que je n'ai jamais regardé dans l'arbre, répliqua Laure avec un grand sourire. C'est le plus gros serpent que j'aie jamais vu.

— Ça craint ! s'exclamèrent-elles à l'unisson, avant de rire de plus belle.

— Heureusement que je rentre bientôt à la maison, dit Laure quand elles se remirent en route d'un pas plus lent car Christianna peinait à recouvrer son souffle.

Elle n'avait jamais piqué un tel sprint. Son pire cauchemar serait devenu réalité si Yaw n'était pas passé par là.

A cet instant, Laure prit conscience qu'elle serait triste de partir. Christianna était la première amie qu'elle se faisait au camp. Les autres s'étaient montrés gentils avec elle et elle les appréciait comme collègues de travail, mais Christianna avait été la première à lui tendre la main et à l'avoir fait rire autant. Même si elle ressemblait de manière frappante à celle qui l'avait trahie, c'était une fille bien.

— As-tu un petit copain ? lui demanda-t-elle au moment où elles entraient dans le camp.

— Non, j'ai un frère, un père et un chien. Pour le moment, ça s'arrête là. J'en ai eu un, quand j'étais à Berkeley, mais rien de sérieux. Il m'envoie parfois des e-mails ; en tout cas, il le faisait avant que je ne vienne ici.

— Tes deux amis, ceux qui t'ont accompagnée, ils ont l'air chouettes.

Christianna acquiesça d'un signe de tête. Il ne lui était pas toujours facile d'expliquer ses relations avec Max et Samuel.

— Ils étaient en Russie avec moi. Eux aussi connaissent Marthe.

Alors qu'elles se dirigeaient vers la tente des femmes, Laure s'arrêta et regarda Christianna.

— Merci de m'avoir demandé d'aller me promener avec toi. J'ai passé un bon moment, Cricky.

Elle avait entendu les autres l'appeler ainsi et se sentait suffisamment proche d'elle, maintenant, pour user à son tour de ce diminutif.

— Moi aussi, j'ai passé un bon moment, répondit Christianna en lui adressant un sourire chaleureux.

Avoir conquis l'amitié de Laure représentait une espèce de victoire et constituait un cadeau auquel Christianna ne s'attendait pas.

— A l'exception du serpent, ajouta-t-elle.

Elles riaient encore en entrant au « Ritz ». Les autres femmes, de retour dans la tente après une longue journée de travail, se détendaient dans les tenues les plus variées.

— Où étiez-vous, toutes les deux ? demanda Mary, surprise de les voir ensemble.

La froideur de leurs relations n'avait échappé à personne, pas plus que l'hostilité flagrante de Laure envers Christianna.

— Nous sommes allées chercher des serpents, et nous en avons trouvé un gros dans un arbre, juste au-dessus de notre tête, dit Christianna avec un large sourire.

Laure sourit, elle aussi.

— On ne s'assoit pas sous un arbre, en Afrique, fit remarquer Mary en adressant à Christianna un regard sévère.

Elle se tourna ensuite vers Laure avec le même regard désapprobateur.

— Tu le sais bien, pourtant, toi. Ah, ces filles... On ne peut pas les laisser sortir seules ! Je vais devoir vous boucler dans vos chambres.

Les deux jeunes femmes éclatèrent de rire et Laure annonça qu'elle allait prendre une douche, ce qui, toutes le savaient, n'était pas une affaire aussi simple qu'il y paraissait. Laure était néanmoins certaine de trouver quelqu'un pour verser l'eau sur elle. Quand elle eut quitté la tente, drapée dans son peignoir, Christianna s'étendit sur son lit, essayant de ne pas repenser à l'énorme serpent qu'elles avaient vu. De toute sa vie elle n'avait jamais poussé un tel hurlement ni couru à une telle vitesse. Elles devaient une fière chandelle à Yaw !

— Que diable as-tu fait à Laure ? lui demanda Fiona, encore surprise.

Elle paraissait fatiguée. Elle avait mis au monde trois bébés cet après-midi, mais l'un était mort. Fiona était toujours bouleversée lorsque cela se produisait. Elle avait tout fait pour sauver l'enfant, et Geoff lui-même était intervenu, mais ils avaient échoué. Malheureusement.

— Nous sommes juste allées nous promener, répondit Christianna. Je crois qu'elle avait besoin de parler.

— Eh bien, elle n'a jamais parlé à aucun de nous, jusqu'à ton arrivée. Tu dois avoir des pouvoirs spéciaux.

— Non, elle était prête, tout simplement.

Christianna l'avait senti, même si elle ne s'était pas attendue à ce que cela se passe aussi bien.

— Tu sais t'y prendre avec les gens, Cricky, constata Fiona d'un ton admiratif.

Tout le monde au camp l'avait remarqué et ils en avaient discuté entre eux. Même si Christianna n'était là que depuis peu de temps, cela leur avait sauté aux yeux : elle possédait une espèce de grâce particulière, un don, comme l'avait dit Laure l'après-midi même.

Celle-ci revint de la douche peu après. Elle paraissait heureuse, détendue, et quand elles partirent toutes ensemble pour dîner, elle plaisantait avec Cricky au sujet du serpent. Tous furent surpris de découvrir qu'elle avait beaucoup d'humour. Elle taquina Christianna sur le cri perçant qu'elle avait poussé et sur la vitesse à laquelle elle avait décampé.

— Il me semble que tu ne t'es pas attardée pour le prendre en photo, répliqua Christianna tandis qu'elles redoublaient de rire toutes les deux.

Cependant, elles frémissaient encore à la pensée que le mamba aurait pu les attaquer alors qu'elles étaient assises au pied de l'arbre. Mieux valait ne pas y penser !

Quand elles retournèrent à la tente, après le repas, Christianna demanda à Laure pourquoi elle haïssait l'Afrique. Elle avait été très frappée par sa remarque de l'après-midi.

— Je ne déteste peut-être pas l'Afrique autant que je le crois, répondit la jeune femme, pensive. J'ai été si malheureuse, ici... J'avais tout emporté avec moi, toutes les choses horribles que j'avais vécues avant de venir ici. Je ne sais pas... Peut-être que c'est moi que je déteste, tout simplement.

— Pour quelle raison te détesterais-tu ?

— Je l'ignore. Peut-être parce qu'il ne m'aimait pas assez pour rester avec moi et m'être fidèle. Je n'arrêtais pas de chercher le défaut en moi, qui les avait poussés à faire une chose pareille. C'est compliqué.

— Ils sont vraiment moches d'avoir agi ainsi, se contenta de dire Christianna. Les gens bien ne se conduisent pas de cette façon. Tu n'y crois peut-être pas pour le moment, mais tu seras heureuse, un jour. La prochaine fois, tu tomberas sur un homme bien. J'en suis sûre. La foudre ne tombe jamais deux fois au même endroit. Cela ne se reproduira donc plus.

— Je ne peux pas imaginer faire de nouveau confiance à quelqu'un, objecta Laure au moment où elles entraient dans la tente.

Elles étaient seules, car les autres n'étaient pas encore revenues.

— Ça viendra, tu verras.

— Quand ? demanda Laure, de nouveau triste.

La douleur d'avoir été trompée transparaissait encore dans son regard, mais elle avait une amie, à présent.

— Quand tu seras prête. Cela t'a fait du bien de venir ici. Il fallait que tu prennes de la distance avec tout ça.

— C'est ce que je croyais. Mais j'ai tout emporté ici. Je suis incapable de penser à autre chose.

— Alors tu sais ce que tu dois faire, à partir de maintenant ? dit Christianna calmement.

— Quoi ?

Laure s'attendait à entendre des trésors de sagesse de la bouche de sa nouvelle amie. Elle était impressionnée par le bon sens et la perspicacité de Christianna.

— Pense simplement à ce serpent qui a failli nous tomber dessus et réjouis-toi que nous soyons vivantes. Tu as échappé de peu à deux serpents : « lui » et celui d'aujourd'hui.

Laure se mit à rire. Elle riait toujours lorsque les autres revinrent et la regardèrent de nouveau avec étonnement. Elles ne comprenaient pas ce que Christianna avait fait à cette fille taciturne, mais en tout cas, ça marchait. C'était certain : Christianna avait un don.

Elles étaient heureuses qu'elle soit là, mais Christianna jugeait que c'était elle la plus chanceuse.

9

La veille de l'arrivée de l'équipe de Médecins Sans Frontières, tout le monde travaillait.

Geoff répertoriait les cas qu'il voulait leur montrer. Outre quelques interventions chirurgicales mineures que les médecins jugeraient sans doute nécessaires, il y avait deux cas sérieux de tuberculose qui l'inquiétaient, ainsi qu'un début d'épidémie de kala-azar. Cela ne l'affolait pas, mais il était toujours heureux de bénéficier de leurs conseils. Il appréciait surtout leur présence au moment de la malaria, en septembre. Heureusement, l'automne était encore loin. Et, bien sûr, il y avait les malades du sida, auxquels l'équipe de MSF apportait de nouveaux médicaments.

Quatre médecins et deux infirmières allaient venir les aider pendant une semaine, ce qui soulagerait Geoff et Mary. De plus, il était toujours agréable de revoir des visages familiers et d'en découvrir de nouveaux. Quelques semaines auparavant, MSF les avait avertis par radio qu'un nouveau médecin les accompagnerait et qu'il souhaitait passer un mois sur place. C'était un jeune Américain, chercheur à Harvard, spécialiste du sida. Geoff avait répondu qu'il serait ravi de l'accueillir. Son arrivée porterait le nombre de résidents permanents à dix-huit, et Geoff avait prévu d'installer un lit supplémentaire au George-V, qui affichait pourtant déjà complet.

Christianna avait téléphoné deux fois à son père, qui se plaignait de son absence. Février commençait à peine, et il ne pouvait imaginer passer encore cinq mois sans elle ; davantage, encore moins. Il lui avait demandé de rentrer au bout du premier semestre, mais Christianna n'avait pas répondu. Elle ne voulait pas en parler maintenant, elle le ferait plus tard dans l'année. Il était hors de question qu'elle quitte l'Afrique plus tôt qu'elle ne le devrait.

Au moins son père avait-il été soulagé de la savoir heureuse et en bonne santé, même si cela augurait mal d'un retour prématuré de Christianna au Liechtenstein. Elle se sentait coupable de le laisser seul, mais cette période était sacrée pour elle. Elle savait qu'une telle occasion ne se représenterait jamais.

Christianna avait achevé l'élaboration de son cours sur le sida et commencé à enseigner à de petits groupes de femmes. Une interprète la secondait, une jeune femme douce qui parlait un anglais correct, appris chez les missionnaires. Souvent, ses traductions faisaient rire autant Christianna que ses élèves. Celles-ci gloussaient et pouffaient de rire quand Christianna disait quelque chose de drôle, mais elles prenaient le reste de son enseignement au sérieux. Mary estimait qu'elle faisait du bon travail et le lui disait, ainsi qu'à Geoff. Mais Christianna considérait que Mary se montrait simplement très gentille.

Elle continuait de se rendre dans la classe d'Ushi chaque après-midi, et les enfants l'adoraient. Elle aidait également souvent Laure. Celle-ci en était ravie. Depuis qu'elle avait une amie à laquelle se confier, et avec qui elle pouvait se promener en fin de journée, la jeune Française, auparavant si hostile, s'ouvrait aux autres. Quand les membres de l'équipe parlaient de cette transformation miraculeuse, Christianna expliquait qu'elle était arrivée au bon moment et que Laure était prête à s'épancher. Mais les autres n'étaient pas dupes. Ils savaient ce qui s'était passé – mieux que Christianna, peut-être – et la manière pleine de douceur avec laquelle elle avait fait sortir Laure de sa coquille. La fille revêche et taciturne n'existait plus ; à présent, Laure parlait, riait et plaisantait comme les autres. Le soir, elle jouait même aux cartes avec les hommes et était enchantée lorsqu'elle retournait dans la tente avec une poignée de nakfas, la monnaie locale.

Mais, plus encore que Laure, Christianna s'épanouissait. Geoff lui-même oubliait qu'il avait affaire à une altesse royale, ce qui ne pouvait que contribuer au maintien du secret. En moins d'un mois, elle était devenue l'une des leurs. Ils ne pouvaient plus imaginer la vie sans elle... ni elle sans eux. Christianna avait l'impression de s'être trouvée et elle souhaitait rester pour toujours en Afrique. La pensée de partir lui était insupportable. Chaque moment était précieux et elle les savourait tous avec délice.

Le matin où l'équipe de MSF arriva, Christianna commençait son cours sur la prévention du sida, après avoir accompagné Mary dans sa tournée. Geoff entra dans la classe avec le responsable de l'équipe, qu'il présenta à Christianna. Comme tout le monde, il l'appelait simplement Cricky. Le responsable était hollandais et il s'adressa à elle en allemand. Il avait travaillé pour Médecins Sans Frontières pendant des années, d'abord au Soudan, puis en Sierra Leone, au Zaïre, en Tanzanie et, finalement, en Erythrée. Durant la guerre avec l'Ethiopie, il avait soigné un grand nombre de victimes des deux côtés et il était soulagé que le conflit soit terminé. Beaucoup de ceux qui avaient fui leur pays au moment des hostilités étaient à présent rentrés chez eux.

Même s'il était nettement plus âgé que Geoff, tous deux étaient des amis de longue date, toujours heureux de se retrouver. Il avait beau se prétendre trop vieux pour faire ce métier, personne ne le croyait. C'était un homme alerte, dynamique, qui aimait piloter lui-même l'avion de MSF. Il s'était engagé dans l'aviation britannique après avoir fui les Pays-Bas à la fin de la Seconde Guerre mondiale. Christianna fut enchantée de faire sa connaissance, car elle entendait parler de lui depuis le début de son séjour.

Le dîner réunissant les deux groupes fut très animé. Tandis que le médecin responsable les régalait d'histoires amusantes, tous se mélangèrent, heureux de lier connaissance ou de renouer de vieilles amitiés. Il était toujours agréable de voir de nouveaux visages, comme ç'avait été le cas lors de l'arrivée de Cricky et de ses deux compagnons.

Le jeune médecin américain, assis à côté de Mary pendant le repas, était extrêmement compétent dans son domaine et discuta longuement avec elle des nouvelles combinaisons de médicaments contre le sida expérimentées à Harvard. Mary fut enchantée de l'entendre parler des derniers développements de la recherche. Cela allait lui permettre d'élargir ses connaissances. Il avait examiné toutes ses patientes avec elle dans l'après-midi et fait d'excellentes suggestions. En écoutant discuter tous ces médecins, Christianna avait l'impression d'assister à un congrès médical et elle trouvait cela fascinant. D'autant qu'à de nombreuses reprises au cours du repas, ils parlèrent de tout autre chose. De nombreux éclats de rire égayaient toujours les sujets les plus sérieux.

Christianna fut contente de voir que Laure prenait plaisir à discuter avec l'un des jeunes médecins français. Durant tout le dîner, ils semblèrent avoir une conversation sérieuse puis, après le dessert, ils se lancèrent dans une partie de poker animée. Laure était devenue la joueuse la plus acharnée et la plus chanceuse du camp, et la soirée ne fit pas exception à la règle. A plusieurs reprises, elle regarda Christianna, et celle-ci, à un moment où personne ne faisait attention à elle, lui désigna le jeune Français avec une mimique approbatrice qui la fit rire. Laure paraissait heureuse, ce qui réjouit Christianna.

Ce fut à la fin de la soirée, alors que la partie de poker battait son plein, que Christianna fut présentée au médecin américain qui allait rester au camp. Il s'appelait Parker Williams et elle l'avait entendu dire qu'il était de San Francisco. Tandis qu'ils bavardaient en prenant le café, Christianna lui confia qu'elle était allée à Berkeley.

— Comment es-tu arrivée ici ? demanda-t-il avec intérêt.

Elle lui raconta la prise d'otages en Russie, sa rencontre avec Marthe et son désir de consacrer une année de sa vie à une œuvre humanitaire, avant d'entrer dans l'affaire familiale. En réponse aux questions qu'elle lui posa, il lui apprit qu'il ne faisait pas partie de Médecins Sans Frontières, mais que cela lui permettait d'approfondir son programme de recherche sur le sida à Harvard. Il était absolument ravi de se joindre à eux et attendait beaucoup de son séjour à Senafe.

— J'adore être ici, déclara Christianna.

A voir l'étincelle qui brillait dans ses yeux, on ne pouvait en douter.

Plus tôt dans la soirée, Laure avait fait remarquer que le jeune médecin était très séduisant et qu'il ressemblait beaucoup à Christianna. Il avait les cheveux blonds, lui aussi, et les yeux du même bleu profond. En revanche, il était beaucoup plus grand qu'elle.

Pendant quelques instants, Parker et Christianna discutèrent du camp, de la population de Senafe et du travail effectué par la Croix-Rouge. Puis elle lui parla du programme de prévention qu'elle avait mis sur pied avec l'aide de Mary et lui décrivit ses activités. Il se déclara impressionné par les connaissances qu'elle avait acquises en très peu de temps.

Après cela, il rejoignit Laure à la table de poker. La plupart des hommes restèrent, tandis que Christianna et les autres femmes retournaient dans leur tente.

— Il est trop mignon ! déclara Fiona alors qu'elles se dirigeaient vers le Ritz.

— Qui ça ? demanda Christianna, l'air ailleurs.

Elle pensait à son père qu'elle n'avait pas appelé depuis plusieurs jours et songeait à aller à Senafe le lendemain. Elle savait qu'il s'inquiétait quand elle ne lui téléphonait pas.

— Ça ne prend pas avec moi, répondit Fiona. Tu sais très bien de qui je parle, je vous ai vus discuter ensemble. Ce jeune médecin de Harvard... Sapristi ! Si tu n'en veux pas, je passe à l'attaque.

Fiona était toujours à l'affût de nouvelles aventures, même si elle parlait plus qu'elle n'agissait. Rares étaient les opportunités qui s'offraient aux membres de l'équipe. Hormis Maggie et Geoff, la plupart évitaient les liaisons, qui finissaient toujours par tout compliquer. Ils vivaient donc ensemble comme frères et sœurs. Mais l'arrivée des membres de MSF ravivait toujours les sentiments de chacun.

— Je te le laisse, lui dit Christianna en riant, tout en sachant que Fiona flirtait avec Max, sans que cela aille plus loin pour le moment.

— Il ne te plaît pas ? demanda Fiona.

— Il a l'air très bien. Mais je ne m'intéresse pas à ce genre de chose ici, c'est tout. Il y a trop de travail pour se compliquer la vie avec ça.

Christianna avait d'autres préoccupations, et se chercher un compagnon était bien la dernière chose qu'elle avait en tête. Elle savait que cela n'entraînerait que des complications. La situation avait été différente à Berkeley, quand elle était étudiante ; ici, à l'autre bout du monde, c'était hors de question, surtout lorsqu'elle songeait aux contraintes de sa vie d'altesse. Si elle avait une relation amoureuse, elle serait obligée d'y mettre un terme à son départ et risquerait, cette fois, d'en souffrir.

Toutes les femmes étaient déshabillées et couchées quand, une heure plus tard, Laure les rejoignit. Elle s'était bien amusée, et on ne lui épargna pas les plaisanteries, au petit déjeuner, sur le montant de ses gains. Elle avait plumé tous ses partenaires.

— Tu seras bien la seule personne à être riche en quittant Senafe, lui dit Geoff.

Laure arborait un sourire ravi. Elle avait passé une excellente soirée et le médecin français était très sympathique.

A leur habitude, ils furent tous à pied d'œuvre dès 7 heures du matin. Parker Williams accompagna Mary dans sa tournée ; le responsable de l'équipe, quant à lui, reçut les malades avec Geoff ; les autres médecins se répartirent entre le dispensaire et la pharmacie, qu'il fallait réapprovisionner. Christianna se trouvait dans le minuscule bureau qu'elle utilisait pour son cours de prévention du sida, quand Mary entra. A sa grande surprise, elle lui demanda si elle ne voulait pas se joindre à eux. Elle ne faisait pourtant pas partie de l'équipe médicale. Mais elle était flattée d'être incluse dans leurs discussions, même si celles-ci lui passaient au-dessus de la tête. Il y avait toujours quelque chose à glaner.

A présent, elle connaissait très bien tous les malades, notamment les enfants. Elle leur rendait visite quotidiennement, apportant des fruits aux femmes et des jeux aux enfants, et égayant la salle de l'hôpital avec un joli bouquet de fleurs fraîches. Mary ne manquait jamais de faire remarquer qu'elle se débrouillait toujours pour améliorer l'existence d'autrui.

Cependant, quand elle rejoignit Mary et Parker, Christianna se fit discrète, ne voulant pas interférer dans leur conversation. Elle ne posa qu'une seule question au jeune médecin, au sujet d'un traitement dont les autres avaient parlé, mais qu'elle ne comprenait pas. Il le lui expliqua en détail, avant de s'entretenir avec les malades. A deux reprises, Christianna joua les interprètes pour des femmes qui ne parlaient que le français.

— Merci de m'avoir aidé, dit Parker quand elle dut partir pour faire son cours.

— C'était un plaisir, répondit Christianna avec un sourire avant de s'éloigner pour rejoindre sa salle.

Ce jour-là, elle se passa de déjeuner et se rendit directement dans la classe d'Ushi. Ensuite, elle alla voir Laure dans son bureau. Comme le jeune médecin français se trouvait là et bavardait avec elle, Cricky se contenta de sourire à son amie et disparut rapidement. Elle décida alors de faire une promenade. Fiona n'était pas encore rentrée et les autres étaient retournées dans la tente pour se reposer, il n'y avait personne pour discuter avec elle ou pour l'accompagner.

— Je te remercie encore de m'avoir aidé ce matin, entendit-elle derrière elle.

Elle se retourna pour voir qui lui parlait. C'était Parker. Il avait travaillé toute la journée et lui aussi se retrouvait seul.

— Ce n'était pas grand-chose, assura-t-elle en lui souriant.

Pour se montrer polie et parce qu'elle n'avait pas envie de rester debout sans bouger, elle lui demanda s'il ne voulait pas marcher un peu, ce qu'il accepta volontiers. On lui avait dit que la région était magnifique, et il ne la connaissait pas du tout. Il n'était en Afrique que depuis un mois.

— Moi aussi, ou juste un peu plus, dit Christianna, tandis qu'ils suivaient le chemin qu'elle empruntait d'habitude avec Laure.

— D'où viens-tu ? demanda-t-il.

Il l'avait crue française, mais Mary l'avait détrompé.

— D'un tout petit pays d'Europe, répondit-elle en souriant. Du Liechtenstein.

— Où est-ce, exactement ? J'en ai entendu parler, mais, pour être franc, je ne saurais pas le situer.

Sa manière d'être était agréable, naturelle, et aussi chaleureuse que son sourire.

— La plupart des gens en seraient incapables. Il est coincé entre l'Autriche et la Suisse et ne fait que cent soixante kilomètres carrés. C'est la raison pour laquelle tu ignores où il se trouve, expliqua-t-elle en lui rendant son sourire.

Ils ne flirtaient pas, loin de là ; ils discutaient simplement à bâtons rompus en se promenant. Christianna lui trouvait une légère ressemblance avec Freddy, mais était à peu près certaine qu'il ne se comportait pas comme son frère.

— Quelle langue parle-t-on là-bas ? s'enquit-il. L'allemand ?

— Essentiellement, ainsi qu'un dialecte qui en est dérivé, mais qui est très difficile à comprendre.

— Et le français ?

Celui de Cricky lui avait semblé parfait, ce matin. Si ce n'était pas sa langue natale, il y avait de quoi être impressionné. Lui n'avait vu aucune différence.

— Un petit peu. Mais presque tout le monde parle allemand. En fait, je parlais français à la maison. Ma mère était française.

— Etait ? releva-t-il avec sympathie.

— Elle est morte quand j'avais cinq ans.

— La mienne est morte quand j'en avais quinze.

C'était quelque chose qu'ils avaient en commun. Mais Christianna n'insista pas. Elle ne voulait pas se montrer indiscrète en posant des questions douloureuses.

— Mon frère et moi avons grandi seuls avec notre père, ajouta-t-il.

— Mon frère et moi aussi, dit-elle avec un sourire.

— Que fait ton frère, à présent ? Dans la mesure où il est assez âgé pour travailler, bien sûr, précisa-t-il en riant.

Elle lui paraissait très jeune, peut-être à cause de sa petite taille. Pourtant, si elle travaillait pour la Croix-Rouge, elle devait avoir plus de vingt et un ans.

— Oh, il est bien assez vieux, répondit-elle avec une grimace. Il a trente-trois ans. Pour dire la vérité, il consacre une grande partie de son temps à voyager, à courir après les femmes et à conduire des voitures de sport.

— Chouette boulot, quand on peut le décrocher ! plaisanta Parker. Mon frère à moi est médecin, et notre père aussi. Il est chirurgien à San Francisco, tandis que mon frère est pédiatre à New York. Moi, je vis à Boston.

Il lui donna toutes ces informations avec la spontanéité propre à certains Américains. Les Européens se montraient en général bien plus réservés. Mais cela ne gêna pas Christianna, au contraire. Les manières ouvertes et amicales des Américains lui plaisaient, et elle les regrettait depuis son départ de Berkeley.

De nouveau, elle sourit à Parker. Il semblait vraiment gentil.

— Je sais que tu vis à Boston. Et que tu fais de la recherche à Harvard…

Il eut l'air heureux qu'elle soit au courant.

— Et toi, que fais-tu au Liechtenstein ? Et comment s'appelle la ville où tu habites ?

— Je vis dans la capitale, Vaduz. Quand je rentrerai chez moi, je travaillerai pour mon père. Mais j'espère passer d'abord une année entière en Afrique, s'il veut bien m'y autoriser. Il est toujours un peu inquiet quand je m'en vais. Mon frère rentrera bientôt de Chine et ça le distraira, j'espère. Ou ça le rendra fou, suivant ce que mon frère inventera.

Tous deux se mirent à rire.

— Il est pilote de course ? Tu as parlé de voitures de sport...

— Non, répondit Christianna en riant de plus belle.

Ils marchaient maintenant sur un chemin bordé d'arbres, de buissons et de fleurs. Le parfum qui émanait des fleurs, capiteux et sucré, resterait pour elle toujours associé à l'Afrique.

— C'est juste un bon à rien !

— Il ne travaille pas du tout ? demanda Parker, l'air surpris.

Cela lui semblait étrange, mais pas à Christianna. La plupart des princes ne travaillaient pas, surtout lorsqu'ils étaient princes héritiers, comme son frère. Mais ils menaient en général des existences bien plus respectables que Freddy, et employaient leur temps de manière tout à fait décente.

— Il lui arrive de travailler pour mon père, mais cela ne l'intéresse pas beaucoup. Il préfère voyager. Cela fait plusieurs mois qu'il parcourt l'Asie. Il est allé au Japon, et maintenant il est en Chine. Il a l'intention de s'arrêter en Birmanie sur le chemin du retour.

Aux yeux de Parker, ils semblaient former une famille qui sortait de l'ordinaire.

— Et ton père ?

— Il s'occupe de politique et de relations publiques.

Elle l'avait dit tellement souvent que cela lui venait spontanément.

— Ça a l'air plutôt intéressant, dit-il gentiment, ce qui arracha une grimace à Christianna.

— Je ne peux rien imaginer de pire. Je préfère être ici, et de loin !

— Et lui, qu'en dit-il ? demanda Parker en l'observant du coin de l'œil.

Cette fille brillante commençait à l'intriguer.

— Il n'est pas vraiment ravi ; mais il m'a laissée venir. Au départ, pour six mois, que je vais essayer de prolonger de six mois supplémentaires.

Elle devait être très jeune pour être encore sous l'autorité de son père et dépendre de lui. Il ne pouvait savoir à quel point Christianna était soumise aux décrets paternels, ainsi qu'aux obligations inhérentes à son statut de princesse. Il aurait été abasourdi de l'apprendre.

— Je dois retourner à Harvard en juin, mais je me plais beaucoup ici, moi aussi. C'est l'endroit le plus intéressant où je sois allé. En Afrique, en tout cas. Je suis allé en Amérique centrale, il y a quelques années, pour mes recherches. Je suis spécialiste du sida dans les pays en voie de développement. C'était une opportunité extraordinaire.

— Médecins Sans Frontières est une association formidable. Tout le monde éprouve le plus grand respect pour eux.

— Je suis content de rester quelque temps à Senafe. Ce sera intéressant pour moi et je me réjouis de me poser un peu. Au cours de ce dernier mois, j'ai beaucoup bougé, même si je leur suis très reconnaissant de m'avoir laissé les suivre.

Christianna acquiesça en silence, tandis qu'ils faisaient lentement demi-tour. Cette promenade avec Parker avait été très agréable. Quand il lui demanda si elle s'était plu à Berkeley, Christianna lui répondit que oui, énormément.

160

— J'étais vraiment triste de rentrer à Vaduz, en juin dernier.

— A t'entendre, ni ton frère ni toi n'aimez beaucoup être chez vous, fit-il remarquer avec un sourire malicieux.

— Tu as raison. Le Liechtenstein est un très petit pays et il n'y a pas grand-chose à y faire, alors qu'ici...

Son travail de prévention du sida lui plaisait beaucoup, de même que l'enseignement qu'elle dispensait aux enfants l'après-midi. Ici, elle se sentait utile.

— Il faudra que je m'y rende un jour, dit Parker. Je suis déjà allé à Vienne, à Lausanne et à Zurich, mais jamais au Liechtenstein.

— C'est très joli, assura Christianna sans y croire vraiment.

— Et très ennuyeux, ajouta Parker à sa place.

— Oui, *très* ennuyeux, admit-elle en souriant.

— Alors, pourquoi y retourner ?

Il paraissait surpris. Aux Etats-Unis, si quelqu'un n'aimait pas l'endroit où il vivait, il déménageait, comme lui-même et son frère l'avaient fait. Il aimait San Francisco, mais il trouvait la ville trop calme, lui aussi.

— Je n'ai pas le choix, répondit Christianna avec tristesse.

Il lui était impossible d'en dire davantage. Aussi Parker supposa-t-il que son père l'obligeait à entrer dans l'affaire familiale, avec d'autant plus d'insistance que son frère était irresponsable. Cela lui parut injuste, mais il ne pouvait concevoir ce qu'était vraiment la situation de Christianna. Il était même à mille lieues de l'imaginer.

— C'est comme ça, ajouta-t-elle. J'ai une année de répit, et puis je devrai rentrer pour de bon.

— Tu changeras peut-être d'avis.

Christianna laissa échapper un bref éclat de rire, puis secoua la tête.

— J'ai bien peur que ce ne soit impossible. Quelquefois, on n'a pas d'autre choix que d'accepter ses responsabilités et de faire ce qu'on attend de vous, même si on trouve cela fastidieux.

— Dans la vie, on a toute latitude pour faire ce qu'on veut ou ne pas faire ce qu'on ne veut pas, corrigea Parker. Tu n'as pas à suivre des règles imposées par d'autres. Mon père me l'a enseigné dès mon plus jeune âge.

— J'aimerais bien pouvoir dire que le mien pense la même chose, mais ce n'est pas le cas. C'est même tout le contraire. Pour lui, le devoir passe avant tout. La tradition aussi.

Son père semblait dur, peut-être même trop, songea Parker, qui s'abstint néanmoins de le dire à Cricky. Elle paraissait si heureuse d'être ici !

Ils étaient revenus au camp et Parker lui annonça qu'il allait prendre une douche avant le dîner.

— Tu ferais bien de te dépêcher, sinon les garçons chargés de verser l'eau seront retournés chez eux, l'avertit Christianna avant de lui expliquer le système des douches.

Parker l'avait expérimenté le matin même, mais sans prendre conscience que ce n'était plus possible après une certaine heure, faute de « doucheurs ». Après l'avoir remerciée, à la fois pour l'information et pour l'agréable promenade, il se précipita vers sa tente.

Tout en se dirigeant lentement vers la sienne, Christianna se fit la réflexion que Parker était vraiment très sympathique. Elle avait l'impression qu'il avait à peu près l'âge de Freddy. Elle pensait toujours à lui quand elle entra dans la tente et s'allongea quelques minutes avant d'aller dîner.

Etendue sur son lit, les yeux dans le vague, l'esprit occupé par Parker, elle éprouva une telle paix que, sans même s'en rendre compte, elle s'endormit.

10

L'équipe de MSF passa une semaine avec celle de la Croix-Rouge et les malades bénéficièrent de leurs efforts conjugués, notamment ceux de l'unité sida, grâce à l'aide de Parker.

Chaque soir, les deux groupes se retrouvaient dans la tente de la cantine, ce qui créait une ambiance de fête. Tous passèrent d'excellents moments ensemble, en particulier Laure et le jeune médecin français. Lorsque l'équipe de MSF dut repartir, il était évident qu'il s'était noué quelque chose entre Laure et le jeune Français. Elle était radieuse quand elle en parla à Christianna.

— Alors ? demanda Cricky.

Elles marchaient le long de leur chemin habituel vers le ruisseau. Cependant, elles ne s'asseyaient plus sous les arbres. Ni l'une ni l'autre n'avait oublié le serpent.

— Je l'aime bien, admit Laure avec un sourire timide.

Tout aussitôt, elle parut nerveuse et effrayée.

— Mais qu'est-ce que je sais de lui ? C'est probablement un menteur et un tricheur comme tous les autres hommes.

Christianna fut peinée de l'entendre parler ainsi, et encore plus de voir son regard blessé. En l'abandonnant, son fiancé lui avait laissé un bien méchant cadeau : elle se méfiait de tous les hommes.

— Tous ne sont pas des menteurs et des tricheurs, protesta Christianna.

Bien que se connaissant depuis peu, les deux jeunes femmes étaient devenues très amies. Elles se confiaient beaucoup l'une à l'autre, parlant de leurs espoirs, de leurs rêves et de leurs craintes. Christianna aurait aimé se livrer davantage, mais elle n'osait pas dire à Laure qui elle était. Son secret était trop lourd pour qu'elle puisse le partager, même avec cette amie qu'elle aimait pourtant beaucoup. Elle avait peur que cela ne change tout entre elles, aussi continuait-elle à taire ce qu'elle considérait comme un handicap : le fait qu'elle était princesse.

— Certains sont honnêtes et gentils, continua-t-elle. Regarde la vie qu'il a choisie et ce qu'il fait pour les autres. Cela parle en sa faveur, tu ne crois pas ?

— Je ne sais pas, répondit Laure avec tristesse. J'ai peur de lui faire confiance, ajouta-t-elle, des larmes dans les yeux. Je ne veux plus jamais revivre la même souffrance.

— Mais alors, que vas-tu faire ? demanda Christianna. Entrer au couvent ? Ne plus jamais sortir avec un garçon ? Renoncer à vivre ? Si tu restais seule par peur d'accorder ta confiance à un homme, ta vie serait bien triste, Laure. Tout le monde n'est pas aussi nul que celui qui t'a laissée tomber ni que ta soi-disant meilleure amie qui est partie avec lui. Il est possible que cet homme ne soit pas le bon ou qu'il soit simplement trop tôt pour que tu lui fasses confiance, mais je serais désolée que tu fermes ta porte pour toujours. C'est impensable. Tu es trop merveilleuse, trop belle et tu as trop de qualités pour agir ainsi.

— C'est ce qu'il dit, murmura Laure en séchant ses larmes. Je lui ai raconté ce qui était arrivé. Il a trouvé ça horrible.

— Et c'est vrai. Cet homme était un mufle, pour se conduire de façon aussi nulle !

La véhémence de Christianna fit sourire Laure.

— Il avait parfaitement le droit de changer d'avis et de ne plus vouloir m'épouser, argua-t-elle en essayant de se montrer équitable. Et même de tomber amoureux d'une autre.

— Oui, mais pas dans l'ordre qu'il a choisi, et pas de ta meilleure amie. Ce n'est certainement pas à deux jours de votre mariage qu'il a commencé à éprouver de sérieux doutes, et ce n'est pas à ce moment-là qu'il a commencé à avoir une liaison avec elle. Quelle que soit la manière dont tu regardes les faits, il s'est conduit comme un goujat. Mais cela ne signifie pas que tous les hommes sont comme lui.

Christianna essayait de séparer les deux problèmes, afin que Laure y voie plus clair.

— La même chose est arrivée à Antoine, dit celle-ci en parlant du jeune médecin. Son amie et lui n'étaient pas fiancés, mais ils sont sortis ensemble pendant cinq ans, après s'être connus à la faculté. Elle aussi est partie avec son meilleur ami. Ensuite, elle a épousé le frère d'Antoine, ce qui fait qu'il la rencontrait tout le temps. C'est pour ne plus les voir qu'il a rejoint MSF et est venu en Afrique. Il n'a plus reparlé à son frère depuis leur mariage, ce qui est quand même triste.

— Drôle de fille, apparemment... Mais il est tout de même préférable que vous soyez débarrassés de gens de cette espèce, même si, pour le moment, vous n'en êtes pas convaincus. Je pense vraiment que tu devrais donner une chance à Antoine. Quand pensez-vous vous revoir ?

Christianna ne connaissait pas la date à laquelle l'équipe de Médecins Sans Frontières repasserait à Senafe. Ils venaient à peu près une fois par mois, et Laure repartait dans quelques semaines. Elle manquerait le jeune médecin, si MSF revenait après son départ. Et ce serait dommage qu'ils ne puissent mieux se connaître. Un lien s'était créé entre eux, sinon Laure n'aurait pas été aussi troublée. Elle était visiblement attirée par Antoine, tout en se sentant en même temps vulnérable et méfiante.

— Il veut venir me voir à Genève. Il quitte l'Afrique dans quelques mois et a accepté un poste à Bruxelles, dans un hôpital spécialisé en médecine tropicale. Il m'a dit qu'il m'appellerait à son retour. Je rentre deux mois avant lui.

— Cela te donne le temps de réfléchir. Attends, et tu verras. Entre-temps, vous pourriez correspondre d'une manière ou d'une autre...

Cette suggestion fit rire Laure, et Christianna dut convenir qu'il ne leur serait pas facile de rester en contact en Afrique, étant donné les lieux perdus où ils se trouvaient. Mais trois mois ne constituaient pas une très longue attente, et Laure avait besoin de temps pour guérir.

— Je crois que tu devrais tenter le coup ou, en tout cas, laisser la porte ouverte. Tu n'as pas grand-chose à perdre, à ce stade. Laisse-le te prouver qu'il est un type bien. Reste prudente, mais donne-lui au moins une chance ; il a beaucoup souffert, lui aussi.

— Je ne veux pas avoir de nouveau le cœur brisé...

Même si Laure paraissait toujours inquiète, Christianna ne s'y trompa pas. Son amie était tentée et ce qu'elle venait de lui dire l'avait rassurée.

— « Rien n'est entier qui n'ait été au préalable déchiré », lança-t-elle. Je ne me souviens plus des vers exacts, mais je crois que c'est de Yeats. Dans la vie, on a tous le cœur brisé à un moment ou un autre, et à la fin, cela nous rend plus forts.

— Et le tien ? demanda Laure en souriant.

— Mon cœur est vierge, répondit Christianna. Il y a des gens que j'ai aimés, et même que j'ai beaucoup aimés, mais je ne crois pas avoir été amoureuse. En fait, je sais que je ne l'ai pas été.

Elle avait eu très peu d'opportunités, sauf pendant son séjour à Berkeley. A part cela, son monde était si restreint que les occasions étaient rares, pour ne pas dire inexistantes. Pour satisfaire son père, son mari devrait être prince ou, tout au moins, titré et issu du même monde qu'elle. Si ce n'était pas le cas, cela provoquerait un énorme scandale.

Même si, ces dernières années, de jeunes princes avaient épousé des roturières, son père maintenait qu'elle devait épouser quelqu'un de sang royal. C'était une promesse qu'il avait faite à sa mère avant qu'elle meure, mais aussi une certitude pour lui. Il ne manquait jamais de souligner que peu de mariages heureux résultaient de ces mésalliances. Il ne s'agissait pas seulement de préserver une lignée ; Hans Josef avait la conviction qu'il était essentiel de ne pas se marier avec quelqu'un de trop différent de soi. Il ne l'avait jamais caché à Christianna : son consentement ne lui serait acquis que si elle épousait quelqu'un de son rang. Et elle ne concevait pas de se marier sans la bénédiction de son père. Mais elle ne pouvait évidemment pas en parler à Laure.

— Je ne te le conseille pas, assura cette dernière. Je veux dire... de tomber amoureuse. Je n'ai jamais été aussi malheureuse de ma vie que lorsqu'il a annulé notre mariage et s'est enfui. J'ai cru mourir.

— Tu as survécu, cependant. Et tu dois t'en souvenir. Car si ton ami Antoine, ou un autre, se révèle bien plus intéressant que ton ex, tu pourras dire que tu as eu de la chance.

— Tu as sans doute raison, convint Laure, l'air rasséréné et plus optimiste.

Christianna lui avait donné d'excellents arguments. Bien qu'encore fragile, Laure était prête à les entendre. L'homme qu'elle venait de rencontrer lui plaisait vraiment beaucoup. Il y avait eu entre eux une attirance et une compréhension immédiates, comme entre deux âmes sœurs, même si Laure se méfiait encore. Elle avait trop souffert. Pourtant, Antoine était différent. Mais lui aussi semblait fragile et prudent, et comme elle, il avait de bonnes raisons de l'être. Sous de nombreux aspects, ils étaient parfaitement assortis et ils s'appréciaient mutuellement.

— Peut-être le verrai-je à mon retour, finit-elle par dire avec un sourire timide.

— Super ! répondit Christianna en lui pressant affectueusement le bras.

Comme elles revenaient au camp, elles croisèrent plusieurs femmes indigènes accompagnées de leurs enfants. Elles admiraient la gentillesse dont faisaient preuve les Erythréens, même entre eux. Ils vous souriaient, se montraient toujours prêts à vous aider, et vous accueillaient chaleureusement.

La seule chose qui peinait toujours Christianna, c'était de voir des enfants souffrant de malnutrition. Le plus souvent, ils venaient de zones rurales isolées, mais il y en avait aussi ici, à Senafe, car la population avait enduré des années de sécheresse et de famine. La vue de ces enfants affamés, aux ventres distendus, qu'on amenait au camp pour être soignés la bouleversait. Mais elle savait qu'elle ne pouvait pas grand-chose pour soulager leurs souffrances. La Croix-Rouge, comme les autres organisations, faisait tout ce qui était en son pouvoir pour résoudre les problèmes de pauvreté et de maladie, mais une poignée de gens compatissants n'y suffisait pas. Il aurait fallu des mesures politiques et économiques que personne n'avait la latitude de prendre. Pourtant, malgré ce sentiment d'impuissance, il y avait beaucoup de joie et de gratitude à vivre parmi eux. A son retour en Europe, Christianna demanderait à la fondation familiale le versement d'une importante subvention. En attendant, elle leur offrait son temps et son amour. Etre là lui semblait un cadeau magnifique et elle était pleine de reconnaissance envers ces gens qui l'accueillaient si gentiment, envers la Croix-Rouge, qui lui permettait de vivre cette expérience, et, enfin, envers son père, qui l'avait autorisée à venir.

Elles arrivèrent au camp à temps pour se doucher avant le dîner. Les jeunes filles qui versaient l'eau étaient reparties, mais Christianna et Laure s'arrosèrent à tour de rôle. En les entendant rire à l'extérieur de la tente, Fiona les rejoignit dans la douche de fortune.

— Je peux m'amuser avec vous ? demanda-t-elle joyeusement.

Pour l'heure, elle était en plein dilemme, hésitant entre Max et l'un des médecins de MSF qu'elle trouvait irrésistible. Mais il partait le lendemain, ce qui ne lui laissait guère de temps, alors que Max était encore là un bon moment, puisque Christianna ne prévoyait pas de rentrer avant plusieurs mois, ni même avant la fin de l'année, si tout se passait bien. Max semblait donc une valeur plus sûre qu'un amant d'une nuit, fût-il très séduisant. Quand Fiona leur fit part de ses hésitations, les deux jeunes femmes éclatèrent de rire.

A elle seule, Fiona avait changé la vie de la région de Debub, et particulièrement à Senafe. Avant son arrivée, les femmes devaient voyager trois jours à dos d'âne pour aller accoucher dans un hôpital éloigné, et le bébé naissait souvent sur le bas-côté de la route. Grâce à Fiona, beaucoup moins de nourrissons mouraient dans les jours précédant et suivant immédiatement la naissance. Quand elle pressentait qu'un problème allait requérir la présence d'un médecin au moment de l'accouchement, elle insistait auprès des femmes pour qu'elles se rendent au centre de soins. Les indigènes étaient très impressionnées par sa gentillesse, sa compétence et son énergie. Elle était très aimée et commençait quasiment à devenir une légende vivante.

— Que faisiez-vous de beau, toutes les deux ? demanda-t-elle avec intérêt tout en se séchant après avoir pris sa douche en même temps que Cricky et Laure.

— On discutait, c'est tout, répondit Laure, qui se montrait bien plus amicale, à présent, avec les autres membres du camp. Nous parlions d'Antoine, précisa-t-elle en rougissant. Il est très gentil.

Fiona éclata de rire.

— Il est même plus que ça ! C'est un homme très séduisant et je crois qu'il en pince vraiment pour toi.

— Je le verrai peut-être à mon retour, annonça Laure avec calme tout en jetant un coup d'œil à Christianna.

Celle-ci l'avait convaincue, cet après-midi, de lui laisser une chance. Laure verrait bien ce qui en résulterait. Pour elle, c'était un pas très important.

Ce soir-là, le dîner fut particulièrement animé. L'équipe de Senafe était désolée de voir partir celle de MSF. L'ambiance était tellement plus gaie quand ils étaient là ! Ils parlèrent et rirent tout au long du repas, qui leur sembla exceptionnellement bon, surtout que Geoff offrit quelques bouteilles d'un vin d'Afrique du Sud tout à fait honnête.

Après cela, Laure et Antoine sortirent discuter. Après sa conversation avec Christianna, la jeune femme paraissait beaucoup plus confiante. Et quand Christianna et Fiona sortirent à leur tour, elles aperçurent les deux jeunes gens un peu plus loin, en train de s'embrasser. Espérant ne pas les avoir dérangés, elles se dirigèrent vers le Ritz en silence, contentes pour eux. Elles étaient heureuses de voir qu'après des mois à pleurer sur ses fiançailles rompues, Laure reprenait enfin goût à la vie. Toutes les deux espéraient qu'elle reverrait Antoine une fois rentrée en Europe. Ils semblaient fous l'un de l'autre.

— Je suis ravie qu'il y en ait une ici qui se fasse embrasser, déclara Fiona avec un large sourire, ce qui fit rire Christianna. Ce n'est pas à moi que ça arriverait ! se plaignit-elle avec bonne humeur.

Ils vivaient tous dans une si grande proximité et se connaissaient si bien, qu'ils se comportaient en général comme des frères et sœurs, ce qui ne favorisait pas les histoires d'amour. D'ailleurs ils trouvaient plus commode d'y renoncer totalement. Même Fiona ne poursuivait plus beaucoup Max de ses assiduités et commençait à devenir amie avec lui. Samuel et lui étaient à l'aise avec tout le monde et parfaitement intégrés. Ils travaillaient autant que les autres, transportant et déballant les fournitures, effectuant des réparations, remplissant les bordereaux de commande et allant faire les courses au marché. Leur aide et leur disponibilité étaient très appréciées. Plusieurs fois par jour, ils vérifiaient que tout allait bien pour Christianna. Ils n'étaient jamais très loin d'elle, sans toutefois la harceler ou la déranger dans son travail. Tous trois avaient trouvé un équilibre parfait. Il n'y avait pas eu de gaffes au sujet de son identité, ni de leur part ni de celle de Geoff.

— Alors, et toi et notre nouveau médecin américain ? demanda Fiona au moment où elles se glissaient dans leur lit. Tu lui plais, je crois.

Fiona aimait beaucoup imaginer des liaisons dans le camp, alors qu'en réalité il y en avait très peu, voire pas du tout. A son grand regret, ses collègues avaient d'autres préoccupations et mettaient de côté les histoires d'amour durant leur séjour.

— Il aime tout le monde, répondit Christianna avec un sourire qui se transforma en bâillement.

Elle regrettait, elle aussi, de voir partir l'équipe médicale. Non seulement ils s'étaient montrés très agréables, mais ils avaient accompli un travail formidable.

— C'est la façon d'être des Américains, ajouta-t-elle. J'ai passé des années vraiment merveilleuses quand j'étais là-bas, à l'université.

— Je ne suis jamais allée aux Etats-Unis, dit Fiona. J'aimerais beaucoup m'y rendre un jour, si j'en ai les moyens.

En Irlande, elle touchait un salaire de misère en tant que sage-femme ; ici, elle gagnait encore moins, mais c'était pour une bonne cause. Le travail qu'elle accomplissait avec les femmes de Senafe s'apparentait à une véritable vocation.

— Je serai probablement pauvre toute ma vie...

Sans savoir pourquoi, elle avait l'impression que ce n'était pas le cas de Christianna. Certes, celle-ci ne portait ni bijoux ni vêtements coûteux, mais il était évident qu'elle avait reçu une bonne éducation ; elle possédait d'excellentes manières et était à l'aise avec tous. Tout en elle montrait qu'elle appartenait à un milieu distingué. Dès le début, Fiona avait remarqué son aisance et sa gentillesse. Christianna était dénuée de toute mesquinerie. Elle prêtait la même attention à tous, ne parlait jamais d'argent ni de sa vie, sauf quand elle faisait allusion à son père – toujours avec une profonde admiration. Fiona soupçonnait, sans en avoir la preuve, qu'elle venait d'une grande famille. Quand elle parlait d'elle, Mary utilisait un terme qui la décrivait parfaitement : Christianna possédait la grâce. C'était quelque chose qui lui était aussi naturel que son sourire.

— Peut-être que nous pourrions aller un jour ensemble aux Etats-Unis, si jamais je quittais l'Afrique, ce dont je commence à douter... Quelquefois, je pense que je passerai ma vie ici, et même que j'y mourrai, dit Fiona d'un air rêveur.

Christianna lui sourit.

— Moi aussi, j'aimerais bien rester. J'adore ce pays. Tout a un sens, ici, et j'ai toujours l'impression d'y être à ma place. Pour l'instant, en tout cas.

— C'est un sentiment agréable, acquiesça Fiona en éteignant sa lampe.

Les autres n'étaient pas encore rentrées. Mary profitait de cette ultime soirée pour discuter avec les médecins. Laure était toujours avec Antoine ; peut-être l'embrassait-elle encore ou apprenait-t-elle à mieux le connaître avant qu'il ne parte. Des rires fusaient à l'extérieur. Les deux jeunes femmes dormaient profondément quand leurs compagnes rentrèrent.

Le lendemain matin, tout le monde se rassembla pour dire au revoir à l'équipe de Médecins Sans Frontières. C'était une de ces journées typiques d'Afrique, où la lumière dorée capte merveilleusement la beauté des lieux. Tous regrettaient de voir partir les médecins. Avec eux, le camp avait été tellement animé ! Au moment des adieux, Christianna remarqua qu'Antoine tenait Laure par la main, et que celle-ci le regardait en souriant. Tout semblait s'être bien passé entre eux, le soir précédent.

Quand le jeune Français partit, Laure parut sur le point de fondre en larmes.

— Tu le reverras bientôt, assura Christianna alors qu'elles retournaient au travail après le départ de l'équipe.

Laure se dirigeait vers son bureau, et Christianna vers la case abritant l'unité sida, où elle allait voir les malades tous les matins.

— C'est ce qu'il m'a dit, confia Laure tout bas.

Quand elle entra, Christianna trouva Mary qui faisait ses visites en compagnie de Parker. Il venait juste d'examiner une jeune mère dont le bébé avait le sida. Elle avoua avoir allaité son enfant, et non pas utilisé le lait maternisé donné par le centre. Persuadé qu'il

rendrait son bébé malade, son mari avait jeté le biberon. Une tragédie que Mary voyait tous les jours. Le
sida et la malnutrition étaient les deux fléaux contre
lesquels elle ne cessait de se battre.

Christianna passa discrètement à côté d'eux, pour
aller voir les femmes et les enfants qu'elle connaissait.
Ne voulant pas déranger Mary ou Parker, elle leur parla
à voix basse en mêlant les rudiments de tigrinya et de
tigré qu'elle avait acquis. Ces deux langues étaient celles
qui étaient le plus couramment parlées en Erythrée, avec
l'arabe, mais elle ne l'avait pas encore appris. Fiona
l'aidait à progresser, car elle se débrouillait très bien
dans ces deux dialectes, qu'elle devait utiliser quotidiennement pour se faire comprendre.

Les jeunes femmes avec lesquelles Christianna s'entretenait portaient des noms qui lui plaisaient beaucoup.
L'une s'appelait Mwanaiuma, qui signifie « vendredi »,
une autre, Wekesa, « la moisson », ou encore Nsonowa,
« la septième née », ou Ife, qui voulait dire « amour ».
Elles riaient de ses efforts pour parler le tigré, qu'elle
était encore loin de maîtriser, et marquaient leur approbation d'un hochement de tête lorsqu'elle parvenait à
dire une phrase en tigrinya. Elle n'aurait certainement
pas l'occasion de les reparler une fois repartie, mais ici,
ces langues lui étaient utiles tant dans son travail avec
les femmes et les enfants que dans ses déplacements
autour de Senafe. Et même si elle se trompait, provo-
quant alors les gloussements de toute la salle, les femmes
lui étaient reconnaissantes d'essayer.

Lorsqu'elle eut distribué des fruits à chacune des
malades, puis disposé les fleurs qu'elle avait cueillies
dans deux vases, elle gagna son bureau. Une demi-
douzaine de jeunes femmes l'y attendaient et elle leur
dispensa le cours qu'elle avait préparé sur la prévention
du sida.

Elle venait de terminer lorsque Parker entra, juste au moment où elle remettait à chacune des femmes, avant qu'elles ne repartent, un stylo à bille et quelques crayons.

— C'est pour quoi faire ? Je parle des crayons...

Il la regardait avec admiration. Un peu plus tôt, il avait été touché par sa gentillesse et son attention envers les malades. Et il était très impressionné par son travail sur la prévention du sida.

Christianna sourit avant de répondre. Le jeune médecin portait sa blouse blanche par-dessus un tee-shirt et un short long, plutôt ample. Tout était informel ici.

— C'est assez curieux, mais ils raffolent tous des crayons et des stylos. J'en achète des caisses entières en ville.

En réalité, c'étaient Samuel et Max qui s'en chargeaient et qui les lui remettaient ensuite afin qu'elle les distribue. Elle en donnait très souvent aux malades, et de façon systématique aux femmes qui suivaient ses cours.

— Elles préfèrent un crayon à presque tout, hormis la nourriture.

— Il faudra que je m'en souvienne, dit Parker en la regardant avec intérêt.

Elle semblait en avoir déjà appris beaucoup. Il était particulièrement impressionné par ses efforts pour s'entretenir avec les malades dans leur langue. Lui-même éprouvait la plus grande difficulté à simplement reconnaître leurs dialectes et n'imaginait pas pouvoir se débrouiller aussi bien qu'elle, qui n'était pourtant là que depuis un peu plus d'un mois. Mais Christianna avait insisté auprès de sa traductrice pour apprendre les mots et les phrases essentielles.

— Tu vas déjeuner à la cantine ? lui demanda-t-il avec un sourire amical.

— Je donne un cours à l'école dans quelques minutes, répondit Christianna en se demandant s'il ne se sentait pas esseulé depuis le départ de l'équipe de MSF. Je travaille avec les élèves d'Ushi, ils sont vraiment adorables.

— Tu leur parles aussi dans leur langue ? s'enquit Parker avec intérêt.

— J'ai essayé, mais ça ne marche pas et ils se moquent de moi, lui confia-t-elle en riant.

Les enfants s'esclaffaient dès qu'elle se trompait, ce qui lui arrivait souvent. Mais elle était résolue à apprendre leur langue.

— Et tu leur donnes des crayons, à eux aussi ?

Christianna l'intriguait de plus en plus. Elle avait une aisance pleine de calme et de grâce qui l'attirait plus qu'il ne l'aurait voulu, car il n'envisageait pas un instant d'avoir une relation amoureuse avec elle. Etre simplement amis était beaucoup plus facile et il avait l'intuition que c'était ce qu'elle souhaitait aussi. Elle savait écouter et semblait s'intéresser aux gens.

— Oui, dit-elle en réponse à sa question. Les crayons de couleur ont toujours un franc succès.

— Il faudra que j'en achète quelques-uns, moi aussi, pour offrir aux patients. J'aurais pensé qu'ils aimeraient quelque chose de plus utile, non ?

— Ici, les crayons sont un symbole de statut social. Ils signifient que vous êtes éduqué et que vous avez des choses importantes à écrire. Maggie me l'a expliqué à mon arrivée.

— Et alors, ce déjeuner ?

Six heures s'étaient écoulées depuis le petit déjeuner et Parker mourait de faim.

— Je n'ai pas le temps, répondit Christianna sans détour. Je prendrai quelque chose en vitesse, avant la classe. En général, je me contente de manger des fruits. A la cantine, ils préparent des sandwichs tous les jours, et pas seulement quand l'équipe médicale vient nous voir, lui expliqua-t-elle car il était encore peu familiarisé avec le fonctionnement du camp.

— C'est ce que j'espérais. Je suis tout le temps affamé ici, ça doit être le grand air...

Ou le travail, songea Christianna. Tous travaillaient dur, et lui aussi, certainement. Elle avait été sensible à sa manière de s'adresser aux patients et de répondre à leur accueil chaleureux. Il paraissait doux, compétent, et s'intéressait à chaque cas. Il émanait de lui une confiance tranquille qui rassurait les malades.

Ensemble, ils se dirigèrent vers la cantine. Une fois arrivés, Christianna prit plusieurs fruits dans un énorme panier. Il y avait aussi des yaourts, que la cuisinière achetait à Senafe, mais elle n'y touchait jamais. En Afrique, elle se méfiait des produits laitiers. Beaucoup de gens souffraient de dysenterie. Elle y avait échappé jusqu'à présent et prenait toutes les précautions nécessaires pour que cela continue. Après avoir choisi deux sandwichs, qu'il enveloppa dans une serviette, Parker prit une banane.

— Puisque tu ne veux pas déjeuner avec moi, dit-il avec un sourire, j'emporte mon repas sur mon lieu de travail, moi aussi.

Les autres étaient venus et repartis. A midi, personne ne s'attardait à la cantine. Il accompagna Christianna jusqu'à la classe d'Ushi, avant de retourner retrouver Mary, pour discuter d'un certain nombre de cas avec elle.

— A plus tard, lui dit-il, toujours souriant.

Il s'éloigna, l'air heureux et décontracté. Pour Christianna, il était évident qu'il cherchait à se faire des amis. Mais Ushi n'était pas du même avis. Selon elle, Parker avait quelque chose en tête.

— Vous aviez rendez-vous pour déjeuner ? la taquina-t-elle.

177

— Non, je n'avais pas le temps. J'ai l'impression qu'il se sent un peu seul sans ses amis.

— Moi, je pense qu'il y a une autre raison.

Ushi observait le jeune médecin depuis plusieurs jours et le trouvait très séduisant, mais, comme tous, elle voulait éviter les complications d'une liaison. Cependant, elle venait de prendre conscience que Parker semblait très intéressé par Cricky. Il multipliait les petites attentions envers elle, alors qu'il n'avait pratiquement pas dit un mot à Ushi.

— Ça m'étonnerait et ça ne m'intéresse d'ailleurs pas, assura Christianna. C'est la manière d'être des Américains, ils se montrent toujours très amicaux. Je te parie qu'en dépit des sous-entendus qui courent dans le camp, Parker n'est absolument pas intéressé par une aventure. Tout comme nous, il est là pour travailler.

— Ce qui ne veut pas dire qu'on ne peut pas s'amuser un peu, répliqua Ushi avec un petit sourire.

Elle aimait sortir, mais n'avait trouvé personne qui lui convenait, à Senafe. A part les médecins de MSF, Parker était le premier qu'elle jugeait vraiment séduisant, même s'il était trop jeune pour elle. Il avait le même âge que Max et Samuel, auxquels elle avait renoncé pour les mêmes raisons. Elle avait lu son dossier et savait qu'il avait trente-deux ans, alors qu'elle en avait quarante-deux. Mais ce n'était pas tant cette différence d'âge qui importait que sa conviction que Parker s'intéressait à Christianna. Certes, il n'y avait aucune preuve sérieuse pour le moment, malgré les tentatives – désinvoltes en apparence – qu'il faisait pour devenir son ami. Ushi avait remarqué qu'il ne quittait guère la jeune femme des yeux pendant les repas, même si elle ne semblait pas s'en apercevoir. Cricky ne songeait pas à l'amour, mais uniquement à son travail ; elle conservait toujours une attitude réservée, polie mais distante, avec les hommes, comme si elle s'efforçait de ne pas trop s'exposer. Elle se montrait beaucoup plus décontractée et ouverte avec les femmes.

— Je crois qu'il en pince pour toi, finit par dire Ushi.

— Ne dis pas de bêtises ! répliqua Christianna en secouant vigoureusement la tête.

Peu après, elles se mirent au travail, mais Ushi resta persuadée qu'elle ne se trompait pas.

Quelques jours plus tard, elle en parla à Fiona. Parker trouvait toujours une bonne raison de discuter avec Christianna. Il lui avait demandé de lui prêter des livres et la consultait au sujet de certains malades qu'elle semblait connaître plus particulièrement. Il semblait toujours avoir quelque chose à lui proposer, à lui dire, à lui prêter ou à lui emprunter. Comme elle le lui avait conseillé, il se mit à distribuer des crayons à tous ses patients, qui furent ravis de son initiative.

La nuit, il veillait tard afin de mettre en ordre les notes qu'il prenait pour ses recherches. Quand elle rentrait au milieu de la nuit, après un accouchement, Fiona voyait briller sa lampe à travers la toile de la tente. En l'entendant arriver, Parker sortait souvent pour la saluer et tous deux discutaient quelques minutes, même s'il était 3 heures du matin. Malgré cela, il semblait toujours étonnamment dispos et de bonne humeur le lendemain.

Il invitait souvent Christianna à venir se promener avec lui à la fin de leur journée de travail. Elle ne voyait aucune raison de refuser, car elle aimait sa compagnie. Ensemble, ils découvrirent de nouveaux sentiers et des endroits inexplorés. Ils parlaient souvent de leur amour pour l'Afrique et sa population, et aussi de leur bonheur d'essayer d'améliorer le sort de tous ces gens qui avaient tant besoin de leur aide.

— C'est comme si ma vie avait enfin un sens, lui confia-t-elle un jour, alors qu'ils étaient assis sur un tronc d'arbre.

Christianna lui avait raconté ce qui lui était arrivé avec Laure, mais, cette fois, il n'y avait aucune branche au-dessus de leur tête.

— Je n'ai jamais ressenti cela auparavant, reprit Christianna. J'ai toujours eu l'impression que je perdais mon temps, que je ne faisais rien d'utile pour les autres… Jusqu'à ce que j'aille en Russie… Et puis, que je vienne ici.

— Ne sois pas si dure avec toi-même. Tu viens juste de terminer tes études, Cricky. A ton âge, tu ne peux pas avoir changé le monde ni l'avoir guéri de ses maux ! J'ai presque dix ans de plus que toi et j'en suis loin. Aider les autres demande beaucoup de temps, c'est le travail de toute une vie, et tu es très bien partie, avec ce que tu accomplis ici. Auras-tu la possibilité de continuer, une fois rentrée au Liechtenstein ?

Tous les deux étaient, cependant, bien conscients que les opportunités comme celle qu'ils vivaient étaient rares dans une existence. Christianna laissa échapper un petit rire désabusé, oubliant, l'espace d'un instant, qu'il ignorait tout de sa véritable identité. Parler avec Parker, c'était comme parler avec un frère.

— Tu plaisantes ? Tout ce que je fais, c'est couper des rubans et assister à des dîners avec mon père. Je menais une vie complètement stupide avant de venir ici. Cela me rendait folle, ajouta-t-elle, irritée rien que d'y penser.

— Des rubans ? Quel genre de rubans ? demanda-t-il, surpris.

« Couper des rubans » ne signifiait rien pour lui. Il ne pouvait imaginer qu'il avait en face de lui une princesse dont c'était la principale occupation.

— Ton père est dans le textile ? ajouta-t-il. Je croyais qu'il s'occupait de politique et de relations publiques…

Malgré elle, elle éclata de rire.

— Je suis désolée, ce que j'ai dit n'avait ni queue ni tête. Peu importe. En fait, je me rends là où il m'envoie ; par exemple, à l'inauguration d'un centre commercial. Et quelquefois, quand il est trop occupé, je le remplace lors de certains événements. C'est le côté relations publiques ; en ce qui concerne la politique, c'est plus difficile à expliquer.

Christianna était horrifiée d'avoir failli se trahir.

— Effectivement, ça ne paraît pas très drôle, dit-il, compatissant.

Il avait ressenti la même chose lorsque son père lui avait proposé de s'associer avec lui, à San Francisco. Ses travaux de recherche à Harvard lui plaisaient beaucoup plus, tout comme la vie qu'il menait ici, à Senafe.

— Et ça ne l'est pas, reconnut-elle honnêtement, l'air pensif.

Pendant un moment, elle imagina son père et la vie austère qu'elle menait à Vaduz. Elle s'était entretenue avec lui, la veille. Freddy était rentré de Chine et, apparemment, il commençait à ne plus tenir en place. Il s'était installé au palais Liechtenstein à Vienne et y donnait de nombreuses réceptions, prétendant qu'il deviendrait fou s'il était obligé de rester à Vaduz. Comme Hans Josef, Christianna le soupçonnait de vouloir installer la cour à Vienne, une fois qu'il serait sur le trône. La capitale autrichienne lui plaisait beaucoup et il s'y amusait énormément.

Le front légèrement plissé, Christianna était plongée dans ses réflexions. Après l'avoir observée quelques minutes, Parker lui demanda :

— A quoi penses-tu ?

— A mon frère. Il se conduit parfois de manière impossible et il se débrouille toujours pour mécontenter notre père. Je l'adore, mais il est vraiment irresponsable. Il n'est rentré de Chine que depuis peu, et il est déjà à Vienne, où il partage son temps entre le jeu et les fêtes. Nous nous faisons beaucoup de souci pour lui. En fait, il refuse de grandir, et jusqu'à maintenant, il n'en a pas eu besoin. Mais s'il continue, le jour où il devra accomplir son devoir, ce sera terrible.

Elle fut sur le point d'ajouter « pour notre pays », mais se retint à temps.

— Je suppose que c'est la raison pour laquelle on attend autant de toi, et pourquoi tu te sens obligée de rentrer et d'aider ton père. Et si tu refusais d'endosser les responsabilités qui reviennent à ton frère ? Peut-être qu'alors, il serait obligé de grandir et de te décharger un peu de ce fardeau.

Parker ne s'appuyait que sur son bon sens, car c'était une situation qui lui était totalement étrangère. Son propre frère avait été un étudiant brillant, avant de devenir un médecin très respecté, marié et père de trois enfants. Il lui était difficile de comparer son existence et celle de Freddy, telle que Christianna la décrivait.

— Tu ne connais pas mon frère, répliqua-t-elle en souriant tristement. Je ne suis pas certaine qu'il grandira un jour. Je n'avais que cinq ans quand notre mère est morte, mais lui en avait quinze, et je pense qu'il a été profondément traumatisé. On dirait qu'il fuit tout ce qui pourrait l'affecter. Il refuse de prendre quoi que ce soit au sérieux et rejette toute forme d'obligation.

— Moi aussi, j'avais quinze ans quand ma mère est morte. Ce fut terrible pour nous trois, et tu as peut-être raison en ce qui concerne Freddy. Pendant un moment, mon frère a perdu les pédales, mais il a recouvré son équilibre au lycée. Certaines personnes ont besoin de plus de temps pour mûrir et il se peut que ce soit le cas de ton frère. Mais je ne vois pas pourquoi tu devrais sacrifier ta vie pour lui.

— Je le dois à mon père, répondit-elle simplement.

Parker comprit à quel point son attachement et son sens du devoir étaient forts, mais tout en trouvant cela admirable, il ne put s'empêcher de s'interroger. Comment avait-elle fait pour venir en Afrique ? Quand il lui posa la question, Christianna lui expliqua qu'elle avait tellement harcelé son père qu'il avait fini par céder. Il lui accordait entre six mois et un an au service de la Croix-Rouge, puis elle rentrerait se consacrer à ses obligations à Vaduz.

— Tu es trop jeune pour qu'on t'impose de telles exigences, fit remarquer Parker avec sollicitude.

Comme leurs regards se croisaient, il sentit qu'elle lui taisait certaines choses. La tristesse qu'exprimaient ses yeux le toucha profondément et, sans y penser, il prit sa main dans la sienne. Il aurait voulu lui épargner cette intolérable douleur et la protéger. Alors, comme si c'était la chose la plus naturelle du monde, il se pencha et l'embrassa. Christianna se fondit dans l'étreinte de Parker et ils s'embrassèrent jusqu'à en perdre haleine. Complicité, désir et passion se conjuguèrent en un mélange si enivrant qu'ils en furent étourdis tous les deux. Ensuite, ils se regardèrent comme s'ils se voyaient pour la première fois.

— C'était merveilleux, dit doucement Christianna sans lâcher la main de Parker.

Il la contempla avec émotion. Depuis le jour de leur rencontre, il y avait quelque chose en elle qui le touchait au plus profond de lui-même.

— Pour moi aussi, avoua-t-il. Je t'aime depuis le premier jour. Je trouve extraordinaire ta façon de parler avec les gens et de jouer avec les enfants. Tu es attentive et tu respectes tout le monde.

A ses yeux, elle incarnait la douceur et la grâce.

Christianna fut touchée par ses paroles mais ne put s'empêcher de penser au terme inéluctable de son aventure avec Parker. Elle ne pourrait exister qu'en Afrique, car leurs vies étaient trop différentes et le seraient encore plus lorsqu'ils retourneraient chez eux.

Une liaison prolongée avec Parker était exclue. Elle était à l'âge où elle n'échapperait pas à l'attention du public et de la presse. Et un jeune médecin américain, même très intelligent et très sérieux, ne répondrait jamais aux critères fixés par son père pour le choix de son futur époux. Lorsque le moment serait venu, Christianna devrait s'unir à un homme de sang noble. Son père ne tolérerait pas qu'elle épouse un roturier. Aussi, si elle vivait une histoire d'amour avec Parker, celle-ci ne durerait que le temps de leur mission à Senafe. Car il était hors de question qu'elle s'oppose à son père, elle tenait à son approbation et ne voulait pas le mécontenter. Christianna était persuadée que, s'il ne s'était jamais remarié, c'était à cause d'elle et de Freddy. Et cela avait dû lui coûter, peut-être même beaucoup.

Elle savait qu'une fois rentrée au Liechtenstein, sa relation avec Parker deviendrait un fruit défendu à cause des exigences de son père, bien sûr, mais pas seulement. Pour elle, il s'agissait aussi d'obéir à des siècles de tradition, de faire honneur à son pays et de respecter la promesse de son père à sa mère mourante.

Elle regarda Parker, ne sachant s'il fallait qu'elle lui dise cela. Mais elle sentait qu'elle lui devait des éclaircissements sur sa situation. D'une façon ou d'une autre, et même si elle ne pouvait pas régner, elle était liée au trône du Liechtenstein par les espoirs que son père et son peuple fondaient sur elle. Il lui revenait de donner l'exemple. Elle était princesse jusqu'au plus profond d'elle-même.

— Tu as l'air toute triste. J'ai dit quelque chose qui t'ennuie ? demanda Parker, inquiet.

Il ne voulait surtout pas la forcer. Elle l'attirait, mais, si ce n'était pas réciproque, il comprendrait. Il aimait trop Christianna pour vouloir la rendre malheureuse ou l'embarrasser.

— Non, bien sûr que non, répondit-elle en souriant sans chercher à lui retirer sa main. Tu me rends très heureuse, avoua-t-elle avec simplicité.

Elle disait la vérité. Hélas, le reste était loin d'être aussi simple, et elle ne vit qu'un moyen de lui en faire part :

— Ce n'est pas facile à expliquer... Mais je veux te dire que, s'il se passe quelque chose entre nous, il faudra que cela se termine ici. Je veux être honnête avec toi, c'est la raison pour laquelle je te le dis maintenant. Celle que je suis ici devra disparaître lorsque je partirai. Il n'y a pas de place pour elle, ni pour nous, au Liechtenstein.

Parker parut surpris. Il lui paraissait prématuré de parler de l'avenir après un unique baiser ; mais il sentait que, pour Christianna, ces paroles avaient un sens beaucoup plus profond qu'il n'y paraissait.

— A t'entendre, on croirait que tu retournes en prison ou au couvent, dit-il, perplexe.

Elle acquiesça d'un petit signe de tête tout en se rapprochant de lui, comme pour trouver refuge dans ses bras. Il l'enlaça, puis scruta son visage, dans l'espoir d'y trouver un indice. Ses yeux étaient comme deux lacs profonds, du même bleu que les siens.

— Oui, je retourne en prison, confirma-t-elle, la mine sombre. Et quand le moment sera venu, il faudra que j'y retourne seule. Personne ne peut m'accompagner.

— C'est ridicule ! protesta Parker. On n'a pas le droit de t'emprisonner, Cricky, sauf si tu es consentante. Ne te laisse pas faire.

— Il est trop tard.

Il était trop tard depuis le jour de sa naissance et surtout depuis que sa mère avait exigé que Christianna se marie selon son rang.

— Ne nous inquiétons pas de cela pour le moment, veux-tu ? finit-il par dire. Il sera temps d'en parler plus tard.

Intérieurement, Parker se promit de tout faire pour ne pas la perdre. Christianna était trop adorable, trop exceptionnelle pour qu'il se contente d'une simple aventure. Il ne lui demandait pas sa main, bien sûr. Mais il savait qu'il ne la laisserait pas s'enfuir loin de lui, malgré ce qu'elle disait de ses obligations vis-à-vis de son père et de l'affaire familiale. Aux yeux de Parker, cette histoire n'avait aucun sens.

Pour mettre fin à toute discussion, il l'attira de nouveau dans ses bras et l'embrassa. Christianna eut l'impression de glisser dans un rêve. Elle avait averti Parker, elle avait tenté de se montrer honnête avec lui et même essayé de le dissuader ; maintenant elle s'abandonnait à son baiser, sans éprouver le moindre désir de lui résister.

11

La liaison de Christianna et Parker passa tout d'abord inaperçue. Puis, au fur et à mesure qu'ils devenaient plus proches, plus intimes, plus passionnés et... plus secrets, ils finirent par éveiller quelques soupçons. Entre eux, il ne s'agissait pas seulement d'une aventure sexuelle. Ils étaient en train de tomber amoureux. Le mois de mai venu, ils étaient même fous amoureux. Ils passaient ensemble leurs heures de loisir et se retrouvaient – même rapidement – plusieurs fois par jour. Etant donné la promiscuité dans laquelle ils vivaient tous, il était inévitable que l'on remarque très vite ce qui était en train de se passer.

Comme d'habitude, ce fut Fiona qui s'en aperçut la première. Elle connaissait bien Christianna, ou du moins elle le croyait, et elle la trouvait plus pensive depuis quelque temps, et moins communicative. Au début, elle avait craint qu'elle ne soit malade, car cela commençait parfois de cette manière. Elle l'observa donc avec plus d'attention et finit par la surprendre avec Parker au retour d'une de leurs promenades, le visage radieux, un sourire coupable sur les lèvres.

Le soir même, elle ne put résister à l'envie de taquiner Christianna.

— Et moi qui croyais que tu avais attrapé la malaria ou le kala-azar ! Toute cette inquiétude pour une simple histoire d'amour ! Eh bien, ma petite Cricky, tu as beaucoup de chance. Bravo !

Christianna commença par rougir, prête à nier. Mais, voyant l'étincelle heureuse dans l'œil de Fiona, elle sourit.

— D'accord, d'accord... Mais ne va rien imaginer. Pour l'instant, c'est une histoire agréable, rien de plus.

— Une histoire agréable ? A d'autres, ma chère ! Il suffit de vous regarder. J'ai vu des couples partir en lune de miel avec l'air moins amoureux que vous. Si un lion vous avait suivis cet après-midi, je ne suis pas sûre que vous l'auriez remarqué... Pas plus qu'un serpent, d'ailleurs ! ajouta-t-elle, narquoise.

Elle ne se trompait pas de beaucoup. Christianna n'avait jamais été aussi heureuse de sa vie, mais elle s'obligeait à se répéter chaque jour que cela aurait une fin. Parker retournait à Harvard fin juin. Ils avaient donc deux mois de félicité absolue, dans ce décor magique, et puis tout serait fini. Mais Christianna n'y pensait pas, quand elle était avec lui.

— Il est si merveilleux... admit-elle d'une petite voix.

Fiona était ravie. C'était agréable de voir des gens heureux, et elle était enchantée pour son amie.

— A en juger par les apparences, et j'aurais tendance à faire confiance à mon intuition, il est fou de toi. Quand tout a-t-il commencé ?

— Il y a quelques semaines. Je ne sais pas vraiment... C'est arrivé, c'est tout, bafouilla Christianna.

Elle n'était même pas certaine de pouvoir se l'expliquer. Pour la première fois, elle était vraiment amoureuse.

Et il en allait de même pour Parker. Il avait eu une histoire sérieuse durant ses études de médecine, et ils avaient vécu un certain temps ensemble. Mais au bout de quelques mois, ils s'étaient rendu compte qu'ils avaient commis une erreur et s'étaient séparés bons amis. Parker affirmait, et Christianna le croyait, qu'il n'y avait eu personne d'important dans sa vie, depuis. Avec le travail de recherche qu'il avait entrepris à Harvard, il n'avait pas eu le temps. Et c'est à Senafe qu'il découvrait l'amour pour la première fois, tout comme Christianna.

— Oh, mon Dieu ! s'écria Fiona, comme frappée par la foudre. C'est sérieux ?

A en juger par l'éclat des yeux de Christianna et par l'expression de Parker quand elle les avait vus ensemble, cet après-midi, il était fort possible que cela le soit.

— Non, répondit Christianna avec une fermeté mêlée de tristesse, ça ne l'est pas. Ça ne peut pas l'être. Je l'ai dit à Parker dès le début, avant même que cela commence : je dois retourner chez moi, où des responsabilités m'attendent. Je n'ai pas le droit d'aller vivre à Boston et il est impossible qu'il vienne au Liechtenstein. Mon père s'y opposerait.

— Alors qu'il est médecin ? fit remarquer Fiona, l'air abasourdie.

Ses parents à elle auraient été absolument enchantés.

— Je trouve que ton père a des exigences déraisonnables, ajouta-t-elle.

— C'est possible, répondit calmement Christianna en veillant à rester aussi vague qu'avec Parker. Mais il est comme ça. Et il a de bonnes raisons de l'être... C'est assez compliqué, conclut-elle tristement.

— Tu ne peux pas laisser ton père décider de ta vie, protesta Fiona, bouleversée par les paroles de Christianna et par son apparente soumission. Nous ne vivons plus au Moyen Age, que diable ! Parker est un homme formidable et il a un boulot fantastique. Il se bat pour débarrasser l'humanité du sida et il est soutenu par l'une des universités les plus prestigieuses du monde ! Que peut-on trouver de mieux ?

L'expression de Christianna s'éclaira brusquement et elle répondit en souriant :

— On ne peut pas trouver mieux : Parker est le plus sincère, le plus honnête, le plus merveilleux des hommes, et je l'aime... Et il m'aime !

— Alors, cesse de dire des bêtises. Pourquoi voudrais-tu que ça s'arrête ici ?

— C'est une autre histoire, dit Christianna avec un soupir, tout en s'asseyant sur son lit pour enlever ses bottes.

De temps en temps, porter de jolies chaussures lui manquait vraiment. Pour Parker, elle aurait aimé mettre des escarpins, mais c'était parfaitement exclu.

— C'est trop compliqué à expliquer, répéta-t-elle.

Puis elle ne put s'empêcher de s'extasier de nouveau sur les qualités de Parker, sous l'œil amusé de son amie.

— Si tu veux mon avis, finit par dire Fiona, tu ferais mieux de t'enfuir, une fois de retour en Europe. Il paraît que Boston est une ville très agréable. J'ai de la famille là-bas.

Cela ne surprit pas Christianna, car une grande partie des Bostoniens était d'origine irlandaise.

— A ta place, continua Fiona, je partirais avec lui.

— Il ne m'a pas invitée, rétorqua Christianna.

Cependant, Parker et elle parlaient de leurs projets respectifs, une fois qu'ils seraient rentrés. Parker ne cachait pas sa désapprobation concernant ceux de Christianna ; pour lui, il s'agissait purement et simplement d'un emprisonnement.

— Il le fera, assura Fiona. Lorsque je vous ai vus ensemble, tout à l'heure, il paraissait vraiment épris. Maintenant que j'y pense, cela fait déjà un moment qu'il a l'air bizarre. Je croyais qu'il était simplement un peu dépassé par le lieu et le travail. En fait, c'était par toi.

Cette conclusion les fit rire toutes les deux. Puis Fiona recouvra son sérieux et plongea son regard dans celui de Christianna.

— Alors, que vas-tu faire ?

— Il est trop tôt pour que je m'en inquiète.

Mais il était clair que Christianna érigeait une espèce de muraille, non pas entre elle et le jeune médecin, mais entre eux et l'avenir qui pourrait être le leur. Fiona n'avait pas la moindre idée de la raison qui poussait son amie à agir ainsi. Pourquoi était-elle convaincue que son histoire d'amour ne durerait pas au-delà de Senafe ? Fiona en était attristée, car elle les aimait beaucoup tous les deux.

L'amour entre Parker et Christianna connut son plein épanouissement en mai, au moment où le printemps africain cède le pas à l'été. Ils passaient des heures ensemble le soir, après le dîner, marchant, parlant, se racontant leur enfance et leur passé. Pour des raisons évidentes, Christianna devait toujours veiller à faire attention à ses paroles, mais elle parvenait néanmoins à partager ses pensées et ses sentiments avec Parker. Ils se retrouvaient également pour le petit déjeuner et grignotaient un morceau ensemble à midi.

Ils avaient beau être très amoureux l'un de l'autre, ils n'en négligeaient pas leur travail pour autant. Ils travaillaient même plus, car ils étaient heureux comme ils ne l'avaient jamais été et mettaient leurs forces en commun. Les côtoyer était un vrai bonheur, car ils apportaient chacun quelque chose de spécial au camp. Pour Christianna, c'était la bonté, le charme, la compassion et la douceur ; pour Parker, c'était l'intelligence et la compétence. Brillants et drôles tous les deux, ils donnaient du piment et de la légèreté à toutes les conversations auxquelles ils se mêlaient. Comme le disait Fiona, ils formaient un couple parfait.

Mais une ombre de tristesse voilait le regard de Cricky quand son amie le lui affirmait. Quelque chose l'empêchait de penser à l'avenir ou d'en parler, mais elle vivait à fond le présent, et Parker en était le centre. Celui-ci avait appris à ne pas aborder le sujet et n'évoquait même pas la question de leurs retrouvailles une fois qu'ils auraient quitté l'Afrique. Ils se contentaient de vivre pleinement chaque jour, toujours plus amoureux, et heureux de travailler avec des gens qu'ils appréciaient tant.

Leur amour resta platonique le premier mois, jusqu'à ce qu'ils décident de partir en week-end. Les membres de l'équipe quittaient rarement le camp durant leurs jours de congé, même s'il y avait des endroits magnifiques à visiter aux environs. En fait, ils utilisaient leurs moments de loisirs pour venir en aide, d'une manière ou d'une autre, à la population locale.

Geoff déclara qu'il ne voyait aucun inconvénient à ce qu'ils s'absentent quelques jours, puisque ni l'un ni l'autre n'était indispensable. Christianna n'était qu'une bénévole, même si elle était courageuse et dévouée ; quant à Parker, il consacrait la plus grande partie de son temps à ses travaux de recherche, et Geoff et Mary pouvaient se passer de son aide. Il aurait été beaucoup plus difficile de se séparer de Fiona, la seule sage-femme, de Maggie, l'unique infirmière, ou de Mary et Geoff, les médecins du camp.

Après avoir interrogé les uns et les autres et pris divers renseignements, Christianna et Parker décidèrent de partir pour Metera et Qohaito, qui se trouvaient à une trentaine de kilomètres du camp. Metera était connue pour ses ruines, vieilles de deux mille ans, et à Qohaito, qui comptait aussi de très belles ruines remontant au royaume Aksumite, ils voulaient voir le barrage Saphira. On trouvait en Erythrée les vestiges de plusieurs civilisations anciennes. Beaucoup de ces vestiges étaient déjà partiellement dégagés, et les autres apparaissaient peu à peu au rythme des fouilles archéologiques. Cette escapade allait être une merveilleuse aventure pour tous les deux et on leur avait indiqué deux petits hôtels à proximité qui devraient leur convenir. Christianna et Parker comptaient se rendre ensuite à Keren, au nord de la capitale, puis à Massawa, où ils pourraient faire du ski nautique sur la mer Rouge.

Auparavant, Christianna dut faire accepter à Samuel et Max qu'elle partait sans eux. Certes, elle s'y attendait, mais, après deux heures d'une discussion acharnée, aucun de ses deux gardes du corps n'avait cédé.

— Pourquoi ne pas lui dire simplement que nous aimerions participer à ce voyage ? demanda Samuel, l'air déterminé.

Christianna savait qu'ils avaient des comptes à rendre à son père et elle avait conscience que ce n'était pas bien de sa part de leur demander de garder le secret. Max et Sam n'avaient pas parlé de Parker au prince pour le moment. Christianna leur en était reconnaissante, mais tous trois savaient pertinemment que s'il lui arrivait quelque chose, même par accident, Max et Sam en porteraient la responsabilité, et seraient peut-être même emprisonnés. Toutefois, elle n'avait pas l'intention de renoncer.

— Non ! dit-elle avec véhémence. Je ne veux personne avec nous, et lui non plus. Ça gâcherait tout.

Christianna était sur le point de fondre en larmes, mais rien ne semblait pouvoir ébranler la détermination des deux hommes.

— Ecoutez, Votre Altesse... finit par dire Max, décidé à se montrer direct avec elle puisque rien n'avait marché jusque-là. Peu nous importent les raisons de ce voyage, ni avec qui vous partez. C'est votre problème et celui de Parker, pas le nôtre. Nous ne comptons pas donner de détails à votre père, mais parler simplement d'un week-end touristique. Il n'a pas besoin d'en savoir plus. Mais si nous ne vous accompagnons pas, et que quelque chose vous arrive...

Il n'eut pas besoin de terminer sa phrase pour que Christianna comprenne. Les propos de Max étaient tout à fait raisonnables, mais il avait en face de lui une jeune femme qui n'avait aucune envie de l'être et qui se moquait de mettre sa vie en danger quitte à leur faire perdre leur place.

— Pourquoi dire à mon père que je pars en week-end, ou même simplement que je quitte le camp ? Et puis, tu ne dois pas m'appeler « Votre Altesse », lui rappela-t-elle.

Il eut à peine le temps d'acquiescer qu'elle enchaîna :

— Il n'y a pas eu de problèmes politiques en Erythrée depuis des années. La trêve avec les Ethiopiens est peut-être fragile, mais aucun acte répréhensible ou dangereux n'a été commis depuis que nous sommes ici, ni même avant. Je vous assure que rien ne peut m'arriver. J'essaierai de vous appeler et si j'ai la moindre inquiétude, vous viendrez nous rejoindre. Mais je vous en prie... je vous en supplie, laissez-moi avoir ces quelques jours. Max... Sam... C'est vraiment ma seule et unique chance. Une fois rentrée au palais, je ne pourrai plus jamais vivre quelque chose comme ça. Je vous en supplie...

Les deux hommes étaient à la torture de voir Christianna les implorer, les joues baignées de larmes. Ils l'aimaient énormément et la respectaient, mais elle leur demandait de faillir à leur mission et de nier la raison même de leur présence à Senafe.

Désespérée, Christianna s'éloigna sans ajouter un mot. Elle était en larmes en regagnant la tente. C'est alors qu'elle croisa Fiona.

— Que se passe-t-il ? demanda son amie en passant son bras autour de ses épaules d'un geste affectueux.

Tu t'es disputée avec Parker ? Vous avez annulé le week-end ?

Ne pouvant pas répondre à ces questions, Christianna se contenta de secouer la tête. Elle ne pouvait pas non plus faire part de sa détresse à Parker, mais il s'inquiéta de son manque d'entrain.

— Ça va ? lui demanda-t-il gentiment à la fin du dîner.

De nouveau, Christianna dut lutter contre les larmes. Elle ne pouvait pas lui raconter ce qui s'était passé, ni lui avouer que, selon toute vraisemblance, Max et Sam les accompagneraient et, ainsi, leur gâcheraient le voyage. Elle attendait d'en être vraiment certaine, mais elle doutait que ses gardes du corps se laissent fléchir. Le risque était trop important pour eux comme pour elle.

— Tout va bien... Je suis désolée... J'avais simplement la migraine pendant le repas.

C'était une piètre excuse et Parker, qui commençait à bien la connaître, n'en fut pas dupe. Un instant, il se demanda si elle ne couvait pas une maladie, mais il n'avait constaté aucun symptôme. Elle était si enjouée d'habitude qu'il s'inquiéta de la voir dans cet état.

— Tu te fais du souci à cause de notre voyage ? demanda-t-il doucement.

Peut-être que, finalement, l'idée de partir avec lui ne lui paraissait plus aussi attrayante. Ou peut-être était-elle encore vierge et avait-elle peur de faire l'amour avec lui. A cette pensée, il l'embrassa et la serra dans ses bras.

— Quel que soit le problème, je suis sûr que nous pouvons trouver une solution ensemble. Tu veux qu'on essaie ?

Il la regardait avec un tel amour et une telle tendresse qu'il lui déchira un peu plus le cœur. Elle ne désirait rien d'autre que partir seule avec lui.

Au moment où elle allait lui répondre qu'il n'y avait pas de problème, elle aperçut Max, derrière Parker, qui essayait d'attirer son attention. Comme ses gestes trahissaient une certaine urgence, elle lui fit comprendre d'un signe discret de la tête qu'elle le rejoindrait dans un instant. Elle se libéra alors doucement de l'étreinte de Parker et lui dit qu'elle revenait dans une minute, qu'elle avait oublié de dire quelque chose à Max et que cela ne pouvait pas attendre. Un médicament qu'elle s'était procuré pour lui en ville...

Sans poser de questions, Parker alla s'asseoir pour l'attendre. Avant de disparaître avec Max et Sam, Christianna vit qu'Ushi et Ernst se dirigeaient vers lui et qu'ils entamaient une conversation tous les trois.

— Qu'y a-t-il ? demanda-t-elle, inquiète, aux deux hommes qui paraissaient nerveux.

Ce fut Max qui parla.

— Nous méritons probablement la corde pour ça... mais nous allons te laisser partir.

Ils avaient pris cette décision d'une part parce que la zone où se rendait Christianna était calme et relativement proche et, d'autre part, parce qu'ils savaient qu'il s'agissait d'une chance unique pour elle. Une fois de retour au Liechtenstein, elle ne serait plus jamais seule. Enfin, ils considéraient Parker comme un homme responsable, capable de la protéger et de prendre soin d'elle.

— Mais il y a une condition, ou plutôt deux... continua Max, qui sourit, imité par Samuel. La première, c'est que tu dois absolument emporter une radio et un pistolet.

La radio n'était pas toujours fiable dans la région, et il se pouvait que Christianna ne puisse pas les joindre. Le pistolet, en revanche, était à toute épreuve, et la jeune femme était parfaitement capable de s'en servir en cas de besoin, étant une excellente tireuse.

— Quant à la seconde, c'est que s'il t'arrive quoi que ce soit au cours de ce voyage, nous nous tirerons tous les deux une balle dans la tête plutôt que de retourner à Vaduz affronter ton père. Tu as donc la responsabilité de nos deux vies en plus de la tienne.

Consciente de la valeur de leur geste, Christianna se jeta au cou de Max puis à celui de Sam. Des larmes baignaient de nouveau ses joues, mais il s'agissait cette fois de larmes de joie.

— Merci, merci... oh merci !

Au comble du bonheur, elle courut hors de la tente et se précipita vers Parker. Celui-ci remarqua immédiatement son changement d'humeur.

— Que se passe-t-il ? Tu as l'air radieuse, Cricky...

Il était heureux de constater que toute trace d'anxiété avait disparu de son visage, même s'il ignorait pourquoi.

— Max t'a dit quelque chose de particulier ?

— Non. Je lui ai trouvé ce médicament dont je t'ai parlé, et il m'a remboursé la somme que je lui avais gagnée au poker. Je suis une femme riche, maintenant !

— Je ne suis pas sûr que le taux de change du nakfa soit suffisamment avantageux ces jours-ci pour justifier ton enthousiasme. Mais le principal est que tu sois contente !

Peu lui importait la cause, du moment que Cricky avait recouvré sa belle humeur. Elle fut sur un nuage jusqu'à leur départ, deux jours plus tard. Elle avait l'impression de partir en lune de miel et il en allait de même pour Parker.

Ayant emprunté l'une des vieilles guimbardes du camp, ils roulèrent lentement à travers la campagne, se sentant comme deux enfants qui partent à l'aventure. Jamais Christianna n'avait fait de voyage plus romantique. Ils avaient prévu de passer trois jours ensemble avant de retourner à Senafe. Chaque minute avec Parker lui apprenait à mieux le connaître et à l'aimer davantage. Ils firent l'amour dès la première nuit, dans un petit hôtel, s'abandonnant totalement l'un à l'autre et s'offrant toute la tendresse qu'ils avaient accumulée depuis le début de leur histoire.

Ce fut presque comme un voyage de noces. Ils visitèrent des sites splendides dont ils gravèrent le souvenir dans leur mémoire. Tout était parfait. Ce fut le second soir que Parker découvrit le pistolet. Christianna, qui sortait du bain, lui avait demandé de lui passer sa chemise de nuit, oubliant l'étui caché dans sa valise.

— Tu voyages toujours avec un pistolet ? lui demanda-t-il, surpris de voir l'arme dans la valise.

Il ignorait s'il était chargé ou non, et ne s'y connaissait pas en armes. Il n'avait pas imaginé que Christianna pouvait s'y intéresser.

— Non, répondit-elle en riant, lui prenant la chemise de nuit des mains.

Elle ne savait pas pourquoi elle se préoccupait d'en mettre une, alors que dans cinq minutes, le mince vêtement traînerait par terre à côté du lit, où il resterait jusqu'au lendemain matin.

— Non, bien sûr, répéta-t-elle. Max me l'a donné en cas de problème.

— Je ne suis pas sûr que je me sentirais très à l'aise si je devais tirer sur quelqu'un, fit-il remarquer, un peu nerveux. Et toi ?

Elle ne lui confia pas qu'elle excellait au tir, même si elle n'aimait pas particulièrement les armes, elle non plus. Mais son père l'avait obligée à apprendre à s'en servir.

— Pas vraiment. Mais Max pensait bien faire. Je l'ai mis dans la valise et je l'ai oublié, dit-elle avec légèreté en passant ses bras autour du cou de Parker pour l'embrasser.

— Il est chargé ?

L'incident continuait de le troubler, et l'explication de Christianna lui semblait un peu trop désinvolte pour être suffisante.

— Probablement.

Christianna savait pertinemment qu'il l'était, mais elle ne voulait pas l'effrayer. L'attirant plus près de lui, Parker plongea son regard dans le sien. Il sentait qu'il y avait quelque chose de plus grave que ce qu'elle voulait bien lui dire.

— Cricky, tu ne me dis pas tout, n'est-ce pas ?

Elle soutint son regard. Puis, après une longue hésitation, elle acquiesça de la tête.

— Tu ne veux pas me dire de quoi il s'agit ?

Il ne desserra pas un instant son étreinte, pas plus qu'il ne lâcha son regard.

— Pas maintenant, dit-elle dans un souffle en s'accrochant à lui.

Elle ne voulait pas tout gâcher. Un jour, il lui faudrait avouer à Parker qu'elle était princesse, qu'elle servait son pays et son père – le prince régnant – et qu'il n'y avait pas de place pour lui dans sa vie. Mais pour l'instant, elle n'avait pas le courage de le lui dire.

— Pas tout de suite...

— Quand me le diras-tu ?

— Lorsque le premier de nous deux quittera Senafe. Vraisemblablement, ce serait lui.

Parker se contenta de hocher la tête. Il avait décidé de ne pas la brusquer. Il savait que ce qu'elle lui taisait était grave et pénible. Il le voyait à la tristesse qui voilait parfois son regard, au chagrin et à la résignation qui assombrissaient son visage par instants. Toutefois il ne voulait pas lui arracher son secret, mais préférait attendre qu'elle le lui confie quand elle serait prête. Christianna lui était éperdument reconnaissante de se montrer aussi compréhensif et elle ne l'en aimait que plus. Parker était vraiment extraordinaire.

Le voyage fut un pur enchantement et c'est à regret qu'ils prirent le chemin du retour, rapportant des centaines de photos. Ils roulèrent tranquillement jusqu'au camp, où ils arrivèrent en fin d'après-midi, avec l'impression d'être partis depuis des mois. C'était vraiment comme un retour de lune de miel. Quand ils descendirent de la voiture, il l'embrassa, puis porta son sac jusqu'à la tente des femmes. Christianna était malade à l'idée qu'elle ne pourrait pas dormir avec lui cette nuit et qu'elle ne se réveillerait pas à son côté le lendemain matin.

Fiona fut la première à les voir et elle les accueillit avec un grand sourire. Elle venait de rentrer après un accouchement difficile, qui avait duré toute la journée mais connu un dénouement heureux. Elle paraissait fatiguée, mais ravie de les voir.

— Alors, ce voyage ?

Elle les enviait, mais les aimait trop tous les deux pour être jalouse. C'était si agréable de les voir heureux...

— C'était parfait, répondit Christianna en quêtant l'approbation de Parker.

— Absolument parfait, confirma-t-il avec un large sourire.

— Sacrés veinards ! lança Fiona avec bonne humeur avant qu'ils ne lui racontent tout en détail.

Ils refirent de même ce soir-là, au dîner. Max et Sam paraissaient soulagés. Christianna les avait vivement remerciés dès son retour et avait rendu le pistolet à Max. Les deux hommes l'avaient serrée dans leurs bras, tant ils étaient heureux de la voir revenir saine et sauve. Ils avaient passé le week-end torturés d'inquiétude.

— Ne recommence pas tous les week-ends, avait dit Max avec un pâle sourire, tout en glissant le pistolet dans sa poche.

— Promis, avait répondu Christianna, bien qu'elle eût convenu avec Parker d'aller passer un prochain week-end à Massawa, pour profiter de la mer.

Tout le monde étant de bonne humeur, le repas fut très joyeux. Parker et Christianna paraissaient très amoureux, mais lorsque le moment vint d'aller se coucher, elle dut s'arracher à ses bras pour retourner dans sa propre tente, et elle dormit mal, loin de lui. Le lendemain matin, ils se retrouvèrent de bonne heure dans la cantine déserte et tombèrent dans les bras l'un de l'autre comme des amants éperdus. Parker déclara alors à Christianna qu'il ne pouvait plus envisager de vivre sans elle. Elle éprouvait la même chose et craignait, si elle s'attachait trop à lui, d'avoir le cœur brisé. Mais il était déjà trop tard pour faire marche arrière.

A la fin du mois de mai, Parker se rendit à la poste avec Max et Sam. C'était un jour où ceux-ci devaient téléphoner au père de Christianna. Parker appela son directeur de recherches, à Harvard, pour lui demander l'autorisation de prolonger son séjour jusqu'à la mi-juillet, arguant que son travail était considérable et que rentrer en juin comme prévu serait prématuré. Son directeur ne fit aucune difficulté pour accepter sa demande, l'autorisant même à rester jusqu'en août, si Parker le jugeait nécessaire.

En raccrochant, il poussa un hurlement de joie. Il restait à Senafe avec Christianna ! Sam l'entraîna à l'extérieur pour fêter cette bonne nouvelle devant un verre, mais surtout pour que Max puisse passer son coup de fil. Mieux valait éviter que Parker ne l'entende appeler le palais et demander à parler à Son Altesse Sérénissime.

Max fit au prince Hans Josef son rapport habituel, lui indiquant que tout allait bien. Christianna ne venait téléphoner à son père qu'une fois par semaine, et celui-ci lui répétait invariablement qu'elle lui manquait et qu'il avait hâte de la voir revenir. Elle se sentait coupable, mais jamais suffisamment pour vouloir repartir. D'ailleurs, elle ne l'envisageait pas une seule seconde, tant elle était heureuse avec Parker. Elle faisait au contraire tout ce qui était en son pouvoir pour préserver son bonheur aussi longtemps que possible. Elle savait qu'il faudrait y mettre fin un jour et qu'elle serait alors obligée de lui dire la vérité, mais elle priait simplement pour que ce jour soit le plus éloigné possible.

En rentrant, Parker se précipita pour lui annoncer la bonne nouvelle. Aussi excitée que lui, elle se jeta dans ses bras, et il la souleva de terre pour la faire tournoyer.

A la fin de la journée, au cours de leur promenade quotidienne, ils parlèrent de leur projet de se rendre à Massawa, espérant tous les deux pouvoir y aller rapidement. Quand ils revinrent, ils durent se séparer et retourner chacun dans leur propre tente, situation qu'ils supportaient de plus en plus difficilement. A tel point qu'ils envisageaient d'en prendre une ensemble. En attendant, Christianna était ravie que Parker ait obtenu une prolongation de séjour.

Elle s'apprêtait à en faire part à Fiona, allongée sur son lit en train de lire un magazine, lorsqu'elle remarqua sa pâleur. Au moment où elle se demandait si elle était malade, Fiona releva les yeux et la fixa longuement, sans dire un mot. Sa peau très claire devenait presque translucide lorsqu'elle ne se sentait pas bien, qu'elle était bouleversée ou furieuse. Elle avait un tempérament volcanique et s'emportait facilement, ce qui lui valait les moqueries du camp. Une fois, folle de rage, elle avait même trépigné, avant de rire de son propre emportement. A cet instant précis, elle était aussi livide que ce jour-là.

— Ça ne va pas ? s'enquit Christianna avec sollicitude. Que se passe-t-il ? ajouta-t-elle, inquiète, quand Fiona, posant son magazine, continua de la considérer fixement.

— C'est toi qui vas me le dire, répondit son amie d'une voix blanche avant de lui tendre le magazine.

Incapable d'imaginer ce qui la bouleversait à ce point, Christianna regarda et comprit. Une photo d'elle et de son père, prise lors du mariage auquel ils avaient assisté à Paris, avant son départ pour l'Afrique, s'étalait sur toute la page. Elle portait sa robe du soir en velours bleu et les saphirs de sa mère. Sous la photo, la légende indiquait simplement : « Son Altesse Sérénissime la princesse Christianna du Liechtenstein, en compagnie de son père, le prince régnant Hans Josef. »

Que dire ? Tout était là...

Le visage de Christianna devint aussi blanc que celui de Fiona. Elles étaient seules dans la tente à cette heure-là, heureusement, car ce n'était pas le genre d'information qu'elle voulait divulguer. Pas même à Fiona, mais il était trop tard. Le magazine qu'elle lisait s'intéressait aux faits et gestes de tout le Gotha et Christianna était atterrée qu'il soit tombé entre les mains de son amie. La mère de Fiona le lui envoyait régulièrement depuis l'Irlande, mais, la photo remontant à décembre, Christianna ne s'attendait pas à ce qu'elle apparaisse dans une des dernières éditions.

— Alors, tu peux m'expliquer ? lança Fiona avec colère. Je croyais que nous étions amies. Apparemment, je ne savais même pas qui tu étais. Comme ça, ton père est dans les relations publiques ? Mon œil, oui !

Pour Fiona, de véritables amies n'avaient pas de secrets l'une pour l'autre. Sa lividité témoignait de l'importance qu'elle accordait à ce qu'elle considérait comme une trahison. Et si Fiona le prenait ainsi, Christianna n'osait même pas imaginer la réaction de Parker quand il découvrirait la vérité.

— Eh bien... C'est un peu comme les relations publiques, se défendit-elle faiblement. Fiona, nous sommes amies... Ça change tout, quand les gens sont au courant. Je ne voulais pas que ce soit le cas ici. Pour une fois, je voulais être comme tout le monde.

— Tu m'as menti ! cria Fiona en jetant le magazine au sol.

— Je ne t'ai pas menti, je n'ai rien dit. C'est différent.

— A d'autres ! répliqua-t-elle, foudroyant Christianna du regard, furieuse de cette trahison, mais aussi de sa propre idiotie. Parker est au courant ? poursuivit-elle, encore plus exaspérée à l'idée qu'ils s'étaient peut-être moqués d'elle.

— Non, répondit Christianna, des larmes dans les yeux. Ecoute, Fiona, je t'aime, et tu es vraiment mon amie. Rien n'aurait été pareil si quelqu'un avait été au courant. Regarde ta réaction... Tu me prouves que j'ai eu raison.

— Je ne prouve rien du tout ! fulmina-t-elle. Si je suis en pétard, c'est parce que tu as menti !

— Je n'avais pas le choix. Sinon, ce n'était même pas la peine que je vienne ici. Tu crois que je voulais avoir tout le monde sur le dos, à me lécher les bottes, à prévenir le moindre de mes gestes, à m'appeler « Votre Altesse », à m'interdire tout travail intéressant ou à glisser un napperon sous mon sandwich, à la cantine ? Senafe est ma *seule et unique* chance de connaître une vie normale. Il a fallu que je supplie mon père pour venir ici. Et, quand je m'en irai, je devrai être princesse jusqu'à la fin de mes jours, que cela me plaise ou non. Il n'y a qu'ici que je connais un moment de « vraie vie ». Ne peux-tu au moins essayer de comprendre ça ? Tu ne sais pas ce que c'est, toi, d'avoir l'impression d'être condamnée à la prison à perpétuité ! conclut-elle, en larmes.

Car c'était exactement ce qu'elle ressentait, malheureusement, et elle pleurait en disant cela. Un long silence s'ensuivit, durant lequel Fiona reprit lentement des couleurs.

— Et... qui sont au juste Max et Sam ? finit-elle par demander, soupçonneuse.

Toutefois, sa colère refluait. Elle éprouvait encore de la difficulté à comprendre la douleur de son amie car, à ses yeux, cette existence dorée était tout sauf ennuyeuse. Mais, en voyant le regard traqué de Christianna, elle commençait à prendre conscience qu'elle n'était peut-être pas aussi drôle que le magazine le laissait croire. Jusqu'à maintenant, Fiona avait toujours envié les gens qui apparaissaient dans ses pages.

— Ce sont mes gardes du corps, murmura Christianna comme si elle confessait un crime terrible.

— Ah non ! Et moi qui essayais d'attirer Max dans mon lit depuis des mois... sans succès, je dois le préciser, ajouta Fiona en recouvrant un peu de son sens de l'humour. Il m'aurait probablement tiré dessus, si j'avais eu le culot de lui faire de vraies avances.

— Non, certainement pas.

Et Christianna ne put s'empêcher de sourire au souvenir de la tête de Parker quand il avait trouvé le pistolet caché dans sa valise. Elle raconta l'histoire à Fiona et, cette fois, elles rirent toutes les deux.

— Sale petite cachottière ! lança Fiona avec irrévérence, sans paraître impressionnée par son titre illustre. Comment as-tu pu ne rien me dire ?

— C'était impossible. Réfléchis un peu, Fiona... Que se serait-il passé, après ? Tôt ou tard, tout le monde l'aurait su.

— J'aurais gardé le secret, si tu me l'avais demandé. J'en suis capable, tu sais, fit remarquer son amie, l'air vexée.

Brusquement, une pensée lui vint :

— Comment vas-tu faire avec Parker ? Tu vas le lui dire ?

— Il le faudra, répondit Christianna avec un hochement de tête résigné. Avant son départ, ou avant le mien, suivant le cas. Il doit savoir. Mais je ne veux pas le lui dire maintenant, cela gâcherait tout.

— Pourquoi ? demanda Fiona en la considérant avec stupeur.

Même si Christianna agissait comme si elle souffrait d'une maladie incurable, Fiona trouvait encore sa situation très excitante.

— Peut-être qu'il sera ravi d'être amoureux d'une princesse, fit-elle valoir. Moi, je trouve ça très cool, et il sera peut-être du même avis. La belle princesse et le séduisant docteur américain... Imagine un peu !

— Justement, voilà pourquoi je ne dis rien, souligna Christianna tristement. Tout s'achèvera lorsque je partirai d'ici. Mon père ne me laissera jamais me marier avec Parker. Jamais. Je dois épouser quelqu'un de sang royal, un prince, un duc ou un comte. Mon père ne m'accordera jamais la permission de continuer à voir Parker.

Et elle ne voulait pas risquer de provoquer une rupture irrémédiable avec son père.

— Parce que tu as besoin de sa permission ? demanda Fiona, éberluée.

— Oui, pour tout. Et dès qu'une affaire sort de l'ordinaire, j'ai aussi besoin de celle des membres du Parlement, qui sont vingt-cinq, et des membres de la maison princière, qui sont une centaine et me sont tous plus ou moins apparentés. Je suis obligée de faire ce que tous ces gens décident pour moi et je n'ai absolument pas le droit d'agir comme je le veux. La parole de mon père représente la loi, au sens propre, souligna Christianna en accompagnant ces mots d'une grimace de désespoir. Et puis, si je lui désobéissais et que je provoquais un énorme scandale, cela lui briserait le cœur. Il a assez souffert avec mon frère. Il compte beaucoup sur moi.

— Et au bout du compte, c'est ton cœur à toi qu'il brisera...

Peu à peu, Fiona prenait la mesure de ce que devait supporter Christianna. Cent vingt-six personnes décidaient de son sort.

— Finalement, ce n'est peut-être pas si drôle que je le croyais, admit-elle.

— Je t'assure que ça ne l'est pas, renchérit Christianna avant de poser la main sur son bras. Fiona, je suis désolée d'avoir menti. Je pensais ne pas avoir d'autre choix. Seul Geoff est au courant, et, bien sûr, le directeur à Genève.

— Waouh ! Ça fait vraiment service secret !

Elle ouvrit alors les bras pour serrer Christianna contre elle.

— Je suis désolée de m'être mise dans une telle colère. Je me sentais vraiment blessée que tu ne m'aies rien dit. Avec Parker, ça risque d'être difficile... Tu es sûre qu'il n'y a aucun moyen de le revoir, quand tu seras rentrée ?

— Sûre et certaine. Ou alors une fois, pour le thé, si je dis que nous avons travaillé ensemble ici, mais rien de plus. Sinon, mon père m'enfermerait sur-le-champ.

— Vraiment ? Dans un donjon ? s'exclama Fiona, l'air horrifiée.

— Tout de même pas, répondit Christianna, qui ne put s'empêcher de rire. Mais ça reviendrait au même. Il m'ordonnerait de cesser immédiatement de le voir, et je n'aurais pas d'autre choix que de lui obéir. Sinon, ça provoquerait un scandale et mon père serait au désespoir, d'autant plus qu'il n'aurait pas respecté sa promesse à ma mère. Il n'approuve pas les monarchies modernes qui tolèrent les mariages de leurs enfants avec des roturiers. Pour lui, il faut maintenir la pureté et le caractère sacré de notre lignée. C'est ridicule, je le sais, mais c'est ainsi. Il faudrait une vie entière pour que mon père voie les choses différemment, conclut Christianna avec accablement.

— Mais… Et tous ces princes et princesses qu'on voit dans les journaux, qui n'arrêtent pas de coucher à droite et à gauche et de faire n'importe quoi ?

— Ça, c'est le genre de mon frère. Mon père est excédé, et il ne tolérerait jamais une telle conduite de ma part. Mais Freddy se garde bien de se marier. S'il le faisait, je pense que mon père le renierait.

— Je n'arrive pas à croire que je n'aie rien soupçonné, déclara Fiona, toujours incrédule, quand Christianna lui demanda si elle pouvait arracher la page du magazine pour la déchirer.

Elle ne voulait pas que quelqu'un la voie, surtout Parker. Fiona l'aida à la réduire en confettis.

— Il va avoir le cœur brisé quand tu le lui diras, dit-elle en se sentant brusquement très triste pour ses deux amis.

— Je le sais, murmura Christianna. Le mien l'est déjà. Je n'aurais jamais dû commencer avec lui, ce n'était pas honnête de ma part. Mais je n'ai rien pu empêcher. Nous sommes tombés amoureux.

— Mais tu devrais avoir le droit d'être amoureuse, comme tout le monde, répliqua Fiona à qui cela semblait de plus en plus injuste.

Elle était sensible à la douleur que reflétaient les yeux de Christianna, et elle pouvait imaginer celle de Parker lorsqu'il découvrirait que leur histoire d'amour n'avait pas d'avenir et se terminerait à Senafe.

— Eh bien non, je n'ai pas ce droit.

— Je suis désolée de m'être emportée comme ça, répéta Fiona en lui pressant le bras d'un geste affectueux. Peut-être que tu pourras quand même parler à ton père, quand tu seras rentrée.

— Cela ne changera rien. Il ne me permettra jamais de sortir avec un roturier, surtout un Américain. Il a des idées très rétrogrades sur le sujet et il est très fier de la pureté de notre lignée, qui remonte à près de mille ans. Un médecin américain n'entre pas dans ses projets me concernant.

Cela paraissait stupide, et sorti tout droit du Moyen Age, pourtant c'était la réalité à laquelle elle devait se plier.

— Oh, pardonnez-moi, Majesté, dit Fiona, chez qui l'humour ne tardait jamais à reprendre le dessus.

Le choc avait été rude pour toutes les deux. Christianna se sentait encore ébranlée d'avoir été démasquée, même si c'était par Fiona, en qui elle avait confiance. Que se passerait-il si quelqu'un d'autre tombait sur ce magazine et le montrait à Parker ? Cette simple pensée suffisait à la faire frémir, même si elle savait qu'il l'apprendrait tôt ou tard. Elle voulait que ce soit elle qui le lui dise, au moment opportun... si toutefois il en existait un. Et s'il réagissait de la même manière que Fiona au début ? S'il partait et ne voulait plus jamais lui parler ? Finalement, cela serait peut-être moins pénible que d'être anéantis de chagrin lors de l'inéluctable séparation.

— Au fait, comment suis-je censée t'appeler, maintenant que je suis au courant ? demanda Fiona.

Sachant qu'elle la taquinait, Christianna se mit à rire.

— Je pense que ton « espèce de petite cachottière » conviendrait assez bien. Qu'en dis-tu ?

— Votre Petite Sérénissime Cachottière, peut-être ? Ou bien, Votre Altesse Cachottière ?

Elles s'effondrèrent sur leur lit en pouffant de rire comme deux gamines et rirent jusqu'à ce que des larmes, qui n'étaient pas de chagrin, cette fois, coulent sur leurs joues. Quand Mary et Ushi entrèrent dans la tente et les interrogèrent sur la raison de leur hilarité, les deux jeunes femmes ne purent que bredouiller.

— Oh, je disais juste... à Cricky que c'était vraiment... une enquiquineuse, finit par hoqueter Fiona.

Elle lisait mon magazine et elle a osé en arracher une page. Franchement, elle se prend quelquefois pour une princesse !

Christianna la contempla un instant, horrifiée, avant de lui lancer :

— Espèce de petite ordure !

Comme elles se tordaient de nouveau de rire, leurs aînées levèrent les yeux au ciel et sortirent pour prendre une douche.

— Le soleil a dû leur taper sur la tête, dit Ushi à Mary avec un grand sourire.

Christianna et Fiona échangèrent alors un long regard. Finalement, la découverte de Fiona avait resserré leur amitié. C'était pour Parker que la jeune Irlandaise s'inquiétait à présent, et elle n'était pas la seule. Christianna savait qu'il allait être anéanti.

12

Comme ils l'avaient espéré, en juin, Christianna et
Parker purent partir en week-end à Massawa. Une nouvelle fois, Samuel et Max la laissèrent partir seule et tout
se déroula encore mieux que lors de la précédente escapade. Les moments qu'ils passèrent furent idylliques et,
à leur retour, Parker commença à parler mariage.

En d'autres circonstances, Christianna aurait été
comblée ; malheureusement, elle ne pouvait épouser
Parker. Après avoir tenté d'éluder le sujet, elle finit par
lui dire qu'elle ne pouvait abandonner son père. Il avait
prévu qu'elle rentrerait au Liechtenstein et s'y installe-
rait pour travailler avec lui dans l'affaire familiale. Elle
ne pouvait le décevoir. Christianna l'avait déjà dit à
Parker, mais cela ne ressemblait plus à rien à présent,
au regard de ce qu'ils vivaient tous les deux. Aussi
marqua-t-il sa déception et son incompréhension.

Mais Christianna se sentait liée à son père comme à
l'histoire et à la tradition de son pays. On lui avait
appris, depuis sa naissance, à se sacrifier pour la principauté et pour ses sujets, et à obéir à son père en toutes
circonstances. Passer outre constituerait, aux yeux du
prince et à ceux de Christianna, la trahison suprême.
Elle ne pouvait épouser un moniteur de ski, un bar-
man, ni même un jeune médecin respectable comme
Parker. Il lui fallait pour cela avoir l'approbation de son

père ; or, elle savait qu'elle ne l'obtiendrait jamais. C'était tout simplement impossible.

— Franchement, Cricky, c'est ridicule ! Qu'est-ce qu'il attend de toi ? Que tu restes à la maison, que tu travailles pour lui et que tu finisses vieille fille ?

A cette remarque, Christianna ne put réprimer un sourire sans joie. En vérité, son père attendait d'elle qu'elle se marie, mais avec quelqu'un qui comblerait ses vœux, ou qu'il choisirait lui-même ; quelqu'un issu d'une famille du même rang que la leur. Celle de Parker était très convenable, et il avait reçu une éducation soignée. Son père et son frère étaient médecins et sa mère avait fait partie de la meilleure société. Mais, lorsqu'il apprendrait la vérité, Hans Josef réagirait avec la plus grande fermeté. Et Christianna le savait bien.

— C'est ce qu'il attend de moi, répondit-elle. Et je ne pourrai pas me marier avant longtemps. D'ailleurs, je suis trop jeune, prétendit-elle en essayant de trouver des excuses plausibles pour le décourager.

Elle aurait vingt-quatre ans dans quelques semaines, ce qui était un âge normal pour se marier. Pour ajouter à son tourment, son père commençait à parler avec insistance de son retour. Cela faisait presque six mois qu'elle était partie et c'était largement suffisant à ses yeux. Le départ de Parker était prévu en juillet, mais Christianna aurait aimé rester à Senafe jusqu'à la fin de l'année. La dernière fois qu'elle avait eu son père au téléphone, ils en avaient longuement discuté, et pour l'instant rien n'était décidé. Mais Parker, lui, commençait à perdre patience.

— Cricky, est-ce que tu m'aimes ? finit-il par lui demander carrément, une lueur anxieuse dans le regard.

— Oui, je t'aime, répondit-elle. Je t'aime à la folie.

— Je ne te demande pas que nous nous mariions ici, ou la semaine prochaine. Mais je pars bientôt et, avant de m'en aller, je veux te convaincre que je suis très sérieux. Tu as évoqué la possibilité de poursuivre tes études. Pourquoi ne pas le faire à Boston ? Il y a de très bonnes universités là-bas. Ton père t'a déjà laissée faire une partie de tes études aux Etats-Unis. Pourquoi ne pas continuer ?

— Je crois que j'ai épuisé tout mon crédit américain. Maintenant, il veut que j'aille à Paris, parce que c'est beaucoup plus près de la maison. Ou alors, que je m'installe à Vaduz.

— Boston n'est qu'à six heures de l'Europe, argua-t-il.

Il avait compris que l'argent ne constituerait pas un obstacle pour Christianna, même s'ils n'en avaient jamais parlé. De son côté, son père avait une très belle situation. Son cabinet marchait très bien, celui de son frère également, et ils avaient hérité d'une fortune non négligeable à la mort de leur mère. Parker n'avait eu aucun problème pour payer ses études et il possédait même une petite maison à Cambridge. S'ils se mariaient, il pourrait offrir une vie très agréable à Christianna. A condition, toutefois, qu'elle ne s'obstine pas à jouer les gouvernantes chez son père et ne laisse pas celui-ci régir sa vie. Quand elle évoquait son avenir, Parker était atterré.

— Tu as le droit d'avoir ta propre vie, insista-t-il.

— Non, je n'en ai pas le droit. Tu ne comprends pas.

— Comment le pourrais-je ? Si je rencontrais ton père, il verrait bien que je suis sérieux. Cricky, je t'aime... Je veux que tu me jures qu'un jour tu seras ma femme.

Les yeux de Christianna se remplirent de larmes. C'était horrible. Plus que jamais, elle eut conscience qu'elle n'aurait pas dû laisser leur histoire se développer, alors qu'elle était vouée, dès le début, à se terminer tristement. Sa voix s'étrangla quand elle répondit :

— Je ne peux pas.

— Pourquoi ? Qu'est-ce que tu as ? On dirait que tu me caches un horrible secret. Quel que soit le problème, je suis sûr que nous arriverons à le résoudre. Je t'aime, Cricky.

Comme Christianna se contentait de secouer la tête avec impuissance, il insista :

— Dis-moi ce que c'est... Dis-le-moi maintenant.

— Ça ne servirait à rien. Crois-moi, Parker, je ne désire rien d'autre que ce que tu m'offres. Mais mon père ne voudra jamais.

— Il déteste les Américains ? demanda Parker, qui commençait à s'énerver. Ou les médecins ? Pourquoi es-tu persuadée qu'il n'y a rien à faire ?

Christianna le regarda, désespérée, tandis qu'un long silence s'installait entre eux. Le moment était venu. Elle n'avait pas d'autre choix que de lui avouer la vérité. Quand elle ouvrit la bouche, elle eut l'impression qu'elle ne réussirait jamais à parler.

— Il ne déteste personne et il ne te détesterait pas. Je suis même sûre que tu lui plairais beaucoup. Mais tu n'es pas pour moi...

Les mots semblaient cruels, mais sa situation l'était. Pour tous les deux.

— Mon père... est le prince du Liechtenstein.

Un nouveau silence s'abattit, durant lequel Parker la fixa, essayant de digérer ce qu'elle venait de lui dire. C'était si éloigné de tout ce qu'il aurait pu imaginer qu'il resta longtemps immobile, les yeux vides.

— Répète ça, finit-il par murmurer.

Mais Christianna secoua la tête.

— Tu m'as bien entendue. Et je ne pense pas que tu saches ce que cela signifie. Ma vie entière est régie par mon père, par notre Constitution et par nos traditions. Quand le moment viendra, il ne me laissera pas épouser quelqu'un qui n'est pas de sang royal. Dans certains pays, on accorde moins d'importance à ce genre de choses. Mon père, en revanche, est très traditionaliste, et la maison princière aussi. C'est elle qui prend toutes les décisions, et elle ne m'autorisera jamais à t'épouser, quel que soit l'amour que j'éprouve pour toi.

Sa voix n'était plus qu'un murmure lorsqu'elle acheva sa phrase.

— La maison princière… répéta-t-il avec incrédulité. Ce n'est pas toi qui décides ?

— Non. C'est mon père, la maison… et même le Parlement, confirma-t-elle, accablée.

Parker commençait à prendre la mesure de ce que cela impliquait.

— Selon notre Constitution, tous les membres de la maison princière doivent donner leur approbation à un mariage, et celui-ci ne doit en aucune façon nuire à la réputation ou à l'honneur de la principauté du Liechtenstein. Je suis certaine que la maison princière et mon père considéreraient notre mariage comme préjudiciable au pays.

Même pour Christianna, cela semblait absurde, tout autant que de parler de la Constitution du Liechtenstein à Parker.

— Cricky, tu es une… princesse ?

Sa voix s'étrangla. La stupéfaction lui coupait presque la parole. Un insupportable sentiment de perte submergea Christianna.

— Il faudrait que je t'appelle « Votre Altesse Royale » ? ajouta-t-il, espérant qu'elle le contredirait.

Mais elle n'en fit rien. Elle lui sourit avec tristesse en secouant la tête.

— Votre Altesse Sérénissime, corrigea-t-elle. Comme ma mère était française, une Bourbon, j'aurais pu choisir « Royale », mais j'ai toujours préféré « Sérénissime », comme mon père et mon frère.

Si seulement elle avait eu le choix de n'être rien du tout !

— Bon sang, pourquoi ne m'as-tu rien dit ?

Fiona avait réagi de la même manière. Pour Parker, c'était encore plus justifié, car elle aurait dû le mettre au courant dès le début. Cela lui aurait permis de comprendre que leur histoire n'avait aucun avenir et leur aurait évité d'avoir le cœur brisé. En le regardant, elle comprit à quel point elle avait été égoïste, et des larmes roulèrent sur ses joues.

— Je suis désolée... Je ne voulais pas que tu le saches, parce que je voulais juste être moi, avec toi. Maintenant, je réalise ce que j'ai fait. Je n'avais pas le droit de t'infliger ça.

Parker se leva et commença à marcher de long en large, tout en lui jetant un coup d'œil de temps à autre. Elle le regardait avec désespoir. Puis il revint, s'assit à côté d'elle et prit sa main entre les siennes.

— J'ignore comment tout cela fonctionne, mais il y a des gens qui ont réussi à s'en sortir. Par exemple, le duc de Windsor, quand il a abdiqué pour épouser Wallis Simpson.

Soudain, un éclair d'affolement passa dans le regard de Parker.

— Tu ne vas pas être reine, n'est-ce pas ? Tu ne vas pas monter sur le trône ? Est-ce la raison pour laquelle ton père est si sévère avec toi ?

— Non, répondit Christianna en esquissant un sourire, les femmes ne peuvent pas régner chez nous. C'est un pays conservateur où les femmes n'ont le droit de vote que depuis vingt-trois ans. C'est mon frère qui régnera un jour. Mais comme il est complètement irresponsable, mon père compte beaucoup sur moi. Je ne peux pas faillir, Parker. Je ne peux pas m'enfuir. Ce n'est pas comme un travail dont on démissionne... Je me dois à ma famille, à la tradition, à ma lignée, à l'honneur et à un millénaire d'histoire, ainsi qu'à mon pays. Je dois donner l'exemple. C'est une question de devoir, d'honneur et de courage, pas d'amour. L'amour vient toujours après tout le reste.

— Mais c'est monstrueux ! s'écria Parker, indigné. Et ton père souhaite que tu vives comme ça, que tu renonces à ce que tu es et à celui que tu aimes ?

— Je n'ai pas le choix, soupira-t-elle comme si elle prononçait son propre arrêt de mort. De plus, mon père a promis à ma mère que je me marierais avec quelqu'un d'ascendance royale. Ils étaient tous les deux très vieux jeu. Pour lui, le devoir passe avant l'amour. Et il compte d'autant plus sur moi pour maintenir la tradition que mon frère ne s'en préoccupera sans doute pas. Je ne peux pas l'abandonner, Parker. Il s'attend à ce que je fasse ce sacrifice pour mon pays, pour ma mère et pour lui. Il l'exigera de moi.

— Est-ce que nous nous reverrons, lorsque nous aurons quitté Senafe ? demanda-t-il, éperdu.

Ce que venait de lui dire Christianna avait déclenché un sentiment de panique en lui. Il avait senti une telle absence d'espoir qu'il en était anéanti. Il prit brusquement conscience de la catastrophe qui les frappait, de ce qu'elle impliquait pour eux, simplement à cause de ce qu'était Christianna. Autant elle était prête à se sacrifier et à le sacrifier pour son pays et pour le prince qui le gouvernait, autant lui ne pouvait l'accepter. Qu'elle soit princesse n'avait aucune importance à ses yeux, tout ce qu'il souhaitait était de vivre avec la femme qu'il aimait. Alors qu'il lui avait donné son cœur, elle le lui rendait simplement en raison de sa naissance et des contraintes qui y étaient liées. Pour elle, c'était une question d'honneur, de devoir, de sacrifice et de courage.

— Je ne sais pas, avoua-t-elle en toute honnêteté. Je ne suis pas certaine de pouvoir te revoir.

Max et Sam l'aideraient sans doute, au moins une fois. Ensuite, ce serait très difficile, car il y avait toujours le risque du scandale. Un mouton noir dans la famille suffisait. Si elle suivait les traces de Freddy, son père en aurait le cœur brisé. Elle ne pouvait pas lui infliger un tel chagrin.

— Nous pourrons peut-être nous retrouver une fois quelque part... Je ne pense pas que mon père m'autoriserait à aller aux Etats-Unis. Je n'en suis revenue que l'année dernière et je viens de passer des mois en Afrique. Il ne me permettra certainement pas d'aller plus loin que Paris ou Londres.

— Je pourrai te revoir à Paris ?

La tristesse de Parker faisait écho à la sienne. Christianna avait l'impression d'avoir enfoncé un couteau dans leurs cœurs.

— Je ne peux pas te le promettre, mais j'essaierai, dit-elle d'une voix incertaine.

Elle avait le pressentiment que son père lui demanderait de ne pas s'éloigner de Vaduz à son retour. Peut-être qu'un week-end à Paris ne serait pas trop difficile à obtenir ; ou peut-être pourrait-elle se rendre à Londres, chez Victoria, et retrouver Parker là-bas. Mais les journalistes rôdaient toujours autour de sa cousine et cela pourrait se révéler désastreux. Tout compte fait, Paris serait préférable.

— Je ferai tout mon possible, promit-elle.

— Et après ?

Parker avait les larmes aux yeux. Les révélations de Christianna étaient terribles et, contrairement à elle, il ne s'y attendait pas.

— Après, mon amour, tu retourneras à ta vie et moi, à la mienne. Mais nous n'oublierons jamais ce que nous avons partagé ici. Ce sera un souvenir que nous chérirons... Tu seras toujours dans mon cœur, au plus profond de moi.

Christianna n'imaginait pas épouser un jour un autre homme. Il n'y avait que lui.

— C'est la chose la plus affreuse que j'aie jamais entendue, murmura-t-il.

Il n'était même pas en colère contre elle. A quoi cela aurait-il servi ? Il était simplement anéanti.

— Cricky, je t'aime. Vas-tu au moins lui en parler ?

Après avoir réfléchi un long moment, elle acquiesça de la tête. Elle pouvait essayer... Mais dès qu'il serait au courant, son père exigerait qu'elle cesse de le voir. Alors que tant qu'il ne l'était pas, ils avaient peut-être une chance de se revoir. Il lui semblait donc préférable de garder le secret et, lorsqu'elle le lui expliqua, Parker ne protesta pas. Elle savait comment agir dans ce monde auquel il ne connaissait rien.

Il prit alors Christianna dans ses bras et la serra contre lui, tout en essayant de réaliser ce qui venait d'arriver et ce que cela signifiait pour l'avenir. Celui-ci s'annonçait terrible pour eux. Ils resteraient seuls, chacun de leur côté, le cœur brisé. La fin de l'histoire ne lui plaisait pas du tout. Pour eux, il était clair qu'il n'y aurait pas de : « Ils vécurent heureux et eurent beaucoup d'enfants... »

Quand ils retournèrent au camp, Chritianna blottie contre Parker, ils étaient accablés et n'échangèrent que de rares paroles. En les voyant, Fiona se demanda ce qui s'était passé. Parker ne la salua pas. Il embrassa rapidement Cricky puis, sans dire un mot, se dirigea vers sa tente.

— Qu'y a-t-il ? demanda Fiona, inquiète.

— Je lui ai dit, répondit Christianna, désespérée.

— A ton sujet ? chuchota Fiona. Oh, non ! lâcha-t-elle quand Christianna acquiesça de la tête. Comment l'a-t-il pris ?

— Il a été formidable, parce que c'est un homme formidable. Mais c'est vraiment dur...

— Oui, j'imagine. Il est en colère ?

A ses yeux, il semblait plutôt anéanti, ce qui était sans doute pire.

— Non. Juste triste, comme je le suis moi-même.

— Peut-être que vous arriverez à trouver une solution...

— Nous allons essayer de nous revoir à Paris, à mon retour. Mais cela ne changera rien, ça ne fera que prolonger la torture. A la fin, il faudra qu'il retourne à Boston pour vivre sa vie ; et moi, je resterai à Vaduz avec mon père, à faire semblant d'être occupée jusqu'à la fin de mes jours.

— Il doit bien exister un moyen ! insista Fiona.

— Il n'y en a pas. Tu ne connais pas mon père.

— Tu as bien réussi à venir en Afrique.

— Ce n'est pas la même chose. Il savait que je rentrerais. Et que je n'avais pas l'intention d'épouser qui que ce soit ici. Cette mission, c'est une espèce de congé sabbatique, et mon père ne m'a laissée partir qu'à condition que je remplisse mes obligations une fois rentrée. Il ne me laissera pas épouser un simple médecin américain, ni vivre à Boston. C'est tout simplement inenvisageable.

Christianna semblait complètement abattue et Fiona dut admettre que la situation paraissait sans issue.

— Parle quand même à ton père. Il comprendra peut-être qu'il s'agit d'un véritable amour.

Elle n'avait jamais vu deux personnes s'aimer autant et être plus heureuses ensemble que Cricky et Parker. Leur amour sautait aux yeux et il était tragique qu'il connaisse une fin aussi absurde.

— Je lui parlerai un jour, bien sûr. Mais je ne pense pas que ça servira à quelque chose.

Faute de savoir quoi ajouter, Fiona l'accompagna en silence jusqu'à leur tente. Elle était vraiment triste pour eux.

Ce soir-là, et pendant les deux semaines qui suivirent, Parker et Christianna furent plus proches que jamais. Ce qu'elle lui avait révélé de sa situation et de ses conséquences tragiques avait encore resserré leur amour. Ils furent inséparables jusqu'à la fin juillet.

C'est alors que Parker dut rentrer. Plus aucune prolongation n'était possible, son directeur de recherche lui demandait de revenir le 1er août. Leurs derniers jours ensemble furent doux-amers, et leur dernière soirée leur parut irréelle. Pour Christianna, ce fut la plus triste de son existence. Un dîner d'adieu avait été organisé en l'honneur de Parker et tous deux avaient failli fondre en larmes à plusieurs reprises. Les membres du camp ignoraient la raison d'un tel désespoir, mais ils devinèrent qu'une grave difficulté était survenue, et que Christianna et Parker vivaient des moments extrêmement douloureux. La plupart des gens que Parker avait soignés étaient venus lui apporter des cadeaux : des sculptures, des bols, des perles, toutes sortes d'objets qu'ils avaient réalisés pour lui. Il les remercia avec émotion.

Ensuite, il alla s'asseoir avec Christianna dans un coin tranquille et ils restèrent toute la nuit blottis l'un contre l'autre jusqu'à l'aube. Ensemble, ils regardèrent le soleil se lever. Puis ils marchèrent dans la douce lumière du petit matin, sous la splendeur du ciel africain. Christianna savait qu'elle n'oublierait jamais cet instant, ni cette période de sa vie. Elle aurait voulu arrêter le temps et rester ici, avec lui, pour l'éternité.

— Sais-tu combien je t'aime ? lui demanda-t-il avant qu'ils ne fassent demi-tour.

— Peut-être la moitié de ce que moi je t'aime, le taquina-t-elle.

Mais le cœur n'y était pas. Quand ils revinrent au camp, les autres étaient levés et s'apprêtaient à commencer leur journée. A part Akuba et Yaw, déjà à l'ouvrage, la plupart des résidents prenaient leur petit déjeuner. Christianna et Parker se joignirent à eux, mais ne purent rien manger. Ils burent juste du café en se tenant par la main, silencieux. Même les visages de Max et de Sam étaient tristes. Ils savaient mieux que quiconque ce que Christianna allait devoir endurer sans l'homme qu'elle aimait. Même s'il était le meilleur des hommes, cela ne comptait pas, puisque le père de Christianna ne voudrait pas de lui comme mari pour sa fille. Quand Parker quitterait Senafe, la mort de leur amour commencerait, et ils en avaient pleinement conscience.

Geoff devait emmener Parker à Asmara, dans une des voitures du camp, et il avait proposé à Christianna de les accompagner. Leur histoire n'était un secret pour personne. Tout le monde l'approuvait mais, curieusement, beaucoup semblaient certains que Cricky devrait y mettre un terme, une fois rentrée chez elle. Aux paroles qui lui avaient échappé, ils avaient cru deviner qu'elle avait un père tyrannique, qui n'approuverait pas son choix et exigerait qu'elle reste auprès de lui. S'ils jugeaient la situation difficile, ils ne considéraient pas, toutefois, cet obstacle comme insurmontable. Seuls Fiona, Geoff, Max et Sam connaissaient la vérité. Contrairement aux autres, ils savaient qu'il n'y avait aucun espoir, sauf si Christianna défiait son père et renonçait à ce qu'elle était. Mais cela leur paraissait hautement improbable.

Tout le monde embrassa chaleureusement Parker au moment de son départ. Mary le remercia pour son aide inappréciable. Il les quitta tous le cœur gros. Puis il monta dans la voiture avec Cricky et Geoff, pour le long voyage jusqu'à Asmara. Christianna savait que le trajet lui paraîtrait encore plus long au retour, sans lui. Au moins, à cet instant, pouvait-elle encore le toucher, lui parler, le voir, le sentir. Elle n'avait jamais été aussi triste de sa vie. Au bout d'un moment, ils ne dirent plus rien et se tinrent simplement la main, pendant que Geoff conduisait. Celui-ci avait eu l'impression, en surprenant quelques bribes de conversation, que Parker savait qui elle était. Mais il se tut. Il avait promis le secret à Christianna pour la durée de son séjour et il avait respecté sa promesse. Si elle avait choisi de le révéler à quelqu'un, cela la regardait. Lui continuerait de se montrer discret.

Ils arrivèrent à Asmara une heure avant le décollage, ce qui était parfait. Comme lors de l'arrivée de Christianna avec Max et Sam, ils attendirent à l'extérieur que l'avion atterrisse. Si seulement il pouvait avoir du retard ! Chaque minute était si précieuse… Christianna aurait voulu partir avec Parker et se fondre dans sa vie pour toujours. Jamais elle n'avait été si près de s'enfuir, même si cela signifiait briser le cœur de son père. Elle était déchirée entre deux hommes qu'elle aimait, entre ce que chacun voulait d'elle, et ce qu'elle désirait elle-même.

Après l'atterrissage de l'avion, ils bénéficièrent d'une demi-heure supplémentaire, le temps que les passagers, chargés de cartons et de sacs, se rassemblent. Parker et elle restèrent sur le côté, se tenant par la main, tandis que Geoff s'écartait pour les laisser seuls. Il était désolé pour eux. Connaissant la vérité au sujet de Christianna, il savait ce que cela signifiait pour eux.

Puis, le moment arriva de la dernière étreinte, du dernier baiser et, pour la dernière fois, des bras de Parker l'enserrant.

— Je t'aime tant, murmura-t-elle alors qu'ils luttaient tous les deux contre les larmes.

— Tout va bien se passer, affirma-t-il en espérant que cela serait vrai.

Christianna en doutait fortement, aussi garda-t-elle le silence.

— Je te verrai à Paris, dès que tu seras rentrée, continua-t-il.

La tête inclinée vers elle, il lui sourit. Durant ces quelques secondes – les dernières –, elle était encore à lui. Cela ne se reproduirait peut-être jamais, et cette pensée leur était insupportable à tous les deux.

— Fais attention aux serpents ! la taquina-t-il une dernière fois.

Après un ultime baiser, il se dirigea vers l'avion. Immobile, Christianna le fixa avec une intensité douloureuse, tandis qu'il montait, s'arrêtait et la regardait. Cet instant lui parut durer une éternité. Les yeux rivés à ceux de Parker, elle lui envoya un baiser et agita la main. Il fit de même avec un sourire triste, puis disparut. Christianna resta sans bouger, le visage baigné de larmes. Ne voulant pas la déranger dans son chagrin, Geoff resta à l'écart.

Ils virent l'avion décoller et effectuer un large cercle dans le ciel, pour prendre la route du Caire, de Rome, puis de Boston. Alors, Christianna suivit Geoff jusqu'à la voiture. Pendant un long moment, aucun des deux ne parla.

— Ça va ? finit-il par lui demander.

Elle hocha la tête, avec l'impression que quelqu'un lui avait arraché le cœur. Elle se tut durant presque tout le trajet du retour. La tête tournée vers la vitre, elle regardait défiler le paysage. Sans Parker, tout paraissait différent. Et il en serait ainsi toute sa vie. Jamais plus ils ne connaîtraient ce qu'ils avaient partagé ces derniers mois. Ç'avait été un présent inestimable, qu'elle n'oublierait jamais. A ses yeux, les jours qu'ils avaient passés ensemble à Senafe étaient plus précieux que le plus beau des diamants.

Fiona l'attendait. Quand elle vit son expression, elle ne dit rien, mais passa son bras autour de ses épaules, l'accompagna jusqu'à la tente et la mit au lit. Christianna leva vers elle un visage qui était celui d'un enfant au cœur brisé. Alors, caressant ses cheveux, Fiona lui dit de fermer les yeux et de dormir. Christianna obéit, mais Fiona resta assise à côté d'elle un moment, pour s'assurer qu'elle allait bien. Un peu plus tard, Mary entra.

— Comment va-t-elle ? lui demanda-t-elle à voix basse.

— Mal, répondit Fiona, honnête. Et elle n'ira pas bien pendant un certain temps.

Après avoir hoché la tête, Mary gagna son lit. Personne ne comprenait vraiment ce qui se passait, mais tous avaient conscience que quelque chose s'était produit, plus grave que le simple départ de Parker.

Aussi clairement que si elle se trouvait déjà au Liechtenstein, Christianna avait commencé sa vie de solitude... sa vie sans lui.

13

Les deux semaines qui suivirent le départ de Parker, Christianna eut l'impression de se mouvoir dans le brouillard. Dix jours plus tard, elle reçut une lettre de lui, dans laquelle il ne parlait que de leurs retrouvailles à Paris. Il lui disait combien elle lui manquait. Christianna lui écrivit deux fois. Elle ne voulait pas rendre les choses encore plus difficiles pour lui qu'elles ne l'étaient et elle estimait l'avoir assez fait souffrir avec cette situation impossible, aussi lui répéta-t-elle à quel point elle l'aimait, mais sans lui offrir le moindre espoir.

Il y avait trois semaines qu'il était parti lorsqu'en allant travailler, elle perçut un changement d'atmosphère dans le camp. Elle ne réussit pas à l'identifier, mais il était presque palpable. Quand elle se rendit à la cantine, elle remarqua l'absence d'Akuba et de Yaw. Tous semblaient préoccupés. Elle interrogea Fiona du regard, mais celle-ci paraissait aussi perplexe qu'elle. Ce fut Geoff qui leur expliqua la situation, avant qu'ils ne se séparent pour aller travailler. La nuit précédente, il y avait eu une attaque à la frontière éthiopienne. Une embuscade. C'était la première violation flagrante de la trêve depuis plusieurs années. Tout en espérant qu'il s'agissait d'un acte isolé, Geoff leur recommanda d'être sur leurs gardes. Si la guerre reprenait entre les deux pays, cela pouvait devenir dangereux, même pour eux. Il ne s'agissait cependant pas de paniquer. Ce n'était peut-être qu'une escarmouche, un incident malheureux qui ne se reproduirait pas. Les troupes de l'ONU, tout comme celles de l'Union africaine, se tenaient prêtes à intervenir pour maintenir la paix.

Quand ils se dispersèrent, les membres du camp étaient inquiets, non pas tant pour eux-mêmes que pour la population locale. Elle avait si terriblement souffert lors de la dernière guerre qu'ils espéraient que cette violation de l'accord de paix ne déclencherait pas de nouvelles hostilités.

Les patients étaient bouleversés. Ils ne cessaient d'en discuter et semblaient proches de la panique. Les membres du camp, qui redoutaient déjà une épidémie de malaria, se seraient bien passés de ce nouveau sujet d'inquiétude.

Il fut décidé de surveiller l'évolution de la situation, tout en redoublant de vigilance. Pour le moment, aucun danger ne menaçait le camp, mais ils se trouvaient suffisamment près de la frontière pour éprouver une crainte légitime.

D'ailleurs, aussitôt après le petit déjeuner, Max et Sam vinrent trouver Christianna.

— Cela ne va pas plaire à votre père, Votre Altesse. Nous devons lui envoyer un rapport.

La condition principale de leur venue en Afrique à tous les trois avait été que Christianna promette de rentrer immédiatement si la situation devenait risquée.

— Ce n'était qu'une escarmouche, souligna la jeune femme. Nous ne sommes pas en guerre.

Elle n'avait pas l'intention de partir maintenant car, avec l'épidémie de malaria qui menaçait, on aurait plus que jamais besoin d'elle, d'autant qu'on signalait déjà une nouvelle épidémie de kala-azar.

— Cela peut s'aggraver d'un moment à l'autre, arguèrent-ils. Et la situation risque alors de devenir très rapidement incontrôlable.

Ni l'un ni l'autre ne voulaient risquer de se trouver dans l'impossibilité de la faire sortir du pays.

— Inutile de paniquer pour le moment, rétorqua-t-elle avant de partir travailler.

Aucun incident ne fut à déplorer au cours des deux semaines suivantes. En revanche, au début de septembre, les premiers cas de malaria apparurent. Des pluies diluviennes s'abattirent sur le pays, et ce fut une période éprouvante pour tous. La vie dans le camp devint très pénible, car ils pataugeaient en permanence dans une boue épaisse. Entre le surcroît de travail et les conditions météorologiques déplorables, ils se couchaient exténués.

Il y avait à présent huit mois que Christianna se trouvait en Afrique, et elle était sous le charme. Mais son père harcelait Max et Sam depuis des semaines pour qu'ils la ramènent en Europe, surtout depuis l'incident à la frontière. Pourtant, Christianna refusait de partir. On avait besoin d'elle et elle resterait. Ce fut le message qu'elle transmit à son père par l'intermédiaire des deux hommes. Elle n'avait plus le temps d'aller à la poste pour lui parler elle-même, et c'était peut-être mieux ainsi, car elle ne se sentait pas de force à se disputer avec lui. Elle était encore trop bouleversée par le départ de Parker et avait l'esprit trop préoccupé.

— Bon sang, quel temps pourri ! s'écria Fiona un soir, alors qu'elles regagnaient la tente.

Elle avait passé toute la journée à l'extérieur pour aider à des accouchements, tandis que Christianna s'était occupée de patients atteints du sida et de la malaria. De nouveaux cas de kala-azar étaient arrivés, et Geoff était très inquiet. Ce n'était vraiment pas le moment qu'une épidémie éclate.

Il n'y avait pas une heure que Fiona était rentrée qu'on l'appela de nouveau. Une femme mettait des jumeaux au monde, pas très loin du camp. Encore trempée, elle ressortit tout en priant pour que sa petite voiture ne s'enlise pas dans la boue, ce qui était déjà arrivé plusieurs fois. Une nuit, elle avait dû rentrer à pied et marcher plus de trois kilomètres sous une pluie battante. Elle toussait depuis ce jour-là.

En la voyant partir, Christianna lui fit un signe, accompagné d'un sourire las.

— Amuse-toi bien !

— Moque-toi donc de moi ! lança Fiona. Au moins, toi tu seras au sec, ici.

A certains moments – comme celui-là –, leur vie était rude. Fiona travaillait d'arrache-pied, mais elle ne se plaignait jamais, car elle adorait son métier et savait combien on avait besoin d'elle.

Christianna entendit la petite voiture démarrer, puis elle sombra dans le sommeil. Ils étaient tous épuisés. Le lendemain matin, elle ne fut pas surprise en constatant que le lit de Fiona était vide. Il lui arrivait souvent de passer la nuit dehors, surtout lorsque l'accouchement était difficile ou que le bébé était fragile. Avec des jumeaux, on pouvait s'attendre à des difficultés.

Christianna alla prendre son petit déjeuner avec les autres. Après avoir jeté un coup d'œil à la ronde, Geoff eut brusquement l'air soucieux.

— Où est Fiona ? Elle dort ou elle est toujours dehors ?

— Elle est dehors, répondit Christianna en se servant du café.

— J'espère que sa voiture n'est pas restée coincée quelque part...

Après s'être entretenu avec Maggie, Geoff décida d'aller vérifier par lui-même. Il avait plu toute la nuit, et la pluie continuait de tomber. Max proposa de l'accompagner. Si la voiture était enlisée, ils ne seraient pas trop de deux pour la sortir de la boue. Quelques minutes plus tard, les deux hommes se mirent en route. C'était un matin comme un autre durant la saison des pluies, simplement plus humide et plus sombre.

Christianna effectuait des travaux administratifs dans son bureau quand Max et Geoff revinrent. Ils avaient retrouvé la voiture, mais Fiona n'était pas dedans. Ils s'étaient alors rendus dans la maison où les jumeaux étaient nés, pour apprendre que Fiona l'avait quittée plusieurs heures auparavant.

C'était la première fois qu'une telle chose se produisait. Quand Max l'eut mise au courant, Christianna se demanda si Fiona n'avait pas tenté de rentrer à pied, et s'était égarée ou réfugiée dans une maison. Comme elle travaillait dans le coin depuis plusieurs années, elle connaissait à peu près tout le monde dans la région.

Le visage grave, Geoff rassembla une équipe de recherche et assigna un conducteur à chacun des véhicules du camp. Max prit une voiture, Sam une autre, Ernst, Klaus et Geoff sautèrent dans le car scolaire. Didier réussit même à faire démarrer la plus déglinguée et la moins fiable des voitures. Deux des femmes se joignirent à eux et, à la dernière minute, Christianna s'installa à côté de Max. Ils étaient convenus de quadriller la zone en s'arrêtant dans chaque maison, pour voir si Fiona n'y avait pas trouvé refuge. Connaissant son amie, Christianna était presque sûre que c'était ce qu'elle avait fait. Fiona était une femme indépendante et pragmatique ; elle n'aurait pas passé la nuit dans une voiture enlisée, mais aurait gagné l'habitation la plus proche et frappé à la porte. Christianna ne doutait pas qu'on la retrouverait bientôt. Tout le monde était très accueillant dans la région et Fiona était probablement bien au chaud, attendant que la pluie cesse et que quelqu'un puisse la reconduire au camp.

Max conduisait en silence. Après un moment, ils croisèrent le car et s'arrêtèrent pour faire le point avec Geoff. On n'avait pas retrouvé Fiona, et personne, dans les maisons auxquelles ils s'étaient adressés, ne l'avait vue. Pourtant, tous la connaissaient.

Il y avait plus de deux heures qu'ils la cherchaient. Max roulait à vitesse réduite, tandis que Christianna scrutait le bas-côté de la route. Soudain, il freina, car quelque chose avait attiré son attention devant lui. Il n'en dit rien à Christianna pour ne pas l'inquiéter sans raison et sortit de la voiture en courant sous la pluie battante, puis s'arrêta.

Elle était là, gisant sur le côté de la route comme une poupée désarticulée, nue, les cheveux emmêlés, le visage à moitié enfoncé dans la boue, les yeux grands ouverts. Accourue, Christianna découvrit à son tour l'horrible spectacle. De toute évidence, Fiona avait été violée, avant d'être tuée de plusieurs coups de couteau. Après l'avoir repoussée doucement, Max dit à Christianna de retourner dans la voiture.

— Non ! hurla-t-elle. Non !

S'agenouillant dans la boue à côté de son amie, elle ôta son manteau pour l'en recouvrir, puis dégagea son visage avec douceur et prit sa tête dans ses mains, indifférente à la pluie qui ruisselait sur elle. En sanglotant, elle étreignit Fiona. Max essaya de l'arracher à elle, sans succès. Quelques minutes plus tard, le car arriva et Max leur fit signe de s'arrêter. Ils descendirent en hâte, puis Klaus et Ernst aidèrent Max à écarter Christianna. Les autres furent prévenus par radio ; quelqu'un apporta un drap et, tandis qu'on entraînait Christianna, effondrée, ils enveloppèrent le corps de Fiona, le déposèrent dans le car et rentrèrent au camp.

Le reste de la journée s'écoula dans la plus grande confusion. Après avoir investi le camp, les autorités passèrent la zone au peigne fin, mais personne n'avait rien vu. Faute d'indices, la police locale finit par arrêter des maraudeurs éthiopiens, malgré le scepticisme des membres du camp. Pour eux, le coupable était un fou qui avait réussi à échapper aux mailles du filet. C'était le premier acte de violence auquel ils étaient confrontés. Geoff se rendit à Senafe pour téléphoner lui-même à la famille de Fiona. Max et Sam l'accompagnèrent pour appeler le prince, malgré les dénégations de Christianna.

Sa réaction fut exactement celle qu'elle avait prévue : « Ramenez-la immédiatement. Dès demain... Et même aujourd'hui ! » Mais Christianna n'était pas en état de partir. La mort de son amie – et surtout les circonstances atroces de sa mort – l'avait anéantie.

Elle aurait voulu parler à Parker, mais sa détresse était trop grande pour qu'elle puisse aller à la poste avec Sam et Max. De plus, elle se sentait incapable de discuter avec son père. Elle ne voulait pas repartir, en tout cas pas avant l'enterrement de Fiona. Elle avait l'impression que tout s'était brusquement transformé en chaos. L'horreur avait fait irruption dans le camp, et tous avaient peur.

Le lendemain, l'équipe au complet assista aux obsèques de Fiona. La famille de Fiona avait accepté à contrecœur qu'elle soit enterrée sur place. Malgré leur désespoir, ses parents avaient convenu qu'il aurait été trop compliqué de rapatrier son corps. Et puis, elle avait tant aimé l'Afrique qu'il semblait normal qu'elle y soit inhumée. La nouvelle de sa mort s'était répandue aux alentours, et la population locale marquait une incompréhension et une affliction comparables à celles du camp. Après l'enterrement, tous se retrouvèrent à la cantine, malheureux, furieux et effrayés, ne parvenant pas à croire qu'ils avaient perdu leur amie. Accrochées l'une à l'autre, Christianna et Mary sanglotaient, Ushi était inconsolable, et Geoff et Maggie étaient bouleversés au-delà de toute expression.

Ce fut un moment terrible. Mais leurs épreuves n'étaient pas terminées. Deux jours après l'enterrement de Fiona, il y eut un nouvel accrochage à la frontière ; et trois jours plus tard, la guerre éclatait entre l'Ethiopie et l'Erythrée.

Cette fois, il n'y eut pas de discussion. Sam et Max ne téléphonèrent pas au prince et ne demandèrent pas son avis à Christianna. Sam s'occupa de ses bagages, pendant que Max attendait à l'extérieur de la tente qu'elle finisse de se préparer. Il n'y avait plus le choix, et ils partaient, même si Christianna ne voulait pas quitter ses amis. Geoff était tout à fait d'accord avec Sam et Max. Les autres membres du camp allaient devoir eux aussi choisir de rester ou de partir.

Geoff lui-même insista pour que Christianna s'en aille. Elle avait été d'un dévouement extraordinaire, elle s'était donnée sans compter, et tous l'aimaient infiniment, mais ce n'était pas son métier. Elle leur avait offert son cœur et son âme, mais Geoff ne voulait pas qu'elle le paye de sa vie.

Les adieux furent déchirants. Christianna fit une dernière fois le tour des malades de l'unité sida pour leur dire au revoir. Puis Geoff les conduisit, elle, Max et Sam, à Asmara. Une fois descendue de voiture, sous une pluie diluvienne, Christianna s'accrocha à Geoff en sanglotant. Elle craignait pour la sécurité de l'équipe. Les forces de l'ONU et de l'Union africaine ne cessaient d'affluer. Elle avait l'impression de trahir ses amis en les quittant dans ces moments difficiles.

— Vous devez partir, Votre Altesse, lui dit Geoff en usant délibérément de son titre, comme pour lui rappeler qui elle était. Votre père ne nous pardonnerait jamais s'il vous arrivait quelque chose.

Après neuf mois passés en Erythrée, Christianna n'était toujours pas préparée à retourner chez elle. Sans doute ne le serait-elle jamais. Son cœur appartenait à ce pays, et elle n'oublierait jamais ce qu'elle venait d'y vivre.

— Mais... et vous tous ? s'inquiéta-t-elle.

— Tout va dépendre de l'évolution de la situation dans les prochains jours. Il est encore trop tôt pour le dire. Nous devons également attendre la décision de Genève pour aviser. Mais, en ce qui vous concerne, il est grand temps que vous retourniez chez vous.

Christianna embrassa Geoff une dernière fois et le remercia de lui avoir offert les mois les plus heureux de son existence. Quant à lui, il la remercia pour tout ce qu'elle avait fait et tout ce qu'elle avait donné, et il lui souhaita beaucoup de bonheur. Personne n'oublierait Cricky, sa grâce, sa bonté et sa générosité.

Christianna, Max et Samuel montèrent alors à bord. Par le hublot, Christianna vit Geoff leur adresser un signe, puis retourner en courant vers le car. Quelques instants plus tard, l'avion décollait pour le long voyage jusqu'à Francfort. Il y aurait ensuite le bref trajet jusqu'à Zurich, puis jusque chez elle.

Elle resta les yeux dans le vague une bonne partie du vol, songeant à Fiona et à Parker, à Laure, à Ushi et aux enfants auxquels elles faisaient la classe, à Mary, aux femmes et aux enfants de l'unité sida. Elle laissait derrière elle tant de personnes qu'elle aimait ! Quant à la pauvre Fiona, elle l'emmenait avec elle, à jamais présente dans son cœur.

Pour une fois, elle ne fit aucune remarque à Sam et à Max, assis de l'autre côté de l'allée. Ils avaient fait leur devoir et l'auraient emmenée de force s'il l'avait fallu. L'irruption de la guerre ne leur avait pas laissé le choix, pas plus qu'à son père, et Christianna en était bien consciente.

Elle dormit un long moment puis, durant le reste du voyage, elle regarda par le hublot, pensant à Fiona... et à Parker. Elle l'appela dès qu'elle fut descendue de l'avion, à Francfort, et lui raconta tout ce qui s'était passé : le meurtre de Fiona, les incidents frontaliers, la guerre. Elle termina son récit en larmes, le laissant stupéfait.

— Mon Dieu, Cricky... Et toi, tu n'as rien ?

Il ne parvenait pas à croire ce qui était arrivé à Fiona. En lui décrivant l'horrible scène, elle s'était mise à sangloter. Il eut l'impression qu'elle était à bout.

— Je t'aime, hoqueta-t-elle à plusieurs reprises, incapable de s'arrêter de pleurer. Je t'aime tant...

Elle ne l'avait pas vu depuis près de deux mois. Avec tout ce qui était arrivé, elle avait l'impression que cela faisait des siècles.

— Cricky, je t'aime, moi aussi. Je veux que tu rentres chez toi et que tu te calmes. Que tu te reposes. Et, dès que tu le pourras, je te retrouverai à Paris.

— D'accord, murmura-t-elle.

Comment parviendrait-elle à vivre sans lui ? Cela faisait déjà bien trop longtemps qu'ils étaient séparés, et elle avait vécu trop de choses horribles.

— Rentre à la maison, mon amour. Tout ira bien, affirma-t-il en regrettant de ne pas pouvoir la serrer dans ses bras.

Il était bouleversé, mais Christianna paraissait en état de choc.

— Non, tout n'ira pas bien, sanglota-t-elle de plus belle. Parker, Fiona est morte ! Ça n'ira plus jamais bien pour elle !

— Je le sais, dit-il en cherchant une façon de la consoler, mais sans savoir laquelle.

Il ne parvenait pas à croire que Fiona avait été tuée. Comment imaginer que cette fille formidable, chaleureuse et pleine de vie, n'était plus là ?

— Je le sais, répéta-t-il. Mais tout ira bien pour nous. Je te verrai très bientôt à Paris.

Les pleurs de Christianna redoublèrent, car elle était consciente que ce serait sans doute la dernière fois. Or elle se sentait incapable d'affronter d'autres pertes ou d'autres adieux.

Quand elle fut obligée de raccrocher pour monter à bord de l'avion à destination de Zurich, Parker était très inquiet. Elle paraissait anéantie. Mais qui ne l'aurait été, après avoir subi de telles épreuves ?

— Je peux t'appeler chez toi ? demanda-t-il.

Christianna lui avait donné les numéros de téléphone de Vaduz, mais en lui recommandant de ne les utiliser qu'en cas d'absolue nécessité. Elle ne voulait pas risquer d'éveiller les soupçons. Parker, très préoccupé par son état, voulait néanmoins prendre de ses nouvelles. Ses inquiétudes étaient fondées, car Christianna ne s'était jamais sentie aussi mal de sa vie.

— Non, c'est moi qui t'appellerai, répondit-elle d'une voix tremblante.

Le chaos le plus total régnait dans son esprit. Fiona était morte, Parker se trouvait à Boston pour toujours, ses amis de Senafe allaient vivre dans une région en guerre… Et maintenant, elle allait se retrouver face à son père, alors qu'elle ne se sentait absolument pas prête à revenir chez elle. En l'espace de dix-sept heures, elle était passée d'une partie du monde à l'autre, et elle avait l'impression d'être une plante qu'on avait arrachée au riche sol africain. Elle n'avait plus de racines, soudain. C'était à Senafe qu'était son foyer, plus au Liechtenstein. Quant à son cœur, il était à Boston avec Parker. Elle se sentait complètement déstabilisée et ne pouvait plus cesser de pleurer. Sam et Max paraissaient presque aussi malheureux qu'elle. Eux aussi avaient adoré leur séjour là-bas, mais ils ne s'étaient pas posé de questions, ce matin. Ils n'avaient eu qu'un objectif en tête : la ramener saine et sauve.

— Je suis désolé que nous ayons eu à partir comme ça, Votre Altesse, lui dit Max. Mais il fallait que nous fassions notre devoir. Il était temps de partir.

— Je le sais, répondit-elle avec tristesse. Tout s'est enchaîné si tragiquement : la mort de Fiona, la rupture de la trêve et les incidents à la frontière... Que va-t-il arriver à tous ces pauvres gens, s'ils doivent vivre une nouvelle guerre ?

En y pensant, elle avait le cœur serré. Ils étaient si chaleureux, si attachants ! Quant aux membres de la mission, elle avait l'impression d'avoir quitté des frères et des sœurs.

— Ce sera très dur pour eux si la guerre s'intensifie, reconnut Max avec honnêteté.

Sam et lui en avaient longuement discuté durant le vol. L'ONU essayait de s'interposer mais, la dernière fois, elle n'avait pas réussi à empêcher le conflit.

— Je m'inquiète aussi pour les gens du camp, poursuivit Christianna.

— Ils sauront quand partir. Ils ont déjà vécu ce genre d'événement.

En ce qui concernait Christianna, Max et Sam n'avaient eu aucun scrupule à la faire partir plus tôt que les autres, car, s'il lui était arrivé quelque chose, les conséquences auraient été désastreuses. Le prince ne le leur aurait jamais pardonné, pas plus qu'ils ne se seraient pardonné à eux-mêmes.

Christianna garda le silence pendant la dernière partie du voyage, entre Francfort et Zurich, murée dans son chagrin. La perte de son amie, l'absence de l'homme qu'elle aimait, la situation sans issue dans laquelle tous deux se trouvaient malgré leur amour, l'arrachement brutal à ce pays où elle avait trouvé le bonheur, c'était plus qu'elle ne pouvait en supporter.

Surtout que, malgré sa joie de revoir son père, elle avait l'impression de retourner en prison. A Vaduz, les portes de sa cage allaient se refermer, pour lui offrir une éternité faite de devoirs et de sacrifices. C'était comme si on la punissait d'être née princesse. Ce fardeau lui semblait de plus en plus intolérable, et elle se sentait déchirée entre ce qu'on lui avait appris à vénérer – ses ancêtres, son pays et sa famille – et ce à quoi son cœur aspirait : Parker, l'unique homme qu'elle avait jamais aimé.

Son père l'attendait à Zurich et des larmes brillaient dans ses yeux quand il la prit dans ses bras. Il s'était fait tant de souci pour elle, au cours des dernières heures ! Il était profondément reconnaissant à Max et à Sam d'avoir ramené Christianna saine et sauve. D'après les dernières informations qu'il avait reçues, la situation avait encore empiré depuis qu'elle avait quitté Asmara.

Levant la tête, Christianna lui sourit, et il fut frappé par le changement qui s'était opéré en elle. Elle était devenue une femme. Elle avait aimé, vécu, travaillé et mûri. Comme chez d'autres avant elle, la beauté de l'Afrique, avec tout ce qu'elle y avait appris et découvert, s'était gravée au plus profond d'elle-même.

Les douaniers firent signe à Christianna de passer, sans procéder aux formalités habituelles. Ils ne regardaient jamais son passeport, car ils la connaissaient.

Elle monta dans la Rolls à côté de son père, derrière le chauffeur et le garde du corps habituels. Sam et Max les suivaient dans une seconde voiture, en compagnie de deux autres gardes du corps heureux de les revoir. Ils n'étaient pas aussi désespérés que Christianna. Pour eux, cette mission en Afrique faisait partie de leur travail, même s'ils s'étaient énormément plu là-bas et ils éprouvaient, eux aussi, de la tristesse à rentrer. Comme pour elle, l'univers familier qu'ils retrouvaient leur paraissait étranger.

Durant le trajet jusqu'au Liechtenstein, Christianna parla très peu. Tenant la main de son père dans la sienne, elle regarda par la vitre. C'était l'automne et il faisait un temps magnifique, mais Senafe lui manquait.

Son père était au courant de tout ou, du moins, il le croyait. Il savait que Christianna avait découvert le corps de Fiona et attribuait son état au choc qu'elle avait subi. Il ne pouvait pas savoir qu'à cela s'ajoutait le désespoir de perdre Parker. Si leur séparation définitive n'avait pas encore eu lieu, elle était inéluctable. Car, même s'ils réussissaient à se retrouver à Paris, ce serait pour une seule et unique fois. Par égard pour son père, Christianna ne voulait pas créer le même genre de scandale que Freddy.

— Vous m'avez manqué, papa, dit-elle en se tournant vers lui.

Il la contemplait avec une telle tendresse qu'elle sut qu'elle ne pourrait jamais lui briser le cœur en piétinant leurs valeurs les plus sacrées. Au lieu de cela, elle lui offrait en sacrifice son propre cœur, ainsi que celui de Parker. Deux cœurs contre un seul... Le prix que le devoir l'obligeait à payer était énorme.

— Toi aussi, tu m'as manqué, dit-il doucement.

Quand ils atteignirent Vaduz, elle vit se profiler le palais où elle avait grandi. Mais elle ne le considérait plus comme son foyer, à présent. Sa place était auprès de Parker ; ou à Senafe, avec les gens qu'elle aimait. Au cours des neuf derniers mois, ceux qui appartenaient à sa vie antérieure lui étaient devenus étrangers. La femme qui rentrait d'Afrique était différente. Son père s'en était d'ailleurs rendu compte.

Lorsqu'elle descendit de la voiture, les domestiques qu'elle connaissait depuis sa naissance l'attendaient. Charles se précipita vers elle, et elle sourit quand il posa ses pattes sur ses épaules pour lui lécher le visage. Puis elle aperçut Freddy, rentré spécialement de Vienne pour la voir, qui lui faisait signe d'un peu plus loin.

Mais, au plus profond d'elle-même, Christianna ne ressentait rien.

Le chien la suivit à l'intérieur, et elle entendit quelqu'un refermer la porte derrière elle. Freddy l'entoura de ses bras pour l'embrasser, Charles aboya, son père lui sourit, et Christianna leur sourit à son tour, d'un sourire plein de tristesse. Elle aurait voulu être heureuse de les revoir, mais ce n'était pas le cas. Elle avait l'impression de se trouver devant des étrangers. Tous ceux qui s'adressaient à elle l'appelaient « Votre Altesse Sérénissime ». Or, c'était exactement ce qu'elle refusait d'être, et ce qu'elle n'avait pas été durant neuf mois extraordinaires.

Elle ne voulait pas redevenir Christianna de Liechtenstein. Tout ce qu'elle voulait être, c'était Cricky de Senafe.

14

Une fois rentrée, Christianna suivit l'évolution de la situation en Erythrée avec passion. Les nouvelles n'étaient pas bonnes, et elle s'inquiétait pour ses amis. Les violations de frontière se multipliaient, de nombreuses personnes avaient déjà été tuées et les Erythréens commençaient à fuir leur pays, comme lors du conflit précédent. La guerre s'intensifiait et, même si elle répugnait à l'admettre, son père avait eu raison de la forcer à revenir en Europe.

Elle pleurait toujours Fiona, se rappelant les fous rires qu'elles avaient partagés, la fureur de son amie quand elle avait découvert qu'elle était princesse. Elle revoyait tous les bons moments qu'elles avaient passés ensemble, et ce terrible matin où ils avaient découvert son corps martyrisé. Christianna espérait qu'elle était morte très vite. Mais, même si cela n'avait duré que quelques secondes, Fiona avait dû connaître une telle souffrance, une telle terreur ! Christianna ne parvenait pas à chasser de son esprit l'horrible image de son amie gisant nue, le visage dans la boue, le corps lacéré de multiples coups de couteau.

Elle était revenue d'Erythrée changée à jamais. Elle avait adoré être là-bas, aimé les gens comme les paysages et, aujourd'hui, elle se sentait une étrangère à Vaduz. Alors qu'en Afrique, elle était elle-même, maintenant elle devait renoncer à celle qu'elle était vraiment, s'effacer devant le devoir et l'histoire, et oublier l'homme qu'elle aimait. Chaque journée était une véritable croix. Bien sûr, elle aimait son père et son frère, mais elle avait l'impression d'être en prison. Elle devait se forcer tous les matins pour sortir de son lit et faire ce qu'on attendait d'elle. Elle y parvenait, mais c'était comme si un peu d'elle mourait chaque jour, comme si elle se desséchait intérieurement.

Parker et elle s'envoyaient quotidiennement des e-mails. Christianna lui téléphona à plusieurs reprises, mais elle ne voulait pas qu'il appelle et que l'on soupçonne son existence. Internet restait le mode de communication le plus sûr. Cependant, dans ses e-mails, Christianna ne laissait transparaître aucun espoir pour l'avenir, car il n'y en avait pas et il aurait été trop cruel, pour lui comme pour elle, de cultiver cette illusion.

Elle adorait leurs échanges quotidiens. Parker lui faisait part de l'avancée de ses travaux et elle lui racontait ses journées. La plupart du temps, elle se contentait de lui dire ce qu'elle ressentait. Ils étaient tous deux plus amoureux que jamais.

Christianna assista, avec son père, à de nombreuses cérémonies officielles, dont deux dîners à Vienne. Ils se rendirent aussi au bal de la Croix-Rouge donné par le prince Albert à Monaco. Cet événement revêtait une signification particulière pour Christianna, même si elle n'avait pas réellement envie de s'y rendre. Elle avait repris la vie qu'elle avait toujours menée aux côtés de son père, le secondant lorsqu'il le fallait.

Freddy partageait son temps entre Vienne et diverses capitales européennes. Il fit plusieurs croisières avec des amis et passa une semaine à Saint-Tropez en septembre. Comme toujours, les paparazzis le suivaient, à l'affût du moindre scandale. Même s'il se tenait un peu mieux depuis quelque temps, la presse savait, tout comme Christianna et son père, qu'il céderait tôt ou tard à sa pente naturelle. Il avait rendu plusieurs visites à Victoria, qui s'était fait teindre les cheveux en vert car elle était de nouveau fiancée – à une star du rock cette fois. Freddy adorait sa compagnie et les gens qu'elle fréquentait, tous plus excentriques les uns que les autres.

Et, lorsqu'il n'avait rien d'autre à faire, il passait en coup de vent à Vaduz. Il était surpris par la maturité nouvelle de Christianna, ainsi que par les efforts qu'elle déployait pour faire plaisir à leur père. Elle allait dans les hôpitaux et les orphelinats, dans les maisons de repos, au chevet des convalescents, acceptant de bonne grâce la présence constante des photographes. Elle accomplissait sa tâche sans jamais se plaindre. Mais, quand Freddy plongeait son regard dans celui de sa sœur, ce qu'il y lisait lui serrait le cœur.

— Tu aurais besoin de t'amuser un peu, lui dit-il un matin alors qu'un chaud soleil automnal baignait la table du petit déjeuner. Sinon tu vas vieillir avant l'heure, petite sœur.

Christianna avait eu vingt-quatre ans au cours de l'été et il s'apprêtait à fêter ses trente-quatre ans, mais il ne semblait toujours pas prêt à se ranger.

— Que me proposes-tu ?

— Pourquoi n'irais-tu pas passer une ou deux semaines dans le midi de la France ? Victoria a loué une maison à Ramatuelle, et tu sais qu'on peut compter sur elle pour organiser des fêtes formidables.

Christianna était certaine que ce serait très divertissant. Mais après ? Ce serait de nouveau Vaduz et son poids d'obligations. C'était ce qui l'avait déprimée lorsqu'elle était rentrée et ce n'étaient pas les propositions de Freddy qui changeraient quoi que ce soit. En vérité, il n'existait pas de réelle solution à son problème, hormis la résignation.

— Je dois rester ici, pour aider papa. J'ai été absente si longtemps…

— Il peut très bien se débrouiller sans toi, observa Freddy en étendant ses longues jambes devant lui.

Il était incroyablement séduisant et il n'était pas étonnant qu'il ait autant de succès auprès des femmes.

— Il y arrive très bien sans moi, ajouta-t-il en riant.

Christianna soupira. Elle se privait de tant de choses, alors que lui continuait de s'amuser. C'était parce qu'il refusait d'endosser ses responsabilités qu'elle devait les assumer à sa place et qu'elle avait dû renoncer à Parker. Il était difficile de ne pas lui en vouloir.

— Quand vas-tu te décider à grandir ? rétorqua-t-elle.

Elle commençait à en avoir assez de la vie de noceur impénitent que menait son frère, et de son irresponsabilité. Ça l'avait amusée pendant longtemps, mais plus maintenant.

— Jamais, peut-être. Ou en tout cas, pas avant que j'y sois obligé, répondit-il avec honnêteté. Qu'est-ce que j'aurais à y gagner ? Père va vivre encore longtemps, et je ne régnerai pas avant des années. Il sera temps, alors, de me ranger.

Christianna faillit lui dire qu'il serait peut-être trop tard, à ce moment-là. Son frère avait acquis de mauvaises habitudes et se montrait très égocentrique. Mais elle se contenta de lui faire remarquer avec sévérité :

— Tu pourrais seconder papa un peu plus que tu ne le fais. Il croule sous le travail. Entre la gestion de la principauté, les problèmes économiques et humanitaires à gérer, les relations avec les autres pays, est-ce que tu ne pourrais pas le soulager un peu ?

Malgré ses efforts, Christianna n'avait jamais réussi à faire changer son frère. Hormis son plaisir, Freddy ne s'intéressait à rien.

— Tu es devenue horriblement sérieuse depuis que tu es revenue, lui jeta-t-il d'un ton peu amène.

Il n'aimait pas être rappelé à l'ordre. Son père avait renoncé à le faire et ne le sermonnait plus que rarement, se reposant de plus en plus sur Christianna. Il déplaisait à Freddy d'être réprimandé par sa jeune sœur, surtout quand elle avait raison.

— Je trouve ça carrément barbant, ajouta-t-il, l'air agacé.

— Peut-être que la vraie vie est barbante. Je ne pense pas que les adultes s'amusent tous les jours, figure-toi, et surtout pas nous. Nous avons des responsabilités envers notre père *et* envers notre pays... Nous devons montrer l'exemple et faire ce que l'on attend de nous, que cela nous plaise ou non, que nous le voulions ou non. « Honneur, Courage et Compassion », cela te rappelle quelque chose ?

C'était la devise de leur famille. Celle de Christianna et de son père, en tout cas. Pour Freddy, elle n'avait pas beaucoup de signification, voire pas du tout. Son sens de l'honneur était douteux, il manquait du courage le plus élémentaire, et la seule compassion qu'il aurait pu éprouver aurait été envers lui-même.

— Quand donc es-tu devenue une sainte ? riposta-t-il. Qu'est-ce qu'ils t'ont fait, en Afrique ?

Même lui s'était aperçu que Christianna avait changé. La jeune fille qui était partie s'était transformée en femme. Et quand il la regardait, il avait l'impression qu'elle souffrait.

— J'ai appris beaucoup de choses, répondit-elle avec calme, et j'ai rencontré des gens merveilleux, parlant autant de ceux avec lesquels elle avait travaillé que de ceux auxquels elle avait apporté son aide.

Elle avait découvert l'amour et renoncé à lui au nom de son père et de son pays, elle avait vu mourir une amie et assisté au début d'une guerre. Tous ces événements l'avaient profondément transformée.

Freddy n'était pas certain d'apprécier la nouvelle personnalité de sa sœur, et trouvait de plus en plus ennuyeux son sens toujours accru des responsabilités.

— Tu deviens assommante, ma petite sœur. Comme je te l'ai dit, tu devrais t'amuser un peu plus. Et passer un peu moins de temps à essayer de m'en empêcher, ajouta-t-il avec une pointe d'acidité.

Sur ces entrefaites, il se leva et s'étira avec nonchalance.

— Je retourne à Vienne aujourd'hui, ensuite j'irai voir des amis à Londres.

La ronde des plaisirs continuait pour lui, et Christianna se demanda comment il pouvait supporter la vacuité d'une telle existence. A combien de soirées pouvait-il assister ? Combien de starlettes ou de mannequins pouvait-il collectionner ?

Et pendant ce temps, il revenait aux autres d'assumer sa charge de travail...

Freddy partit le matin même, et une certaine gêne subsistait entre eux quand ils se dirent au revoir. Il n'avait pas apprécié qu'elle le critique et lui rappelle ses devoirs ; quant à elle, elle regrettait de le voir ainsi gâcher sa vie. Christianna pensait toujours à son frère quand elle reçut un e-mail de Parker l'invitant à Paris.

Son premier réflexe fut de dire non, même si elle lui avait promis de l'y retrouver un jour. Elle craignait qu'ils ne s'attachent encore plus l'un à l'autre, qu'ils ne soient encore plus amoureux et qu'ils ne souffrent encore davantage lorsqu'il leur faudrait se séparer. Ils ne pourraient pas multiplier ce genre de retrouvailles sans courir le risque que quelqu'un la reconnaisse. Après avoir lu son e-mail, elle hésita quelques minutes puis prit le téléphone pour l'appeler, avec l'intention de lui dire non. Cependant, lorsqu'elle entendit sa voix, sa résolution flancha.

— Salut, Cricky, comment ça va ?

Christianna resta un instant silencieuse, réfléchissant à la réponse à lui donner, avant d'opter pour l'honnêteté.

— C'est vraiment dur. Je viens juste de prendre mon petit déjeuner avec mon frère... Il ne change pas. Il ne pense qu'à se divertir, dépenser de l'argent et courir les filles, alors que notre père se tue au travail et que je fais ce que je peux pour l'aider. Ce n'est pas juste. A trente-quatre ans, il n'a aucun sens de ses responsabilités et il se conduit comme s'il en avait dix-huit. Je l'aime bien, mais quelquefois, j'en ai par-dessus la tête de son inconséquence !

A force de devoir compenser les manquements de Freddy, elle commençait à lui en vouloir. C'était un sentiment qu'elle n'avait jamais éprouvé avant Senafe. Jusqu'à son départ, elle avait considéré son frère comme un vaurien séduisant et s'était amusée de ses frasques. Mais elle n'était pas amoureuse de Parker, alors. Maintenant, elle trouvait son attitude beaucoup moins drôle.

Parker eut l'impression qu'elle était triste et fatiguée.

— Alors, que penses-tu de Paris ? demanda-t-il, sans dissimuler son espoir.

— Je ne sais pas, répondit-elle sincèrement. J'en rêve, mais j'ai peur qu'après, cela ne soit encore plus dur pour nous.

« Jusqu'à la rupture finale », ajouta-t-elle en son for intérieur. Elle n'imaginait pas d'autre issue. Un jour, elle pourrait essayer d'en parler à son père, mais elle ne se faisait pas d'illusions. Etant donné la manière dont il voyait les choses, Parker n'avait aucune chance. Il n'était ni de sang royal ni noble. Hans Josef ne pouvait imaginer que sa fille ait une liaison avec un roturier. Peu importait que d'autres monarchies en admettent de plus en plus souvent en leur sein. Pour lui, il ne pouvait en être question. Pour le moment, il ignorait tout. Mais elle savait que, dès qu'il serait au courant, il lui demanderait de renoncer à Parker, et elle devrait se plier à sa volonté. Elle ne pouvait pas lutter contre des siècles de tradition, ni contre le vœu de sa mère. Elle en était malade, mais ne voyait pas de solution.

— J'essaie simplement de maintenir le patient en vie, argua-t-il, jusqu'à ce que nous ayons trouvé un remède pour la maladie.

Parker ne renonçait pas à ses espoirs ni à ses rêves d'une vie avec elle. Il ne voulait pas abandonner.

— Il n'existe pas de remède, mon amour, objecta-t-elle doucement alors qu'elle mourait d'envie de le voir.

Elle avait vingt-quatre ans et était profondément amoureuse d'un homme extraordinaire. Comment pouvait-elle justifier, même à ses propres yeux, le sacrifice de cet amour au nom des traditions, de son pays, de son père, ou parce que son frère n'était pas apte à régner ? Elle était écartelée entre des désirs contradictoires.

— Pour l'instant, retrouvons-nous simplement à Paris, proposa-t-il. Nous ne sommes pas obligés de résoudre tous les problèmes d'un coup. Cricky, tu me manques, et je voudrais te voir.

— Moi aussi, je voudrais te voir, dit-elle avec tristesse. Si seulement nous pouvions aller passer le week-end à Massawa…

Elle sourit à ce souvenir. Tout s'était si bien passé là-bas ! Les choses étaient beaucoup plus simples, alors.

— Je ne suis pas certain que ce soit l'endroit où aller en ce moment. D'après ce que j'ai lu sur Internet, les combats à la frontière se multiplient.

L'Ethiopie n'avait jamais vraiment accepté les termes du cessez-le-feu, ni renoncé à conquérir un jour les ports érythréens.

— Je pense vraiment que tu es partie à temps, ajouta-t-il.

Même si elle déplorait d'être rentrée, Christianna ne pouvait pas le contredire.

— As-tu des nouvelles de Senafe ? lui demanda-t-elle.

Cela faisait des semaines qu'elle avait reçu une lettre de Mary et une carte postale d'Ushi. Elles ne disaient pas grand-chose, hormis que Cricky leur manquait, qu'elles surveillaient l'évolution de la situation et attendaient les ordres de Genève. Depuis, rien.

— Juste une carte de Geoff. Mais il n'y avait rien de nouveau. Si la guerre s'intensifie, il leur faudra probablement partir. Il se peut qu'ils rejoignent les forces de l'ONU à la frontière, mais ils se trouveront alors en première ligne. Ils seront sans doute obligés de fermer le camp.

Cette pensée attrista Christianna. Elle avait été si heureuse là-bas ! Mais surtout elle songeait aux Erythréens, dont le sort lui tenait tellement à cœur. Une autre guerre avec l'Ethiopie serait terrible pour eux, alors qu'ils se remettaient à peine de la précédente.

— Et si nous revenions à nous ? suggéra Parker, qui devait retourner travailler. Imagine-nous à Paris... Toi et moi, marchant au bord de la Seine, nous tenant par la main, nous embrassant, faisant l'amour... Cela ne te semble pas tentant ?

Christianna se mit à rire. Tentant ? Et comment !

— Qui pourrait y résister ?

— Pas toi, j'espère. Quand pourrais-tu t'échapper ? Tu as des obligations, dans les semaines à venir ?

— Ce week-end, je vais à Amsterdam pour un mariage. La nièce de la reine se marie, et mon père est son parrain. Mais je crois que je suis libre le week-end suivant.

— Tu es la seule femme que je connaisse – et je n'en connaîtrai sûrement jamais d'autres – dont l'agenda est rempli de rois, de reines et de princes, dit-il, moqueur. Les gens normaux assistent à des matchs de football ou à des kermesses. Toi, mon amour, tu es vraiment ma princesse.

— C'est justement là le problème, fit remarquer Christianna, tout en songeant que Parker, lui, était son prince charmant.

— Eh bien, je suis tout à fait disposé à passer après la reine des Pays-Bas. Alors, le week-end suivant, ce serait possible ?

— Je le pense, répondit Christianna après avoir feuilleté son agenda. Mais… je ne sais pas ce que je dirai à mon père, ajouta-t-elle, ennuyée.

— Dis-lui que tu vas faire du shopping. C'est toujours une excellente excuse.

Parker n'avait pas tort, mais elle craignait que son père ne veuille l'accompagner. Il aimait beaucoup l'emmener à Paris.

Soudain, son visage s'éclaira.

— Mais j'y pense… Ce week-end-là, il assistera à une régate à Cowes, en Angleterre. Il sera donc occupé.

Le dévouement qu'elle montrait envers son père impressionnait toujours Parker, tout en le consternant.

— Alors, ça pourrait marcher ? demanda-t-il, n'osant y croire.

— Ça marche, mon amour ! répondit-elle avec un petit rire.

Pour la première fois depuis son retour, elle se sentit de nouveau jeune et libre. C'était comme si elle venait d'obtenir un sursis. Trois jours à Paris avec lui ! Le bonheur ! Après, elle accepterait toutes les obligations qu'on lui imposerait. Mais elle allait passer trois jours avec lui !

Christianna demanda à sa secrétaire de lui réserver une chambre au Ritz, tandis que Parker se chargeait de sa propre réservation. Ils ne pouvaient prendre le risque de partager une chambre, de crainte d'une indiscrétion. Ils n'en utiliseraient sans doute qu'une, mais ils devaient être inscrits séparément sur le registre. Christianna fut soulagée que Parker accepte et qu'il soit suffisamment riche pour que ce soit possible.

Elle demanda au responsable du service de sécurité qu'on lui affecte Samuel et Max pour le week-end, car elle savait pouvoir compter sur leur discrétion. Tous les quatre allaient donc se retrouver, comme à Senafe. Christianna était folle d'impatience. Et c'est joyeuse et détendue que, cet après-midi-là, elle se rendit à ses différents rendez-vous. Elle se montra plus gentille que jamais avec les enfants, plus patiente avec les personnes âgées, plus aimable encore avec les personnes qui lui serraient la main, lui offraient des fleurs ou l'embrassaient. Et, lors du dîner officiel où elle l'accompagna, son père lui-même remarqua combien elle avait l'air heureuse. Il en fut soulagé, car il s'était inquiété à son sujet. Christianna semblait encore plus abattue à son retour d'Afrique qu'avant son départ et il commençait presque à regretter de lui avoir permis de partir, puisque cela semblait avoir aggravé le problème au lieu de le résoudre.

Ce soir-là, elle se montra plus gracieuse, plus affable et plus vive que jamais. Elle fut, aux yeux de son père, la fille parfaite dont il avait toujours rêvé.

Ce qu'il ignorait, c'est que Christianna était incapable de penser à autre chose qu'à Parker et à leur prochaine rencontre. Pour passer ces trois jours avec lui à Paris, elle aurait été prête à marcher sur des braises. Seul Parker lui donnait le courage de continuer. Elle se nourrissait de la force qu'il lui insufflait et du parfum enivrant de leur amour.

15

En route vers l'aéroport de Zurich, Max et Samuel taquinèrent Christianna sur la dureté de la mission qu'on leur confiait. Ils adoraient voyager avec elle, aimaient beaucoup Paris et étaient ravis d'échapper à la routine du palais. C'était presque comme s'ils s'élançaient tous les trois vers une nouvelle aventure, même si elle était de courte durée.

Les deux hommes ignoraient qu'à Paris elle retrouverait Parker. Christianna ne voulait pas que quiconque soit au courant, même eux, de peur d'une bévue ou d'une imprudence. Il ne s'agissait pas d'un week-end à Qohaito, loin des yeux de son père. Vaduz restait très proche, et il suffirait d'une minute d'inattention pour que les paparazzis se précipitent sur elle. Parker et elle allaient devoir se montrer infiniment prudents et discrets.

A leur arrivée à l'aéroport Roissy-Charles-de-Gaulle, ils franchirent la douane escortés, comme d'habitude, par le chef de la sécurité. Tous trois montèrent ensuite dans la voiture avec chauffeur qui les attendait. Depuis leur retour, Max et Sam n'appelaient plus Christianna « Cricky », mais usaient du très respectueux « Votre Altesse ». Même si cela sonnait curieusement à ses oreilles, Christianna l'acceptait.

Un des directeurs de l'hôtel la conduisit directement dans une très belle suite donnant sur la place Vendôme.

Elle y entra, contempla la vue, suspendit quelques vête-ments, commanda du thé, puis arpenta nerveusement la chambre, attendant avec impatience. C'est alors que, comme au cinéma, on frappa à sa porte. Quand elle l'ouvrit, elle se retrouva devant Parker, plus beau que jamais, en blazer et pantalon de toile, avec une chemise bleue au col ouvert. Avant même d'avoir pu vraiment le regarder, Christianna se retrouva dans ses bras. Le baiser qu'ils échangèrent fut passionné. Jamais elle n'avait été aussi heureuse. Ils étaient séparés depuis deux mois, puisqu'il était parti à la fin du mois de juillet et qu'on était à la fin de septembre. Enfin, Parker s'écarta un peu pour l'admirer.

— Mon Dieu, que tu es belle !

Il avait gardé en mémoire l'image de Christianna telle qu'elle était à Senafe, coiffée d'une natte, portant un short et de grosses chaussures, sans maquillage ni bijoux. Aujourd'hui, elle portait une robe en lainage du même bleu que ses yeux, ainsi qu'un collier de perles et des boucles d'oreilles assorties. Et même des escarpins, lui fit-elle remarquer. Et ils n'avaient pas à s'inquiéter des serpents, ajouta-t-il, taquin.

Ils nageaient en plein bonheur. Christianna avait prévu de faire une courte promenade avec lui et de se rendre dans un petit café de la rive gauche. Parker avait eu la même idée. Au lieu de cela, ils se retrouvèrent au lit quelques minutes plus tard, étroitement enlacés, affamés l'un de l'autre. Leurs deux mois de séparation n'avaient fait qu'accroître leur passion.

Longtemps après, fatigués et heureux, ils restèrent allongés à se regarder, les yeux dans les yeux. Chris-tianna ne pouvait cesser de l'embrasser, et lui ne pou-vait arrêter de la caresser. L'après-midi touchait à sa fin quand ils se résignèrent à se lever, et ils prirent un bain ensemble dans la gigantesque baignoire. Ils avaient l'impression qu'ils ne pourraient plus jamais se quitter.

Ils sortirent enfin de l'hôtel, firent le tour de la place Vendôme, puis se rendirent rive gauche. D'abord stupéfaits, Sam et Max avaient été ravis de voir Parker et avaient alors compris la raison de ce week-end à Paris. Observant une distance discrète, ils suivirent les jeunes amoureux dans leurs déambulations. Christianna et Parker ne cessaient de parler, et c'était comme s'ils n'avaient jamais été séparés. Ils discutèrent de tout ce dont ils s'entretenaient d'habitude, les projets de recherche de Parker, la vie que Christianna menait à Vaduz, leur séjour à Senafe, les gens qu'ils avaient rencontrés et aimés là-bas, l'inquiétude qu'ils ressentaient pour les Erythréens, si généreux et si attachants. Aucun d'eux ne fit allusion à Fiona, le sujet était trop douloureux.

Ils burent un café aux Deux-Magots, puis entrèrent dans l'église Saint-Germain-des-Prés. Christianna fit brûler un cierge pour l'Erythrée et pour Senafe, un autre pour Fiona, et le dernier pour eux-mêmes, en priant pour que tout s'arrange. Peut-être que, par miracle, son père allait leur permettre de vivre leur amour. Mais pour cela, il faudrait un vrai miracle.

Elle avait été soulagée d'apprendre que Parker était catholique, lui aussi, sans quoi cela aurait constitué un obstacle de plus pour son père. La dynastie de Liechtenstein était catholique depuis le XVIe siècle, et Hans Josef était profondément attaché à la foi de ses ancêtres. Au moins la religion ne figurait-elle pas parmi les nombreux problèmes que Parker et elle avaient à affronter.

Ils retournèrent ensuite à l'hôtel et retardèrent l'heure du dîner, car ils firent de nouveau l'amour. Il était 21 h 30 quand ils sortirent, Christianna au bras de Parker. Le pantalon et le pull blancs qu'elle portait, achetés chez Dior l'année précédente, lui donnaient l'air d'un ange.

Sam et Max attendaient dehors avec la voiture, et ils les conduisirent dans un bistrot où Christianna et

Parker dînèrent tout en discutant, continuant de se découvrir, s'intéressant à leurs projets respectifs, chacun s'inquiétant du bonheur de l'autre. Christianna aimait particulièrement entendre Parker parler de ses recherches sur le sida, depuis qu'elle-même avait acquis certaines connaissances dans ce domaine à Senafe. Mais elle chérissait tout ce qu'il disait, simplement parce que c'était lui.

— Et toi, mon amour ? Comment marche ton affaire de rubans ?

Ils avaient pris l'habitude de désigner ainsi les activités de Christianna, depuis qu'elle lui avait expliqué de quoi il s'agissait.

— Elle marche très fort, en ce moment. Cela rend mon père heureux, et les gens qui me sollicitent également. Ils se sentent plus importants lorsque je suis présente aux inaugurations.

Christianna comprenait mal pourquoi le fait qu'elle coupe un ruban, qu'elle prononce quelques mots, qu'elle serre une main ou tapote une tête donnait aux gens l'impression d'avoir partagé un instant de magie, grâce auquel ils n'étaient plus tout à fait les mêmes.

C'était quelque chose dont elle s'était longuement entretenue avec Parker par e-mail : ce sentiment étrange d'être admirée et courtisée sans qu'on la connaisse vraiment. Pourquoi aurait-elle été digne du respect et de l'admiration des autres simplement à cause de sa naissance ? Pour Parker aussi, cette image d'une princesse de conte de fées, qui répandait ses bienfaits sur ceux qui l'approchaient, semblait magique. Lorsqu'il le lui dit, Christianna éclata de rire. Si seulement elle et lui pouvaient profiter de sa baguette magique ! Elle reconnaissait, pourtant, que la vie s'en chargeait car, en leur permettant de se revoir, elle leur offrait un cadeau inestimable. Dans la chaleur forte de l'amour de Parker, Christianna se sentait prête à tout pour lui, et lui ressentait la même chose vis-à-vis d'elle. Le seul problème – mais il était énorme – était qu'ils vivaient cachés.

Cette nuit-là, ils firent l'amour une nouvelle fois et s'endormirent dans les bras l'un de l'autre. Ils ne se lassaient pas d'être ensemble. La soif qu'ils éprouvaient était inextinguible. Le lendemain matin, Christianna rappela en riant qu'ils avaient deux mois à rattraper et qu'ils n'y parviendraient pas en un week-end.

— Alors, donne-moi la vie entière, répondit Parker, l'air sérieux.

— Si seulement je le pouvais... murmura-t-elle, de nouveau triste.

Leur situation était sans issue, et elle détestait y penser. A moins de rejeter ses responsabilités et de briser le cœur de son père, elle n'avait tout simplement pas le choix.

— Si j'avais le pouvoir de dire oui, je serais à toi, reprit-elle. D'ailleurs, au plus profond de moi, je suis à toi.

Mais elle ne le serait jamais officiellement. Elle ne pouvait pas accepter de l'épouser et ne le pourrait certainement jamais, parce qu'elle savait, sans l'ombre d'un doute, que son père refuserait de lui donner son consentement. Or, elle ne voulait pas se marier avec Parker dans ces conditions. Si elle bafouait tous les principes et toutes les traditions dans lesquels elle avait été élevée, elle aurait l'impression de prendre un mauvais départ.

Parker, lui, n'avait d'autre souhait que de l'épouser. Il était amoureux de Christianna depuis sept mois et c'était comme s'il l'était depuis toujours. A présent, il voulait davantage. Mais ils convinrent de ne plus en parler et de profiter du temps qui leur restait jusqu'au lundi soir, moment où Parker repartirait pour Boston et Christianna pour Vaduz.

Ils passèrent la journée du samedi à flâner le long de la Seine. Ils s'arrêtèrent devant les étals des bouquinistes, jouèrent avec des chiots dans une animalerie des quais, prirent un bateau-mouche et déjeunèrent au Café de Flore. Christianna avait l'impression d'avoir visité toutes les galeries de peinture et tous les magasins d'antiquités de la rive gauche, quand Sam et Max les reconduisirent à l'hôtel par le pont du Carrousel. Comme ils passaient devant le Louvre, Parker et Christianna s'amusèrent à imaginer à quoi il ressemblait lorsqu'il était encore un palais royal.

Avec un petit sourire, Christianna confia à Parker que sa mère descendait à la fois des Bourbons et des Orléans, et avait donc doublement droit au titre d'altesse royale. Elle lui expliqua que, pour porter ce titre, il fallait descendre directement d'un roi. Son père étant de lignée princière, il portait le titre de sérénissime. Pour Parker, toutes ces subtilités étaient déconcertantes. Et même parfois surprenantes, comme le passeport de Christianna sur lequel ne figurait que son prénom.

— Et c'est tout ? Il n'y a pas de nom de famille ? demanda-t-il.

Elle sourit de son étonnement.

— Oui, c'est tout. Juste Christianna de Liechtenstein. Tous les membres des familles royales possèdent ce type de passeport. Celui de la reine d'Angleterre ne porte que le prénom « Elizabeth » et il est suivi de la lettre « R » pour Regina, parce que c'est la reine.

— J'imagine que « princesse Christianna Williams » paraîtrait un peu bizarre, dit-il avec un sourire mi-moqueur, mi-embarrassé.

— Pas à moi, murmura-t-elle tandis qu'il l'embrassait de nouveau.

Avant de rentrer, ils s'arrêtèrent au bar du Ritz pour boire un verre. Tous les deux étaient fatigués et assoiffés, mais ils avaient passé une journée extraordinaire.

Parker commanda un verre de vin, Christianna un thé. Il savait depuis Senafe qu'elle ne buvait pratiquement jamais. Elle n'aimait pas beaucoup l'alcool et ne trempait ses lèvres dans une coupe de champagne que lorsqu'elle était obligée de porter un toast dans des circonstances officielles. Elle ne mangeait pas beaucoup non plus, et Parker disait d'elle qu'elle avait un appétit d'oiseau.

Ils écoutèrent avec plaisir le pianiste du bar, jusqu'au moment où Christianna laissa échapper un petit rire.

— Qu'est-ce qui t'amuse ? lui demanda Parker en souriant.

Il aurait voulu, comme elle, que leur week-end à Paris se prolonge éternellement.

— Je pensais simplement que c'était très civilisé par rapport à Senafe. Imagine que nous ayons eu un piano à la cantine…

— Ça aurait apporté une touche de raffinement, convint Parker en riant avec elle.

— Comme Senafe me manque ! Pas à toi ?

— Si. Mais surtout parce que je pouvais te voir chaque matin à mon réveil et que je finissais la journée avec toi. Je dois admettre qu'à part ça, je trouve mon travail à Harvard vraiment intéressant.

Plus intéressant qu'à Senafe, en fait, même s'il avait beaucoup aimé son séjour là-bas. A Boston, il n'était pas en contact avec les malades, mais coordonnait les recherches. Il lui parla d'une lettre qu'il avait reçue du directeur hollandais de l'équipe de Médecins Sans Frontières et Christianna lui dit combien elle admirait leur travail.

— Si j'étais médecin, c'est ce que je ferais, déclarat-elle.

— Je l'aurais parié, dit-il avec un sourire.

— Si seulement je pouvais consacrer ma vie à aider les autres, comme toi ! Tout ce que je fais pour mon père semble tellement vain. Mon affaire de rubans... Cela n'a aucune importance, pour personne.

— Je suis certain qu'aux yeux de ton peuple ça a de l'importance, assura-t-il doucement.

— C'est un tort. Mon père, lui, accomplit un véritable travail. Il prend des décisions qui ont des conséquences positives pour le pays, ou négatives s'il se trompe... En général, il ne se trompe pas, précisa-t-elle avec loyauté. Il s'efforce d'améliorer le sort des gens et prend ses responsabilités très au sérieux.

— Toi aussi, assura Parker, que cela impressionnait beaucoup.

— Mais c'est sans importance. Un ruban coupé n'aura jamais la moindre influence sur la vie de quiconque.

Christianna souhaitait commencer à travailler pour la fondation cet hiver. Pour l'instant, elle n'en avait pas encore eu le temps, trop occupée par les cérémonies officielles auxquelles elle assistait à la place de son père, alors que c'est Freddy qui aurait dû le représenter. Au moins, si elle travaillait pour la fondation, elle accomplirait quelque chose d'utile, alors que les dîners officiels et toutes les obligations du même genre lui semblaient dénués de sens. Et dire que c'était à cause de cela qu'elle devait renoncer à Parker ! Le fait d'être princesse, d'obéir à son père et de servir son peuple avait un prix exorbitant.

— Et ton frère fait quelque chose ? demanda Parker avec circonspection, car il savait le sujet épineux.

— Pas s'il peut l'éviter. Il m'a dit qu'il attendait d'être sur le trône pour mûrir. Normalement, ça lui laisse encore beaucoup de temps... Et tant mieux, d'ailleurs.

Parker se contenta de hocher la tête. A ses yeux, le frère de Christianna n'était qu'un bon à rien, mais il se garda de le lui dire.

Ils finirent par remonter afin de se préparer pour le dîner. Mais, une fois dans leur chambre, ils ne purent la quitter. Ils firent de nouveau l'amour, puis se délassèrent ensemble dans la baignoire, avant de prendre une collation. Puis ils s'endormirent ensuite dans les bras l'un de l'autre, comme la veille.

Le lendemain matin, ils se rendirent au Sacré-Cœur, pour assister à la messe. Comme la journée était magnifique, ils flânèrent au bois de Boulogne. Après avoir mangé une glace et s'être arrêtés pour boire un café, ils remontèrent dans la voiture, détendus et heureux, et retournèrent place Vendôme. Christianna avait demandé au concierge du Ritz de leur réserver une table au Voltaire, son restaurant favori à Paris. L'endroit était petit mais très chic, avec une atmosphère chaleureuse, un service attentionné et une cuisine fabuleuse.

Ils quittèrent l'hôtel à 21 heures, heureux et détendus. Christianna portait un ravissant tailleur Chanel bleu pâle, des escarpins et des boucles d'oreilles en diamants. Elle adorait se faire belle pour Parker et il y était très sensible.

Ils traversèrent le hall et, dès qu'ils eurent passé la porte à tambour, Parker passa son bras autour des épaules de Christianna. La soirée était délicieuse et elle leva la tête pour lui sourire avec adoration quand, soudain, un éclair de lumière l'éblouit. Sans bien comprendre ce qui se passait, ils coururent à la voiture qui les attendait, poursuivis par une horde de paparazzis. Max les poussa en hâte dans le véhicule. Parker paraissait abasourdi et Christianna catastrophée.

— Démarrez ! Vite ! Vite ! cria Max au chauffeur tandis que Sam sautait à l'arrière, à côté du couple.

Ils partirent sur les chapeaux de roue, non sans avoir été mitraillés par deux photographes.

— Mince ! s'écria Christianna en se penchant vers Max, assis à l'avant. Comment est-ce arrivé ? Quelqu'un les a prévenus ?

— Je pense que c'est un regrettable hasard, répondit Max, l'air embarrassé. Je voulais vous avertir, mais vous êtes sortie trop vite. Madonna est au Ritz en ce moment, et elle a quitté l'hôtel quelques secondes avant vous. C'est elle qu'ils attendaient, mais ils ont été ravis de vous avoir.

L'ayant immédiatement reconnue, les photographes l'avaient surprise alors que, blottie contre Parker, elle lui souriait amoureusement. Aucune ambiguïté n'était possible sur leur relation.

— Nous utiliserons l'entrée de service pour rentrer, ajouta Max.

— C'est un peu tard, répondit Christianna sèchement avant de se tourner vers Parker, qui paraissait toujours abasourdi.

Il n'avait pas encore eu le temps de réagir, et des points noirs dansaient toujours devant ses yeux à cause des flashs. Christianna était certaine que les photos seraient publiées. Elles l'étaient toujours, de préférence au moment le plus inopportun ou le plus embarrassant. Si son père les voyait – ce qui ne manquerait pas de se produire, si elles étaient publiées –, il serait fort mécontent, d'autant qu'elle lui avait menti en prétendant se rendre à Paris pour faire du shopping. Il serait horrifié qu'on la voie dans la presse à scandale, il était déjà suffisamment servi avec Freddy.

Christianna resta silencieuse jusqu'au restaurant, et Parker fut désolé de voir à quel point elle semblait ennuyée. Il tenta de la dérider et elle lui sourit, mais il était évident qu'elle se faisait du souci.

— Je suis désolé, mon amour.

— Moi aussi. Nous n'avions pas besoin de ce genre d'ennui. C'était si bien quand personne n'était au courant...

— Peut-être qu'ils ne les utiliseront pas, avança-t-il avec un optimisme un peu forcé.

— Il ne faut pas y compter, répondit-elle tristement. Mon frère fait régulièrement les quatre cents coups et ils seront trop heureux de prouver que je suis comme lui. La princesse de Liechtenstein aussi dévergondée que son frère... Ils adorent parler de nous. Et comme je fais tout mon possible pour les éviter, ils sont toujours très excités lorsqu'ils me voient.

— Ce n'était vraiment pas de chance, qu'ils soient postés là, à attendre Madonna...

Max aurait dû avertir Christianna, comme il le reconnaissait lui-même. Mais il lui expliqua qu'elle avait sans doute déjà quitté le hall quand il les avait aperçus. Au moment où elle franchissait la porte, la limousine emportant Madonna et ses enfants venait de disparaître.

Malgré les efforts de Christianna pour ne pas laisser cet incident gâcher leur dîner, Parker vit bien qu'elle était distraite et préoccupée. Même s'ils passèrent une excellente soirée, elle fut beaucoup moins détendue que les précédentes. Christianna se faisait un sang d'encre en pensant à ce que son père allait dire en voyant les journaux et en découvrant Parker. Ces photos allaient déclencher une confrontation à laquelle elle n'était pas prête. Malheureusement, elle ne pouvait rien faire pour l'empêcher.

A leur retour, ils passèrent par la porte de service, rue Cambon. C'était l'entrée que la princesse Diana utilisait quand elle descendait au Ritz. Comme de nombreuses célébrités avant eux, ils empruntèrent le tout petit ascenseur pour éviter les paparazzis qui attendaient devant l'entrée principale. Ils retrouvèrent enfin les murs protecteurs de la chambre de Christianna, et elle put se détendre dans les bras de Parker. L'amour eut pour eux, cette nuit-là, un goût doux-amer. Christianna ne parvenait pas à chasser sa crainte de voir les photos utilisées pour l'obliger à se séparer de Parker car, une fois que son père serait au courant de sa liaison, elle était certaine que c'était ce qu'il ferait.

Elle était trop tourmentée pour bien dormir et se réveilla plusieurs fois, en proie à des cauchemars. Parker essaya de la réconforter du mieux qu'il put. Le lendemain matin, ils restèrent silencieux pendant que le maître d'hôtel leur servait le petit déjeuner. Ils attendirent qu'il ait quitté la chambre pour parler, Christianna n'ayant plus confiance en personne. Elle était toujours bouleversée et redoutait plus que tout la réaction de son père.

— Mon amour, tu ne peux rien y faire, tenta-t-il de la raisonner. C'est arrivé. C'est tout. Nous aviserons, s'il y a une suite, continua-t-il avec calme en avalant une gorgée de café.

— Non, s'il y a une suite, ce n'est pas *nous* qui aviserons... répliqua-t-elle d'une voix tendue.

Elle était fatiguée après la mauvaise nuit qu'elle avait passée, et angoissée.

— ... mais *moi*. Et, surtout, mon père. Je devrai l'affronter et je ne pensais pas le faire avant que nous ne soyons prêts. Je ne pourrai lui parler de nous qu'à ce moment-là et j'aurais préféré que cette conversation commence autrement que par l'aveu d'un mensonge. De plus, je n'aime pas apparaître dans la presse. Je trouve ça vulgaire et déplaisant.

A la différence de son frère, ou peut-être à cause de lui, parce qu'on l'y voyait très souvent, Christianna éprouvait une véritable aversion pour les journaux à scandale.

— Ce n'est pas moi qui te contredirai. Mais tout ce que nous pouvons faire, c'est essayer de nous en tirer au mieux. Tu vois une autre solution ?

— Aucune.

Christianna soupira et but son café, en s'efforçant de rester calme. Parker n'était pas responsable. Mais elle était profondément affectée, et il s'en rendait compte.

Une fois habillés, ils se rendirent faubourg Saint-Honoré, où ils flânèrent devant les vitrines. Puis ils allèrent déjeuner à l'Avenue et Christianna finit par se détendre quand elle constata, soulagée, que personne ne les suivait. Max et Sam ne les quittaient pas d'une semelle et veillaient à ce qu'ils empruntent désormais l'entrée de service pour entrer et sortir du Ritz. C'était plus prudent.

De retour à l'hôtel, ils firent leurs bagages, puis se couchèrent à nouveau. Ils avaient réservé des places sur les derniers vols, afin de passer ensemble le plus de temps possible. Ils ne voulaient pas perdre une minute l'un de l'autre. Ils restèrent allongés un long moment, puis ils firent l'amour pour la dernière fois, doucement, lentement, tendrement, savourant leurs derniers moments ensemble. Blottie contre Parker, Christianna fondit alors en larmes. Elle craignait de ne plus jamais le revoir. Elle aurait voulu vivre avec lui comme auparavant, à Senafe, mais elle devait se contenter de ces brefs instants dérobés. Parker lui fit promettre qu'ils se retrouveraient à Paris, dès qu'elle le pourrait. Il s'organiserait de manière à pouvoir la rejoindre, même au dernier moment. Etant dans la recherche, il avait plus de liberté qu'un médecin responsable d'une clientèle. Mais Christianna ne pouvait pas lui répondre, ne sachant l'effet que produiraient les photos. Elle espérait qu'il n'y aurait pas de conséquences, mais n'y croyait pas trop. Si c'était le cas, ils auraient beaucoup de chance.

Ils durent enfin se lever et s'habiller, après avoir pris une dernière douche ensemble. Parker n'avait pas utilisé sa chambre de tout le week-end, mais elle leur avait fourni la respectabilité nécessaire, et il ne le regrettait pas, surtout si cela permettait de rendre les choses plus faciles pour Christianna. Tout ce qu'il voulait, c'était que leur histoire continue. Il préférait laisser Christianna agir, elle était meilleure juge. Il se contenterait de faire ce qu'elle jugerait bon. Il l'aimait vraiment et ne désirait rien d'autre que la revoir et l'épouser un jour. Christianna avait beau prétendre que c'était impossible, Parker attendrait. Il n'avait jamais aimé une femme à ce point.

Ils s'embrassèrent longuement avant de quitter la chambre, puis sortirent de l'hôtel par la porte de service, pendant que Max et Sam s'occupaient de tout. Leurs avions partant presque à la même heure, ils se rendirent à l'aéroport dans la même voiture.

Arrivèrent alors leurs derniers instants ensemble. Avant qu'ils ne descendent de voiture, Christianna embrassa encore Parker. Puis ils sortirent et elle le fixa avec tristesse. Elle ne pouvait pas l'embrasser dans l'aéroport, cela lui était interdit et Parker le comprenait et l'acceptait.

— Je t'aime, lui dit-elle. Merci pour ce délicieux week-end, ajouta-t-elle doucement.

Parker sourit. Elle montrait toujours un visage lisse et avenant, même lorsque l'inquiétude la rongeait, comme après l'incident avec les paparazzis.

— Moi aussi, je t'aime, Cricky. Tout va bien se passer. Essaie de ne pas te faire trop de souci au sujet de ces photos.

Christianna hocha la tête sans rien dire. Puis, incapable de s'en empêcher, elle posa la main sur la sienne. Il la retint.

— Tout va bien se passer, répéta-t-il à voix basse. Je te reverrai bientôt, d'accord ?

Une nouvelle fois, elle acquiesça en silence, des larmes dans les yeux. Sa bouche forma les mots *je t'aime* et elle se dirigea lentement vers l'avion, suivie de Max et de Sam qui portaient ses bagages. Parker se saisit de son sac pour aller consulter le tableau d'affichage. Il se retourna alors pour la suivre des yeux, et elle fit de même au même moment, lui souriant en levant la main pour lui faire signe. Puis elle la posa sur son cœur et il fit le même geste, abolissant pendant un instant l'aéroport et les mondes qui les séparaient.

16

La semaine qui suivit son retour à Vaduz, Christianna fut très occupée par des engagements officiels, mais aussi par deux dîners que son père donna le mardi et le mercredi. Les e-mails que Parker et elle s'envoyaient se faisaient rassurants, puisque rien n'était paru dans la presse. Ce fut le jeudi matin, alors qu'elle se préparait pour un déjeuner auquel son père l'avait priée d'assister, que sa secrétaire entra et, sans un mot, lui tendit un journal britannique.

Et voilà... c'était là ! Les Anglais étaient les premiers à s'en être emparés, comme d'habitude. Le titre était énorme, et la photo montrait Christianna levant la tête vers Parker d'un air comblé, plein d'adoration, tandis que lui la contemplait en souriant, le bras passé autour de ses épaules. Il était clair qu'ils étaient fous amoureux, cela sautait immédiatement aux yeux.

Christianna se sentait toujours stupide quand elle se voyait en première page. Et encore, normalement, ce n'était pas dans un contexte amoureux, sauf une fois, quand elle était très jeune, et cela ne s'était jamais reproduit depuis, car elle se montrait extrêmement prudente. Jusqu'à cette soirée à Paris... Elle fixa l'article, atterrée.

Le titre était bref et, heureusement, n'avait rien de vulgaire, mais il était parfaitement explicite. « Passion au

Liechtenstein : la princesse Christianna et... un mystérieux prince charmant ». L'article révélait qu'on les avait vus quitter ensemble l'hôtel Ritz, alors qu'ils passaient certainement un week-end en amoureux à Paris. Il soulignait qu'ils formaient un beau couple, mais rappelait les innombrables liaisons de son frère. Il insistait aussi sur le fait qu'elle se montrait généralement fort discrète et qu'il s'agissait donc probablement de l'homme de sa vie. Christianna imaginait le visage de son père quand il lirait ces lignes.

Elle envoya aussitôt un e-mail à Parker, en lui indiquant le titre du journal et en lui précisant que la photo était en première page. Il pourrait la voir sur Internet. Elle était trop pressée pour en dire plus, et elle se dépêcha de rejoindre son père dans la salle à manger. Comme elle s'y attendait, il ne fit aucune allusion à l'article pendant le déjeuner. Ce n'était pas son genre. Il préférait attaquer de front, comme Freddy avait souvent eu l'occasion de le vérifier à ses dépens.

Ce ne fut que lorsque leurs invités eurent quitté le palais qu'il lui demanda de lui accorder quelques instants. Christianna sut que l'heure était venue. Elle ne pouvait pas espérer que son père ferait mine de l'ignorer. Ç'aurait été trop demander.

Elle le suivit dans son salon privé et attendit qu'il se soit assis pour s'asseoir à son tour. Il la regarda longuement, avec une expression de mécontentement mêlé de chagrin. Pendant quelques secondes interminables, il ne dit rien, et elle non plus. Elle ne voulait pas aborder le sujet au cas où, par miracle, il se serait agi d'autre chose. Mais, évidemment, il n'y eut pas de miracle.

— Christianna, commença-t-il enfin, je suppose que tu sais de quoi je veux te parler...

Elle essaya d'afficher un intérêt innocent et poli, mais échoua lamentablement. Elle sentit le rouge de la culpabilité lui monter au visage et finit par acquiescer.

— Oui, je crois, murmura-t-elle dans un souffle.

Hans Josef avait beau être un père aimant, il était le prince régnant et pouvait se montrer intimidant quand il le voulait. De plus, elle détestait le décevoir.

— Je suppose que tu as vu la photo dans ce journal anglais, ce matin. Il est indéniable que tu es ravissante sur ce cliché, mais je m'interroge sur l'identité de celui qui t'accompagne. Je ne l'ai pas reconnu...

Ce qui signifiait qu'il n'appartenait pas au Gotha. Sans le formuler, il laissait entendre qu'il devait s'agir d'un professeur de tennis ou quelque chose de ce genre.

— Tu sais que je n'apprécie pas beaucoup de voir mes enfants apparaître dans les tabloïds, continua-t-il. Nous avons amplement notre compte avec ton frère. D'ailleurs, généralement, je ne reconnais pas non plus les personnes qui l'accompagnent.

C'était une manière de dire que Parker était l'équivalent masculin des conquêtes faciles et sans intérêt de Freddy, ce qui n'était pas le cas, puisque Parker était médecin, venait d'une excellente famille et avait bénéficié d'une éducation très soignée.

— Ce n'est pas du tout ça, papa, se défendit Christianna.

Elle essayait de rester calme, mais la panique s'emparait d'elle. La conversation commençait très mal. Connaissant son père, elle savait qu'il était très contrarié.

— C'est un homme absolument charmant, assura-t-elle.

— J'ose l'espérer puisque, à en croire l'article, tu as passé tout le week-end avec lui au Ritz. Puis-je te rappeler, continua-t-il, les yeux remplis de reproche, que tu as prétendu aller à Paris pour y faire du shopping ?

— Je suis désolée, papa. Je suis désolée de vous avoir menti. C'était mal de ma part, je le sais.

Christianna ne voyait pas d'autre solution que de présenter ses excuses les plus plates. Elle était prête à tout pour avoir l'autorisation de revoir Parker.

— Tu dois vraiment aimer cet homme, Cricky, si tu admets d'emblée que tu as eu tort, dit-il avec un mince sourire.

Il n'avait pas échappé à Hans Josef que les deux jeunes gens semblaient très épris, et c'était la raison pour laquelle il s'inquiétait tant.

— Bon, finissons-en. De qui s'agit-il ?

Christianna prit une longue inspiration. Elle était terrifiée à l'idée de ne pas dire ce qu'il fallait. De ses paroles allait dépendre tout leur avenir.

— Nous avons travaillé ensemble à Senafe. Parker est médecin, spécialiste du sida et chercheur à Harvard. Il est arrivé au camp avec Médecins Sans Frontières et il est resté avec nous pour poursuivre ses recherches. Il est catholique, issu d'une bonne famille, et il n'a jamais été marié, acheva-t-elle d'un seul trait.

Elle espérait que ce qu'elle venait de dire prouverait à son père combien Parker était sérieux et respectable. Hans Josef accorderait sûrement beaucoup d'importance au fait qu'il était catholique et n'avait jamais été marié.

— Tu es amoureuse de lui ?

Cette fois, elle n'hésita pas. Elle hocha la tête.

— Il est américain ?

Elle acquiesça de nouveau d'un signe de tête.

Pour lui, tout était dit. Un roturier américain ne pouvait jouer d'autre rôle que celui d'une relation amicale auprès de la fille d'un prince régnant.

— Papa, c'est vraiment un homme bien. Sa famille est très honorable. Son père et son frère sont médecins. Ils viennent de San Francisco.

Peu importait à Hans Josef d'où il venait. Cet homme ne possédait pas de titre, ce qui, à ses yeux, était rédhibitoire pour prétendre à la main de Christianna. Il savait que la maison princière et les membres du Parlement seraient du même avis que lui. Certes, il avait la possibilité de passer outre à leur réponse, mais Christianna était bien consciente qu'il ne ferait jamais usage de ses prérogatives pour l'autoriser à épouser un roturier. Cela irait à l'encontre de tout ce en quoi il croyait.

— Tu sais que ce n'est pas possible, lui dit-il avec douceur. Si tu continuais de le voir, cela ne ferait que vous rendre malheureux tous les deux. Tu aurais le cœur brisé, et lui aussi. Il est roturier et il n'est même pas européen. Je crois comprendre ce que tu es en train de me demander, Christianna... Eh bien, c'est hors de question, conclut-il, inflexible.

— Alors, laissez-moi simplement le voir, supplia Christianna. Je ne me marierai pas avec lui. Nous pourrions nous retrouver de temps en temps, et je vous promets que je serais discrète.

— J'imagine que c'était le cas à Paris, car je ne te crois pas capable de te conduire de manière insensée. Cependant, les photographes vous ont découverts, et regarde le résultat : une princesse royale prise en flagrant délit de week-end amoureux à Paris et à l'hôtel ! Ce qui n'est guère distingué, Cricky.

— Mais, papa, je l'aime, plaida-t-elle, les joues ruisselantes de larmes.

— J'en suis persuadé. Je te connais assez pour savoir que tu n'agirais pas ainsi à la légère. C'est pourquoi tu dois rompre. Tu ne pourras jamais te marier avec lui ; alors pourquoi poursuivre une liaison qui ne peut que vous briser le cœur à tous les deux ? Ce serait te comporter de façon incorrecte envers lui. Il mérite une femme qu'il pourra épouser, et ce ne sera jamais toi. Un jour, tu te marieras, mais avec un homme de ton rang. C'est inscrit dans notre Constitution. Et la maison princière ne donnerait jamais son consentement à une alliance avec un homme tel que lui.

— Elle le donnerait, si vous le lui demandiez. Vous avez le droit de rejeter son avis. Partout en Europe, des princes et des princesses épousent des roturiers, de nos jours. Même des princes régnants. Ne préféreriez-vous pas me voir épouser un homme bon, qui m'aime et me rendra heureuse, même s'il n'est pas de sang royal, plutôt qu'un homme immature ou dépravé mais qui aurait le titre de prince ? Regardez Freddy... Vous voudriez me voir épouser un homme comme lui ?

Son père avait tressailli, frappé au vif. Puis il secoua la tête.

— Ton frère est un cas spécial. Et je veux que tu épouses un homme bien, évidemment. Tous les princes ne sont pas comme lui. Il se peut qu'un jour, il prenne ses responsabilités, mais il est certain que si tu me présentais quelqu'un comme lui, je t'enfermerais dans un couvent. Christianna, je suis sûr que ce jeune homme est convenable et possède toutes les qualités que tu m'as décrites. Mais il ne peut prétendre à ta main et ne le pourra jamais. Je ne veux pas qu'on te revoie en public avec lui et, si tu l'aimes, je t'incite fortement à mettre un terme à cette histoire. Sinon, vous souffrirez. Inévitablement. Tant que je serai là, je m'y opposerai. Nous allons te chercher un mari, un homme digne de toi. Celui-ci ne l'est pas. Et je ne veux pas que tu le revoies.

Christianna se surprit à haïr son père. Il lui refusait ce qu'elle désirait le plus au monde : l'autorisation de vivre avec l'homme qu'elle aimait.

— Papa, je vous en supplie... Nous ne sommes plus au Moyen Age. Ne pourriez-vous pas vous montrer plus tolérant ? Tout le monde loue votre ouverture d'esprit et ce que vous osez en matière de gouvernement. Pourquoi ne voulez-vous pas me laisser vivre avec un roturier et me permettre un jour de l'épouser ? Peu m'importe que mes enfants aient un titre ou pas. Je suis prête à renoncer au mien, si vous le souhaitez. Je ne régnerai jamais, quoi qu'il arrive à Freddy. Alors, en quoi l'homme que j'épouserai est-il important ? Je me moque d'être princesse ou d'épouser un prince, dit-elle, secouée de sanglots.

— Moi pas. Nous n'avons pas le droit de piétiner nos traditions ou notre Constitution simplement parce que cela nous arrange. Oublies-tu ce que signifient les mots « devoir » et « honneur » ? Tu dois faire ton devoir, même si c'est douloureux et même si cela implique des sacrifices. C'est la justification de notre existence : nous devons guider notre peuple, le protéger et lui montrer, par notre exemple, ce que nous attendons de lui et le chemin à suivre.

Idéaliste, Hans Josef était soumis, et soumettait les siens, à l'histoire et à la tradition, et ne dérogeait jamais aux règles.

— C'est votre rôle, papa, pas le mien. Les gens se moquent de savoir qui je vais épouser et il devrait en être de même pour vous, du moment que je choisis un homme bien.

— Je veux que tu te maries avec un prince.

— Et moi, je ne le veux pas. Je ne me marierai jamais, dans ce cas.

— Ce serait une grave erreur, répliqua Hans Josef, navré de constater qu'elle aimait ce jeune Américain encore plus qu'il ne le craignait. Surtout pour toi. S'il t'aime vraiment, cet homme comprendra, ne serait-ce que par respect pour toi. Christianna, tu dois épouser quelqu'un de ton monde, qui connaît tes devoirs et tes obligations, qui mène la même vie que toi... Bref, quelqu'un d'origine royale. Un roturier n'aurait aucun respect pour ton mode de vie. Une telle alliance serait vouée à l'échec, crois-moi.

— Il est américain, cela ne représente rien pour lui. Ni pour moi, d'ailleurs. C'est complètement stupide et cruel.

Christianna rejetait tous les arguments de son père, et elle savait que Parker en ferait autant. Mais elle se battait contre mille ans de tradition...

— Mais tu n'es pas américaine et tu ne peux agir ainsi. Tu es ma fille, tu sais ce que l'on attend de toi. Si cette histoire est la conséquence de ton séjour en Afrique, je suis vraiment désolé de t'avoir autorisée à y aller. Tu as trahi ma confiance.

C'était ce qu'elle craignait d'entendre. En fait, c'était même pire que ce qu'elle avait imaginé.

Son père se montrait d'une intransigeance et d'une inflexibilité d'un autre siècle. Il était déterminé à suivre la tradition et à respecter la Constitution à la lettre, sans vouloir faire d'exception pour sa fille. Non seulement il ne lui offrait pas le moindre espoir, mais il était totalement convaincu d'avoir raison. Christianna savait qu'il ne céderait jamais. Elle eut l'impression que son cœur se brisait et elle ressentit une douleur presque physique quand elle le regarda, désespérée.

Hans Josef était désolé. Il détestait la faire souffrir, mais il n'avait pas le choix.

— Je veux que tu cesses de voir cet homme, finit-il par dire. Par respect pour toi, je te laisse choisir la manière dont tu mettras fin à cette histoire. Et aussi parce que cet homme n'a rien fait de mal jusqu'à maintenant. C'était une folie de votre part de vous retrouver à Paris. Tu vois ce qui est arrivé : vous avez été immédiatement repérés. Tu dois rompre, Cricky, et le plus tôt sera le mieux, pour tous les deux.

Sur ces mots, Hans Josef se leva sans un geste vers elle. Elle était trop bouleversée et furieuse ; elle avait besoin de temps pour accepter tout ce qu'il lui avait dit, pour en reconnaître la justesse et en faire part ensuite à cet homme. Il ne souhaitait qu'une chose : qu'elle lui pardonne un jour, car il agissait pour son bien.

Christianna se leva à son tour et regarda son père avec incrédulité. Elle n'arrivait pas à croire qu'il lui infligeait une telle souffrance, simplement au nom de son devoir.

Elle pleurait toujours quand elle quitta la pièce, sans ajouter un seul mot. Il n'y avait plus rien à dire. Sitôt dans son appartement, elle ordonna à sa secrétaire d'annuler tous ses rendez-vous et déplacements de la journée et de la semaine.

Ayant fermé la porte de sa chambre, elle téléphona à Parker, qui décrocha aussitôt. Il savait qu'une fois la photo parue dans le journal, Christianna aurait un entretien avec son père. Les sanglots de son amie n'auguraient rien de bon.

— Christianna, s'il te plaît, calme-toi, lui dit-il d'un ton apaisant.

Elle essaya, sans succès. Finalement, elle réussit à prendre une longue inspiration et à lui rapporter, d'une voix entrecoupée, sa conversation avec son père.

— Il m'a dit que nous devions cesser de nous voir immédiatement.

Elle semblait épuisée et sans défense, et Parker aurait voulu la prendre dans ses bras pour la consoler et lui donner de la force.

— Et toi, qu'en dis-tu ? demanda-t-il, anxieux.

C'était exactement ce qu'il avait craint. Christianna ne s'était pas trompée. Comment croire qu'au XXIe siècle, on pouvait encore conserver des positions aussi archaïques ? Aux yeux de Parker, toutes ces histoires de princesse et d'altesse sérénissime ou royale appartenaient à une époque révolue. Malheureusement, Christianna était princesse et elle devait, et lui aussi, composer avec ces traditions et tenir compte de l'intransigeance de son père.

— Je ne sais pas, balbutia-t-elle. Je t'aime, mais que puis-je faire ? Il m'interdit formellement de continuer à te voir. Il dit qu'il ne nous autorisera jamais à nous marier, et je sais que c'est vrai. Il pourrait passer outre à l'avis du Parlement et de la maison princière, mais il ne le fera pas.

Quant à s'enfuir, Christianna ne l'envisageait pas. La bénédiction de son père comptait trop pour elle. Parker était tout aussi anéanti qu'elle par ce refus, qu'il jugeait aberrant et insensé. Il songea à lui proposer de se rencontrer en secret jusqu'à la mort de son père. Lorsque son frère serait sur le trône, Christianna pourrait s'éclipser discrètement. Mais il se rendit à l'évidence : Hans Josef pouvait très bien vivre encore vingt ou trente ans et, pour eux, ce serait une existence intenable. Il n'y avait pas d'issue, ni pour elle ni pour lui.

— Est-ce que nous pourrions nous retrouver de nouveau pour un week-end ? demanda-t-il. Je veux discuter de tout cela de vive voix avec toi. Il existe peut-être une solution...

Pour dire la vérité, il doutait d'en trouver une convenant à Christianna et susceptible d'être acceptée par son père. Elle ne voulait pas se fâcher avec Hans Josef en choisissant de s'en aller, même si c'était ce qu'elle ferait peut-être un jour. Parker était également conscient de l'importance qu'elle accordait à la promesse faite à sa mère, ainsi qu'à l'approbation du Parlement et de la maison princière. Si elle acceptait de l'épouser, elle devrait renier tout cela, et c'était exiger beaucoup d'elle. Peut-être pourrait-il rencontrer son père, si Christianna le souhaitait et si le prince acceptait de le recevoir. Mais, pour le moment, il ne rêvait que de la serrer contre lui. Les craintes de Christianna s'étaient toutes vérifiées et c'était beaucoup plus pénible qu'il ne l'avait imaginé.

— J'essaierai de me libérer, finit-elle par répondre après un long silence. Mais je ne sais pas quand. Il faudra que je mente de nouveau.

Elle était persuadée que, lorsqu'elle le reverrait, ce serait pour la dernière fois. Il était hors de question qu'elle agisse dans le dos de son père, surtout que, malgré toutes les précautions qu'elle pourrait prendre, les paparazzis réussiraient à la retrouver. Mais elle voulait le voir encore une fois et, comme elle était convaincue que son père lui refuserait son autorisation, elle décida de ne pas la lui demander.

— Je vais essayer de m'organiser. Ce ne sera sans doute pas prochainement, car j'ai l'impression qu'il va me surveiller de près. Pendant quelque temps, nous devrons nous contenter des e-mails et du téléphone.

— Je suis d'accord, déclara Parker.

Mais il était loin d'être aussi calme qu'il le laissait paraître. Il était au contraire en proie à une panique grandissante. A cause de ces traditions d'un autre âge, il allait perdre Christianna.

— Je t'aime, Cricky. Nous allons tout faire pour nous en sortir.

— Je lui ai dit que je ne me marierai jamais.

Elle sanglotait de nouveau, et Parker en fut bouleversé. Christianna souffrait autant que lui, peut-être même plus, car celui qui était la cause de leur souffrance était quelqu'un qu'elle aimait.

— Calmons-nous, Cricky. Peut-être que si nous continuons de nous aimer, il finira par céder. Et... si je lui parlais ? suggéra Parker avec circonspection.

— Tu ne le connais pas. Il ne voudra pas te recevoir, et nous ne parviendrons jamais à le faire céder.

En dépit de l'intransigeance du prince, Parker ne renoncerait pas. S'il existait une solution, il la trouverait.

Il lui proposa de la rappeler un peu plus tard, pour discuter et l'apaiser. Christianna se sentait déjà mieux après leur conversation. Parker la soutenait, et elle pouvait s'appuyer sur lui. Mais elle ne voyait aucune issue à leur situation. Son père ne céderait jamais. Elle voulait revoir Parker une dernière fois, mais son cœur se brisait déjà à l'idée qu'ensuite, elle devrait accepter ce qu'on lui imposait et renoncer à lui.

Elle resta enfermée dans son appartement pendant cinq jours, n'ouvrant la porte que lorsque sa secrétaire lui apportait un peu de nourriture sur un plateau. A part les coups de téléphone et les e-mails à Parker, elle n'eut de contact avec personne. Matin et soir, son père demandait de ses nouvelles, et s'entendait répondre que Christianna n'était pas sortie de son appartement. Il en était profondément peiné mais lui-même devait faire face aux devoirs qui lui incombaient. Ils étaient prisonniers d'une situation sans issue.

En désespoir de cause, Christianna appela Victoria, à Londres. Sa cousine était d'excellente humeur. Elle était avec son nouveau fiancé et semblait avoir bu, ce qui n'étonna pas Christianna. Malheureusement, elle ne trouva pas auprès d'elle l'oreille compatissante dont elle avait besoin.

— Ma chérie, je t'ai vue dans le journal... Dis donc, cet homme est beau comme un dieu ! Pourquoi ne m'as-tu rien dit ? Où l'as-tu trouvé ?

— A Senafe, répondit Christianna d'une voix morne.

Elle se sentait terriblement déprimée après avoir pleuré pendant des heures, et attendait de Victoria un peu de réconfort. Mais celle-ci était trop occupée à s'amuser pour prêter attention à autre chose.

— Où ça ? demanda-t-elle d'un ton indifférent.

— En Afrique. C'était l'un des médecins du camp.

— Trop top ! Et alors, ton père pique sa crise ?

— Oui, admit Christianna tristement, en espérant, malgré tout, obtenir un conseil de sa cousine.

— C'était couru, ma chérie. Il n'y a pas plus coincé et vieux jeu que lui. Il a de la chance de ne pas m'avoir pour fille ! Mais bon... avec Freddy, il est bien puni, ajouta-t-elle avec malice. Cela dit, j'adore ton frère ! Il était ici, la nuit dernière.

Christianna le croyait à Vienne, mais elle ne lui avait pas parlé depuis un moment. Pas depuis les jours précédant son voyage à Paris, en fait.

— Papa dit que je ne dois plus revoir Parker, et que je ne pourrai jamais l'épouser, parce qu'il n'a pas de titre.

— Quelle idiotie ! Pourquoi ne lui en donne-t-il pas un, tout simplement ? Il le pourrait, tu sais... Ici, ça se fait tout le temps. Enfin, peut-être pas... Mais j'ai entendu parler d'un Américain qui a acquis un titre avec la maison qu'il venait d'acheter.

— Ce n'est pas le genre de mon père de faire des choses comme ça. Il m'a ordonné de rompre.

— C'est vraiment dur de sa part. Mais j'ai une idée : pourquoi ne le retrouverais-tu pas ici en secret ? Je ne le dirais à personne.

Sauf à sa femme de chambre, son coiffeur, ses dix meilleures amies, son nouveau fiancé et probablement même Freddy, une nuit où ils seraient ivres tous les deux, ce qui se produisait assez souvent, apparemment. L'idée de rencontrer Parker à Londres n'aurait pas déplu à Christianna, mais elle était irréalisable. De plus, si elle entrait dans la bande de Victoria, son père l'enfermerait à Vaduz. Car la jeune femme affichait une conduite de plus en plus scandaleuse et Hans Josef avait dit à Christianna que Victoria dépassait les bornes, lui recommandant de garder ses distances avec elle. Freddy, bien entendu, adorait sa cousine.

Finalement, sa conversation avec Victoria ne lui apporta rien, pas même du réconfort. Si seulement elle avait pu parler avec Fiona, si vive, si équitable, si pragmatique. Mais Fiona n'était plus là. Et d'ailleurs, elle n'aurait sans doute pas compris toute la délicatesse de la situation, car elle ne connaissait rien au mode de vie des têtes couronnées. Christianna n'avait personne vers qui se tourner pour chercher aide ou consolation, à l'exception de Parker, et il était aussi désemparé qu'elle. Il n'espérait plus que la retrouver quelque part, mais Christianna attendait que les choses se calment car elle ne voulait pas attirer l'attention sur eux.

Pour comble de malheur, Freddy l'appela un peu plus tard. Il se trouvait à Amsterdam, où, lui annonça-t-il d'une voix joyeuse, il était en plein trip. Christianna regretta aussitôt d'avoir pris l'appel. Son frère semblait complètement défoncé.

— Eh bien, ne t'avise plus de me faire la morale, ma chère petite sœur, si parfaite et si pure… Quand je pense à tous ces discours dont notre père et toi vous m'avez assommé, au sujet de mes responsabilités. Tout ça pour te sauver à Paris avec ton copain ! Tu ne vaux pas mieux que moi, Cricky, mais tu te débrouilles mieux pour le cacher, avec tes satanés prêches et tes courbettes devant papa. Cette fois, tu ne t'es pas aussi bien débrouillée, n'est-ce pas, ma petite Cricky ?

Christianna raccrocha. Parfois, elle haïssait son frère. Et, en ce moment, elle haïssait aussi son père. Elle ne supportait plus l'hypocrisie et le code impitoyable qui régissaient leurs existences. Le seul qu'elle ne détestait pas était Parker. Il lui conseilla de reprendre au plus vite une vie normale. Ainsi, on cesserait de s'intéresser à elle et, par voie de conséquence, ils pourraient plus rapidement se revoir.

Elle lui obéit aussitôt et déverrouilla sa porte. Puis elle remplit les engagements qu'elle avait pris et se conforma à ce qu'on attendait d'elle. Elle s'abstint simplement de tout dîner et de toute sortie en compagnie de son père, et refusa de manger en tête-à-tête avec lui. C'était au-dessus de ses forces. Hans Josef n'insista pas. Quand ils se croisaient dans un couloir, ils se saluaient d'un signe de tête. Mais ils ne s'adressaient pas la parole.

17

Jusqu'aux premiers jours de novembre, Christianna s'acquitta consciencieusement de ses devoirs de princesse. Avec le temps, elle reparla à son père, mais sans chaleur et en conservant une réserve extrême. Il ne l'avait jamais fait souffrir à ce point. Il en était conscient et en était terriblement affligé. Il s'efforçait d'alléger au maximum ses obligations, afin de lui laisser tout le temps dont elle avait besoin pour guérir. La manière dont elle continuait à accomplir ses tâches l'impressionnait, mais il souffrait de la persistance de son ressentiment. Malheureusement, il n'aurait pu agir autrement. Pour lui aussi, c'était une situation impossible.

Cette période fut marquée par un nouveau scandale de Freddy, au Mark's Club. Un soir qu'il était particulièrement ivre et qu'on le priait de sortir, il frappa le portier, se battit dans la rue avec des policiers et termina au poste. Grâce aux avocats de son père, il ne fut pas arrêté. Ils le ramenèrent à Vaduz, où il fut assigné à résidence pendant une semaine. Après quoi il retourna à Vienne, où il refit parler de lui. Son père était de plus en plus exaspéré par son attitude, et Christianna était en froid avec lui après ce qu'il lui avait dit au sujet de son week-end à Paris.

Ne voulant parler ni à son père ni à son frère, elle se trouvait de plus en plus solitaire au palais. Elle se languissait de Parker, qui ne trouvait aucune solution à leur problème. Christianna savait qu'il n'en existait pas ; elle n'attendait que le moment de le revoir une dernière fois, pour lui dire adieu.

Une occasion se présenta enfin quand son père partit passer une semaine à Paris, pour assister à un sommet de l'ONU sur les tensions au Moyen-Orient. La participation du Liechtenstein – pays neutre – était très appréciée. Hans Josef était profondément respecté sur la scène politique internationale pour son intégrité et la sûreté de son jugement.

Dès que son père eut quitté le palais, Christianna appela Parker. Il devait bientôt se rendre à San Francisco pour y fêter Thanksgiving, mais il pouvait auparavant la retrouver quelque part en Europe. Paris était exclu, et Londres un peu risqué ; Parker eut alors une idée de génie.

— Que dirais-tu de Venise ?

— C'est un peu froid l'hiver, mais c'est tellement beau… D'accord !

Par ailleurs, à cette saison, il n'y aurait pas beaucoup de monde et personne ne remarquerait leur présence. Les amoureux se rendaient à Venise au printemps et en été, pas à l'approche de l'hiver. C'était une destination parfaite, surtout aux yeux de Christianna. Cela lui semblait l'endroit idéal pour des adieux.

Elle voulut faire elle-même ses réservations, mais cela s'avéra plus compliqué qu'elle ne le pensait et elle dut se résoudre à mettre Sylvie, sa secrétaire, dans la confidence, car elle avait besoin d'une des cartes de crédit du palais pour régler ses billets d'avion.

Sam et Max l'accompagneraient, même s'ils manifestèrent une certaine inquiétude quand ils surent qui elle devait retrouver là-bas. Christianna leur assura qu'elle prenait toute la responsabilité du voyage, et ils s'envolèrent deux jours plus tard. S'il posait des questions,

Sylvie devait dire à son père qu'elle était dans un spa, en Suisse. Mais il serait sûrement trop occupé à Paris pour téléphoner.

Christianna partit donc dans le plus grand secret, non sans appréhension. Mais elle se moquait de ce qui se passerait à son retour, du moment qu'elle voyait Parker une dernière fois.

Sylvie s'était chargée des réservations au Palais Gritti. Comme à Paris, ils auraient des chambres séparées, même s'ils n'en utilisaient qu'une. Quand Christianna arriva à l'hôtel, Parker s'y trouvait déjà. Il frappa à sa porte dès qu'elle l'eut appelé et elle se jeta dans ses bras. Jamais il ne lui avait paru plus beau et, en le voyant, elle fondit en larmes. Heureusement, il la fit rapidement sourire. Les jours qui suivirent furent remplis de larmes, de rires et d'amour.

Comme le temps était beau et ensoleillé, ils purent sillonner la ville. Ils visitèrent des églises et des musées, mangèrent dans de petits restaurants typiques, en prenant soin d'éviter les endroits connus où on aurait pu les surprendre, bien que Venise semblât presque déserte à cette époque de l'année. Ils allèrent place Saint-Marc, assistèrent à la messe dans la basilique et passèrent en gondole sous le pont des Soupirs. Ils avaient l'impression de vivre un rêve dont ni l'un ni l'autre ne voulait s'éveiller.

— Tu sais ce que cela signifie, n'est-ce pas ? chuchota Parker quand ils eurent glissé lentement sous le pont des Soupirs.

Christianna se blottit avec bonheur contre lui, protégée de la fraîcheur de l'air par une couverture.

— Quoi donc ? demanda-t-elle avec une expression heureuse, en levant les yeux vers lui.

— Une fois qu'on passe ensemble sous le pont des Soupirs, on s'appartient pour toujours. C'est ce que dit la légende, et moi j'y crois. Et toi ? dit-il en la serrant plus étroitement contre lui.

— Oui, répondit-elle doucement.

Elle ne doutait pas de l'aimer pour le restant de ses jours ; ce dont elle doutait, en revanche, c'était de le revoir. Tournée vers lui, elle lui répéta combien elle l'aimait, afin qu'il n'oublie jamais cet instant, lui non plus. Mais il y avait une différence entre eux : dans son cœur comme dans son esprit, Christianna lui rendait sa liberté, le laissait partir pour qu'il vive sa vie sans elle, presque comme si elle allait mourir. Elle se préparait à une existence placée uniquement sous le signe du devoir. Mais elle n'avait pas l'intention d'épouser le prince ou le duc que son père lui présenterait à un moment ou à un autre. Parker était l'amour de sa vie. Alors que la gondole avançait tranquillement et qu'ils continuaient de s'embrasser, Parker n'avait pas la moindre idée de ce qu'elle avait en tête. Elle le lui dirait la dernière nuit.

Le second jour, ils visitèrent les boutiques des Procuraties – principalement des bijoutiers, et aussi quelques antiquaires. A un moment donné, ils entrèrent dans une petite échoppe, à l'angle des arcades. Christianna avait repéré de jolies croix et, tandis qu'elle s'entretenait en italien avec le vieux bijoutier, Parker en profita pour faire le tour de la boutique. Un objet, dans une vitrine, attira alors son regard. Il s'agissait d'un mince anneau d'or, visiblement ancien, dans lequel étaient sertis de minuscules cœurs en émeraude. En le désignant du doigt, Parker demanda à Christianna de s'enquérir du prix. L'homme annonça une somme ridiculement basse et, devant leur expression de surprise, il s'excusa et baissa encore le prix. Parker lui fit signe de sortir l'anneau de la vitrine pour que Christianna puisse l'essayer. Quand il le glissa à son doigt, il lui allait parfaitement, comme s'il avait été fait pour elle ou lui avait appartenu dans une autre vie. Les minuscules émeraudes semblaient vivantes sur elle. Parker lui sourit, enchanté, et acheta aussitôt la bague, sous le regard ému de Christianna.

— Je ne sais pas comment ça s'appelle quand on demande une princesse en mariage et que son père s'apprête à vous décapiter...

— Un anneau guillotine, je suppose, répondit-elle avec un sourire.

Parker éclata de rire.

— Exactement. C'est notre anneau guillotine, Votre Altesse, dit-il en s'inclinant devant elle. Un jour, si on m'y autorise, je t'en offrirai un plus beau. En attendant, il est la preuve que je t'aime. Et si jamais nous sommes guillotinés, ou si je le suis seul, au moins, tu te souviendras de moi.

— Je me souviendrai toujours de toi, Parker, répliqua-t-elle, les larmes aux yeux.

Elle comprit alors, en le regardant, qu'il connaissait comme elle la signification de ce voyage. Ils allaient se dire adieu pour toujours ou, en tout cas, pour très longtemps. Il aurait été très difficile, voire impossible, pour Christianna de continuer à le voir. Qu'elle ait pu le faire cette fois relevait du miracle et Parker en était parfaitement conscient. Pour l'heure, ils engrangeaient des souvenirs et profitaient pleinement de ces quelques jours de bonheur, dont ce mince anneau était le symbole. Quand Parker l'avait glissé à son doigt et lui avait dit qu'il l'aimait, Christianna s'était juré de ne jamais l'enlever. Par la suite, ils ne le désignèrent plus que comme son anneau guillotine, ce qui ne manquait jamais de la faire sourire.

Ils visitèrent le palais des Doges, la Ca'Pesaro et l'église Santa Maria della Salute, puis se rendirent à l'église Santa Maria dei Miracoli, que Christianna tenait particulièrement à voir. Elle voulait y prier pour implorer un miracle. Désormais, c'était leur seul espoir.

Ils prirent leur dernier repas dans un minuscule restaurant. Après avoir pris une gondole pour retourner à l'hôtel, ils restèrent dehors pendant un long moment, serrés l'un contre l'autre, sous le clair de lune. Chaque moment qu'ils venaient de vivre était gravé à jamais dans leur mémoire.

— Nous allons devoir être forts, Cricky, dit Parker.

Sans qu'elle ait eu besoin de le lui dire, il savait que c'était la dernière fois qu'ils étaient ensemble, pour très longtemps et peut-être pour toujours.

— Je serai avec toi, partout, continua-t-il. S'il t'arrive d'en douter, regarde ton anneau guillotine, souviens-toi de mes paroles et sois assurée que nous nous retrouverons un jour.

Tout en ne doutant pas de sa sincérité, Christianna savait qu'il finirait par épouser une autre femme, qu'il aurait des enfants et, elle voulait l'espérer, qu'il vivrait heureux. Il n'en allait pas de même pour elle. Elle ne voulait personne d'autre que lui dans sa vie.

— Je t'aimerai jusqu'au jour de ma mort, dit-elle en pesant chacun de ses mots.

Ils rentrèrent lentement pour leur dernière nuit ensemble. Ils firent l'amour puis contemplèrent une dernière fois Venise sous la lune, depuis le balcon. Le spectacle était d'une beauté poignante.

— Je te remercie d'être venu me retrouver ici, dit Christianna en le regardant.

— Ne me dis pas ça, répliqua Parker en l'attirant dans ses bras. J'irais au bout du monde pour toi. Dès que tu voudras me voir, appelle-moi, et j'arriverai aussitôt.

Ils étaient convenus de continuer à s'écrire par e-mail. Christianna ne pouvait pas s'imaginer vivre sans contact avec Parker, même si elle ne le revoyait jamais. Elle lui téléphonerait également, car elle avait besoin d'entendre sa voix. Son père pouvait les empêcher de se voir, mais pas de s'aimer. Seul le temps pourrait peut-être y parvenir. Pour le moment, ils étaient profondément amoureux l'un de l'autre.

Ils dormirent enlacés, se touchant, se caressant, se regardant, avec le désir que ces moments de grâce durent éternellement.

Au matin, ils firent l'amour une dernière fois. Ils s'efforçaient d'emmagasiner le plus de souvenirs. C'était tout ce qui leur resterait, dans peu de temps.

Il n'y avait pas de paparazzis quand ils quittèrent l'hôtel. Personne ne les avait abordés ni ne leur avait posé de questions. Max et Sam les avaient laissés seuls pendant trois jours et en avaient profité pour visiter Venise de leur côté. Quand ils étaient passés sous le pont des Soupirs, Samuel avait dit en plaisantant que, maintenant, ils étaient liés pour toujours ; en réponse, Max lui avait demandé s'il préférait être exécuté sur-le-champ ou plus tard.

Ils furent peinés en voyant l'expression de Christianna et de Parker. C'est dans le silence le plus total qu'ils prirent la route de l'aéroport. En y arrivant, les deux gardes du corps s'éloignèrent pour permettre à Christianna et Parker de se dire au revoir.

— Je t'aime, dit Parker en la serrant dans ses bras. Rappelle-toi ton anneau guillotine et ce qu'il signifie. Je mourrais pour toi, Cricky. Qui sait ce que la vie nous réserve ? Peut-être que l'un des cierges que tu as allumés opérera un miracle.

— J'y compte bien, murmura-t-elle, accrochée à lui.

Encore quelques minutes et elle devrait partir. Son avion s'envolait le premier. Elle ne pouvait cesser d'embrasser Parker, au point que Max et Samuel crurent qu'ils devraient l'emmener de force.

— Je t'aime... Je te téléphonerai dès que tu arriveras.

— Je serai là dès que tu auras besoin de moi. Et toi, tu es là... murmura-t-il en posant sa main sur son cœur.

Ils s'embrassèrent une dernière fois puis, avec l'impression d'arracher son âme à la sienne, Christianna se dirigea vers l'avion. Elle se retourna une fois, lui fit signe, en le regardant au fond des yeux. Après avoir mis sa main sur son cœur, elle fit comme si elle le lui offrait. Il acquiesça de la tête tout en soutenant son regard. Alors elle pivota et monta dans l'avion.

18

Christianna resta silencieuse durant tout le vol vers Zurich, posant souvent le doigt sur l'anneau serti des cœurs en émeraude, comme s'il s'agissait d'un talisman. Lorsqu'ils remarquèrent son geste, Max et Samuel se demandèrent si Parker et elle s'étaient mariés à Venise, avant de conclure que c'était peu probable. Mais ils comprirent que cette bague signifiait beaucoup pour elle. Une fois à Zurich, elle leur sourit et les remercia de l'avoir accompagnée à Venise. Il émanait d'elle un calme empreint de tristesse, et elle semblait vidée de tout sentiment. Son cœur et son âme étaient restés avec Parker, et c'était une sorte d'automate qui revenait à Vaduz.

Elle ne parla pas jusqu'à leur arrivée au palais, deux heures plus tard. Ils roulèrent lentement, de toute façon elle n'était pas pressée de rentrer. Après ces trois jours magiques à Venise avec Parker, elle allait passer toute sa vie ici, comme en prison. Elle aurait presque préféré la guillotine, plutôt que cette existence faite de devoir et d'obligation, imposée par son père qui la privait de ses rêves, au nom du sang royal qui coulait dans leurs veines. Elle payait très cher ce qu'elle était, et qu'elle refusait d'être.

Le chien était dans la cour quand ils arrivèrent, et il bondit sur elle. Après l'avoir flatté, elle le précéda à l'intérieur du palais et monta dans sa chambre. Elle savait que son père rentrait dans l'après-midi. Son escapade à Venise avait été parfaitement calculée.

A son entrée dans le bureau, Sylvie leva la tête. Ne voulant pas se montrer indiscrète, elle ne lui posa aucune question et se contenta de lui tendre la liste de ses obligations pour le lendemain et le reste de la semaine. Il n'y avait rien d'inattendu et tout promettait d'être fastidieux.

— Je suppose que vous n'avez pas suivi l'actualité... avança Sylvie après une légère hésitation.

Christianna fit non de la tête. Sylvie remarqua l'anneau orné d'émeraudes, mais ne dit rien.

— Votre père a surpris tout le monde en prononçant un discours historique devant les membres de l'ONU...

Christianna ne fit aucun commentaire, mais attendit que la secrétaire continue. Comme Sam et Max un peu plus tôt, Sylvie eut l'impression que Christianna n'était pas vraiment là. Elle ressemblait à un automate et avait l'impression d'en être un. Son cœur et son âme se trouvaient à bord de l'avion pour Boston, avec Parker.

— Quel genre de discours ? finit-elle par demander, sans intérêt particulier.

Elle était censée être au courant des positions de son pays sur la scène internationale, notamment à l'ONU. Le sommet qui venait de se tenir à Paris mettait l'accent sur les relations avec le monde arabe.

— Il a adopté une position très ferme et préconisé de prendre des mesures exemplaires. Ses propos ont été très largement commentés par les chefs d'Etat et les hommes politiques, et on les a critiqués autant qu'applaudis. Les journalistes commencent déjà à arriver. Son secrétaire m'a dit qu'il avait déjà quatre interviews prévues aujourd'hui. De l'avis général, il s'est montré très courageux. Je pense que la surprise vient de ce qu'on n'attendait pas un avis aussi tranché de la part du chef d'un Etat neutre.

En d'autres circonstances, Christianna aurait été fière de son père, mais elle pensait trop à Parker pour y prêter attention.

Un dîner officiel était organisé le soir même au palais et, pour la première fois depuis plus d'un mois, Christianna avait accepté d'y assister. Cela faisait partie de la vie qu'elle s'était engagée à mener et pour laquelle elle avait sacrifié Parker. Comme son père, elle faisait son devoir. C'était tout ce qui lui restait.

Retirée dans sa chambre, elle défit elle-même ses bagages, puis contempla la photo de Fiona posée sur sa commode. C'était ainsi qu'elle voulait se rappeler la jeune femme, surprise en train de rire aux éclats, les yeux pétillants de joie. Elle avait d'autres photos de Senafe, mais celle-ci la touchait particulièrement, car elle pouvait imaginer Fiona heureuse à jamais. Une autre photo montrait Parker regardant droit vers l'objectif, en short et grosses chaussures, la tête coiffée du chapeau de cow-boy qu'il portait au camp. Elle laissa ses yeux s'attarder longuement sur les photos, puis les porta sur sa bague.

Elle ne vit son père qu'au moment du dîner. Hans Josef était plus animé que de coutume et semblait très satisfait de lui-même. Son discours avait provoqué un vif émoi et les journalistes envahirent le palais pendant plusieurs jours. Christianna réussit à les éviter, vaquant à ses propres affaires en toute discrétion.

Lors du dîner, elle croisa une fois les yeux de son père et détourna le regard. Elle avait demandé à ne pas être assise à côté de lui. Ses voisins de table étaient intéressants et elle passa une agréable soirée malgré ses réticences. Elle savait que c'était la première d'une série interminable qu'elle devrait passer sans Parker et elle parvenait difficilement à croire que, la nuit précédente, elle était à Venise avec lui.

Le hasard voulut que son père et elle regagnent leurs appartements au même moment. Entendant son pas dans l'escalier derrière elle, Christianna s'arrêta et se retourna ; leurs yeux se croisèrent et se soutinrent, tandis que Hans Josef continuait de monter pour la rejoindre.

— Je suis désolé, Cricky, murmura-t-il.

Elle comprit à quoi il faisait allusion.

— Moi aussi.

Elle esquissa un signe de tête, pivota, entra dans ses appartements et en referma doucement la porte au moment où il passait devant.

Elle ne le revit que deux jours plus tard, quand elle dut se rendre dans son bureau pour y prendre un journal. Il donnait une nouvelle interview. Les journaux faisaient largement écho à la position qu'il défendait et qui devenait plus controversée de jour en jour. Christianna avait déjà remarqué que la sécurité avait été discrètement renforcée au palais. Trois gardes du corps accompagnaient son père partout, et elle-même en avait maintenant deux. Même s'il n'y avait aucune menace directe, Hans Josef préférait être prudent, surtout en ce qui la concernait. Il avait mécontenté beaucoup de gens, même si beaucoup d'autres, par ailleurs, approuvaient sa fermeté. Christianna était encore en colère contre lui – et le serait pendant longtemps – mais elle admirait son courage devant les Nations unies. Son père était un homme intègre, qui n'hésitait pas à défendre ses convictions.

Elle téléphonait souvent à Parker depuis qu'ils avaient quitté Venise. Il paraissait fatigué, mais toujours heureux de l'entendre. Dans ses e-mails, il se montrait joyeux et drôle, et il lui envoyait parfois des blagues qui la faisaient éclater de rire. La plupart du temps, il lui parlait de ce qu'il faisait, de l'avancée de ses recherches, et lui répétait combien elle lui manquait. Christianna lui disait à peu près les mêmes choses.

Au cours des deux mois suivants, elle fut très occupée. Tout en continuant à assurer ses obligations habituelles, elle mit sur pied de nouveaux projets et indiqua à la fondation son intention de travailler avec elle. Elle avait décidé qu'elle n'irait pas étudier à Paris, mais qu'elle se consacrerait à l'œuvre caritative portant le nom de sa mère. C'était la seule chose qui l'intéressait et qui possédait un sens à ses yeux. Au moment où elle alla les voir, Parker fêtait Thanksgiving à San Francisco. C'était une fête qu'elle avait beaucoup aimée lorsqu'elle était à Berkeley. Chaque année, elle avait été invitée chez ses amies, et elle regrettait aujourd'hui de n'être pas avec Parker, son père et son frère. Mais elle savait que cela ne se produirait jamais.

Juste après lui avoir téléphoné, alors qu'elle sortait avec Charles, elle tomba sur son frère, qui venait d'arriver dans une Ferrari flambant neuve – rouge, évidemment. Il semblait de bonne humeur, mais elle lui en voulait encore pour ses commentaires au sujet de son week-end à Paris. Christianna les avait trouvés vulgaires et particulièrement méchants.

— Comment allez-vous, Votre Altesse ? lui lança-t-il d'un ton taquin.

Christianna lui jeta un regard froid, puis éclata de rire.

— Suis-je censée t'appeler par ton titre, maintenant ? se moqua-t-elle.

Il était vraiment insupportable, mais c'était son frère.

— Tout à fait. Et j'exige aussi une révérence. Je serai un jour le maître ici, tu sais ?

— Je préfère ne pas y penser.

Freddy n'aurait jamais eu le cran d'agir comme venait de le faire leur père sur la scène internationale ; il n'en aurait d'ailleurs pas eu les capacités. Hans Josef s'était livré à un exercice périlleux pour concilier des opinions contradictoires et y avait gagné un statut de héros. Même Parker, qui pourtant ne l'aimait pas beaucoup, avait été impressionné.

— Que penses-tu de ma nouvelle voiture ? lui demanda Freddy en changeant de sujet.

— Pas mal. On voit tout de suite qu'elle coûte cher, fit remarquer Christianna en souriant.

— J'ai les moyens de me l'offrir, ou notre père les a. Je viens juste de l'acheter.

Christianna devait admettre qu'elle était magnifique, même si son frère en possédait déjà deux à peu près identiques et de la même couleur. Il paraissait avoir un appétit illimité pour les voitures de sport coûteuses, ainsi que pour les femmes légères et tout aussi coûteuses.

— Tu veux faire un tour ? lui proposa-t-il avec enthousiasme.

Mais Christianna éclata de rire en secouant la tête. La manière de conduire de Freddy lui donnait mal au cœur. Charles lui-même se sauva quand il ouvrit la portière.

— J'adorerais, mais plus tard. J'ai un rendez-vous, prétendit-elle avant de rentrer en courant.

Tous les trois se retrouvèrent au dîner. Au début, l'atmosphère fut un peu tendue, car Hans Josef avait quelque chose à reprocher à Freddy, dont il ne voulait pas parler devant Christianna. Mais pour la première fois depuis deux mois, elle apprécia de se retrouver en leur compagnie. Décembre approchant, ils discutèrent de leurs projets de vacances à Gstaad. Exceptionnellement, ils ressemblaient à une famille normale. Aucun ne parla de politique, de réformes économiques, ni même de la dernière incartade de Freddy et, peu à peu, ils se détendirent. Christianna ne put s'empêcher de rire aux plaisanteries de son frère et leur père lui-même s'esclaffa à plusieurs reprises, même si certaines de ses histoires étaient assez osées. Mais elles étaient toujours très drôles. Freddy était vraiment le pitre de la famille.

Au moment où ils se levaient de table, il essaya de persuader Christianna de faire une balade avec lui dans sa nouvelle voiture. Mais il faisait froid et la route risquait d'être verglacée, car les premières chutes de neige s'étaient produites quelques jours auparavant. Semblant profondément vexé de son refus, Freddy se tourna vers son père.

— Et vous, père ? Une petite virée avant d'aller vous coucher ?

Hans Josef fut sur le point de décliner à son tour l'invitation. Mais il passait si peu de temps avec son fils, de manière générale, et était si souvent furieux contre lui, qu'il hésita. Sans doute pouvait-il faire un effort. De plus, il était toujours trop occupé dans la journée pour ce genre de divertissement.

— Si tu m'assures qu'il n'y en a que pour quelques minutes... Je n'ai pas envie de me retrouver à Vienne parce que tu auras voulu me faire une démonstration de la puissance du moteur.

— Je vous le promets, dit Freddy, ravi, en souriant à sa sœur.

C'était presque comme dans le temps, quand ils étaient plus jeunes. Freddy avait déjà la passion des voitures de luxe. Rien n'avait vraiment changé, sauf que Christianna avait grandi, et lui non. Elle y avait fait une allusion lors du repas et, pour se venger, il l'avait appelée sa « vénérable sœur », bien qu'elle ait dix ans de moins que lui.

Leur père demanda à l'un des valets de pied en livrée de lui apporter son manteau. Freddy avait bu suffisamment d'alcool pendant le dîner pour pouvoir s'en passer.

Christianna les suivit dehors. Les employés de la sécurité venaient d'être relevés et ceux qui prenaient leur service, occupés à bavarder, ne les virent pas sortir.

Christianna trouva leur attitude désinvolte, alors que le palais avait ordonné un renforcement de la sécurité depuis que les projecteurs de l'actualité internationale étaient braqués sur son père. Quelques minutes plus tard, les gardes vinrent s'entretenir avec eux, mais elle jugea qu'ils avaient mis un peu trop longtemps à les rejoindre. Afin de ne pas les embarrasser, elle ne dit rien sur le moment, mais se promit d'en parler à Sylvie, le lendemain matin, afin que celle-ci le signale.

— Puis-je espérer profiter d'une promenade civilisée en ta compagnie, Friedrich ? s'enquit leur père d'un air enjoué. Ou aurai-je besoin d'un médecin pour me prescrire des calmants, à mon retour ?

C'était sa manière d'avertir son fils qu'il ne voulait pas rouler à cent quatre-vingts kilomètres à l'heure. Mais il était de bonne humeur, après leur agréable dîner ensemble.

— Je promets d'être raisonnable.

— Ne fais pas trop peur à papa, lui recommanda Christianna alors que les deux hommes se glissaient dans la longue voiture basse, à la ligne incroyablement effilée.

Ils fermèrent les portières et son père lui fit signe à travers la vitre. Quand leurs yeux se croisèrent, Christianna lut une certaine tristesse dans les siens, comme s'il lui disait de nouveau à quel point il était désolé pour Parker. Elle savait qu'il ne changerait jamais d'avis mais qu'il regrettait de lui infliger cette souffrance. Elle inclina la tête, lui signifiant ainsi qu'elle avait compris.

Freddy appuya alors sur l'accélérateur et la puissante machine s'élança sur la route. Jamais Christianna n'avait vu de démarrage plus foudroyant. Elle s'apprêtait à rentrer à cause du froid, mais décida de les regarder quelques instants, en se demandant si leur père était déjà terrifié. Dans sa jeunesse, lui aussi aimait les voitures de sport. Peut-être était-ce génétique... Il ne s'était toutefois jamais intéressé aux femmes légères, et seule leur mère avait compté pour lui.

Tandis qu'elle suivait la voiture des yeux en souriant et se demandait quand ils feraient demi-tour, Freddy ralentit un peu pour négocier un virage et, au moment où les feux stop s'allumaient, une explosion retentit, aussi violente que si le ciel venait de s'effondrer. Tout de suite après, une énorme boule de feu s'éleva à l'endroit où se trouvait la voiture. Devant Christianna abasourdie, le véhicule, son père et Freddy s'évanouirent. Sur le moment, personne ne bougea, puis, brusquement, tous se mirent à courir. Les gardes en faction s'élancèrent sur la route, d'autres sautèrent dans des voitures et se précipitèrent vers l'incendie, et Christianna en fit autant. Son cœur battait à se rompre et, soudain, elle revit Fiona gisant dans la boue… Elle continua de courir… de courir comme une folle, alors que retentissaient des sirènes et des coups de sifflet, que des hommes la dépassaient, que le grondement du feu emplissait l'air. Elle atteignit l'endroit où la voiture s'était trouvée, presque en même temps que les camions du service incendie du palais. Des pompiers armés de tuyaux bondirent, l'eau jaillit de toutes parts et quelqu'un tira Christianna en arrière. Alors qu'on l'entraînait plus loin, elle garda les yeux fixés sur l'incendie. Mais tout ce qu'elle vit fut un feu gigantesque, comme suspendu dans l'atmosphère. Il n'y avait plus de voiture ; à son emplacement, ne restait plus qu'un immense trou carbonisé.

Son père et Freddy avaient été pulvérisés, victimes d'une bombe placée sous la voiture. Toute sa famille avait disparu.

19

Comme le jour de la mort de Fiona, Christianna ne conserva pas de souvenirs précis de ce qui se passa ensuite. Elle se rappelait vaguement être retournée au palais, où des gens couraient en tous sens. Deux gardes de la sécurité la conduisirent dans sa chambre et y restèrent avec elle. Elle vit Sylvie, puis des visages qu'elle connaissait et d'autres qu'elle n'identifiait pas. Des policiers, des équipes de déminage, des soldats s'activaient ; des hommes en tenue de combat arrivèrent par camions, puis la police suisse, des ambulances, et encore d'autres camions. Les ambulances étaient inutiles, car on n'avait pas retrouvé la moindre trace de son père et de son frère.

Personne ne revendiqua l'attentat, ni dans les heures qui suivirent, ni plus tard. L'acte de courage de son père à l'ONU lui avait coûté la vie. La bombe avait dû être installée entre le moment où Freddy était arrivé et la fin du dîner. Puisqu'elle avait été placée sous la voiture de son frère, ce n'était sans doute pas Hans Josef qui était visé, mais plutôt le prince héritier, à titre d'avertissement pour son père. Un sinistre hasard avait permis aux terroristes de provoquer également la mort du prince régnant.

Pendant toute la nuit, des hommes en uniforme patrouillèrent dans le palais et ses environs. Dans un état second, Christianna insista pour sortir. A peine eut-elle quitté le palais avec ses gardes du corps que Sam et Max arrivèrent en courant. Sans dire un mot, sans même réfléchir, Max la prit dans ses bras et se mit à pleurer. A côté de lui, Sam avait les joues baignées de larmes. Christianna, elle, ne pouvait que se tenir devant le cratère noirci, encore fumant, à l'endroit où la voiture avait explosé, et le regarder fixement.

Tout d'abord, seules quelques personnes surent que le prince Hans Josef se trouvait dans la voiture ; la plupart pensaient que seul Freddy était à bord. Mais la nouvelle se répandit rapidement quand les gardes rapportèrent qu'ils avaient vu le souverain monter dans la Ferrari. C'était une double tragédie, une double perte, à la fois pour le pays et pour le monde.

Comme Christianna refusait de retourner au palais, des soldats armés l'entourèrent, tandis que Max et Sam l'escortaient de chaque côté. En restant près de l'endroit où son père et son frère avaient disparu, elle avait l'impression qu'elle allait réussir à les ramener, ou à les retrouver.

Il était impossible d'évaluer déjà les conséquences de l'attentat pour le Liechtenstein. Ce ne fut qu'au moment où elle vit les larmes de Sam et de Max que Christianna commença à comprendre qu'elle avait perdu son père et son frère. Elle était orpheline, et son pays n'avait plus de dirigeant.

— Que va-t-il se passer ? demanda-t-elle à Max, terrifiée.

— Je ne sais pas, répondit-il.

Personne ne le savait. A la tragédie personnelle de Christianna s'ajoutait un problème politique considérable pour le pays. Freddy était le seul héritier mâle du prince régnant, et les femmes n'étaient pas autorisées à régner. Il n'y avait donc personne pour monter sur le trône de Hans Josef.

Christianna resta debout toute la nuit. Il était encore impossible de comprendre ce qui s'était passé, mais les agences de presse et les télévisions ne cessaient de dépêcher des envoyés spéciaux. Après son intervention remarquée à Paris, Hans Josef avait attiré l'attention des médias. Inévitablement, on associait l'attentat à cette couverture médiatique. Heureusement, une armée de gardes protégeait Christianna des journalistes.

Au milieu de la nuit, elle remonta dans sa chambre, et Sylvie l'aida à se changer. Quand elle redescendit, vêtue de noir, elle vit tous les assistants de son père en train de passer des coups de fil affolés et de griffonner des notes avec frénésie. Elle n'avait pas la moindre idée de l'identité des personnes qu'ils appelaient, ni de ce qu'elle était censée faire. L'assistant personnel de son père vint la trouver, alors qu'elle errait comme un fantôme, et lui dit qu'ils devaient prendre des dispositions.

— Des dispositions… pour quoi ? demanda-t-elle.

Elle était sous le choc. Même si elle paraissait lucide et calme, son esprit ne parvenait pas à appréhender la réalité de l'événement. Une seule pensée l'obsédait : « Papa est mort. » Elle avait l'impression d'avoir de nouveau cinq ans et se rappelait soudain tout ce qui s'était passé le matin où sa mère était décédée. Et Freddy… Freddy, si insouciant et si gai… Il était mort, lui aussi. Ils étaient tous partis, et elle restait totalement seule au monde.

Lorsque le matin arriva, elle se retrouva assise dans le bureau de son père, entourée de ses secrétaires et de gardes du corps. C'est alors que les vingt-cinq membres du Parlement arrivèrent. Ils avaient le visage ravagé et portaient tous un costume et une cravate noirs. Ils avaient passé la nuit les uns chez les autres, par petits groupes éplorés, pour suivre les nouvelles à la télévision et discuter des mesures à prendre. Le problème qui se présentait à eux était considérable et inédit. Non seulement le pays n'avait plus de souverain, mais il n'y avait personne pour succéder à Hans Josef. La tragédie survenue dans la soirée se doublait d'un désastre pour la principauté.

— Votre Altesse... commença le Premier ministre avec douceur.

Il voyait que Christianna n'était pas en état de parler, mais il n'avait pas le choix. Ils s'étaient réunis à 4 heures du matin et avaient attendu 8 heures pour se présenter au palais.

— Votre Altesse, nous devons nous entretenir avec vous, reprit le Premier ministre, qui était le doyen du Parlement et avait été le principal confident de son père. Acceptez-vous de siéger parmi nous ?

L'air toujours absent, Christianna acquiesça d'un signe de tête. Ils firent sortir tout le monde du bureau, à l'exception des gardes armés de mitraillettes. En effet, personne ne savait ce qui pouvait survenir. La bombe placée sous la voiture était-elle un acte isolé, préfigurait-elle une opération de plus grande envergure ou même une offensive contre le palais ? Des soldats de l'armée suisse, envoyés de Zurich par le gouvernement, patrouillaient à l'intérieur et à l'extérieur du bâtiment.

Christianna s'assit la première, puis les membres du Parlement prirent place. Il lui parut étrange que son père ne soit pas là, puisqu'ils étaient tous réunis dans son bureau. L'espace d'un instant, elle se demanda où il était ; puis ce fut comme une seconde explosion dans sa tête, et elle se souvint. Elle se rappela surtout le regard qu'ils avaient échangé juste avant que la voiture démarre. Toute sa vie, elle serait hantée par le regret qu'elle avait lu dans les yeux de son père, ainsi que par la dispute qui les avait opposés pendant deux mois. Ils venaient à peine de faire les premiers pas vers une réconciliation, lors de la soirée avec Freddy, et maintenant, il était mort. Christianna avait beau se répéter qu'elle ne les verrait plus ni l'un ni l'autre, elle ne parvenait pas y croire.

— Nous devons vous parler, Votre Altesse. Nous sommes submergés de douleur, face au malheur qui vous frappe. Il est si terrible qu'il dépasse l'entendement. Veuillez accepter nos plus sincères condoléances, de notre part à tous.

Incapable de parler, Christianna inclina la tête, tandis que les larmes lui montaient aux yeux. Elle n'était plus qu'une jeune fille de vingt-quatre ans qui venait de perdre toute sa famille. Il n'y avait personne pour la consoler, personne d'autre que ces hommes. Elle les connaissait tous et ils se rendaient bien compte que le choc qu'elle avait subi était incommensurable. Son visage était si pâle qu'il en était presque transparent.

— Nous devons aborder avec vous le problème de la succession. Notre pays n'a plus de dirigeant et, selon notre Constitution, il faut remédier très vite à cette situation. Il serait dangereux qu'elle se prolonge, surtout en ce moment.

Assurant l'intérim, le Premier ministre avait tout pouvoir pour gérer les affaires courantes du pays. Toutefois, il ne fallait pas que le trône reste vacant. Cela les inquiétait beaucoup.

— Comprenez-vous ce que je dis, Votre Altesse, ou êtes-vous trop bouleversée ?

Il s'adressait à Christianna comme si elle n'entendait pas. En vérité, elle était si écrasée par le sentiment de sa solitude qu'elle ne pouvait plus parler.

Finalement, elle réussit à prononcer quelques mots, pratiquement les premiers depuis l'horrible événement.

— Je vous comprends, assura-t-elle.

— Je vous remercie, Votre Altesse. Ce dont nous voulons discuter avec vous, c'est de la personne qui succédera à votre père.

Le Premier ministre n'ignorait rien de l'histoire de sa famille et connaissait chacun des cent membres de la maison princière.

— Plusieurs de vos cousins, à Vienne, figurent directement dans l'ordre de succession. Mais, en parcourant la liste, je me suis rendu compte qu'au moins les sept premiers d'entre eux – si ce n'est les huit ou neuf premiers – étaient totalement inenvisageables. Ils sont tous beaucoup trop vieux, et certains d'entre eux sont malades. La plupart n'ont pas d'enfants, et donc pas d'héritier potentiel. Ensuite, nous trouvons plusieurs femmes, et elles ne peuvent pas prétendre au trône. Nous devons remonter au-delà du vingtième rang, et même du vingt-cinquième, pour trouver un homme d'âge convenable et en bonne santé. Mais je ne suis pas certain qu'il accepterait. Tous les parents de votre père sont autrichiens, et aucun n'entretient de liens étroits avec le Liechtenstein. Ce qui nous amène au point que je souhaite vous soumettre...

« Votre père était un mélange admirable de modernité et de fidélité à l'histoire. Il respectait nos traditions et il croyait aux valeurs défendues par la principauté depuis mille ans ; mais il avait aussi des idées avancées sur certains sujets. Pour lui, les femmes devaient avoir le droit de vote, et il le pensait longtemps avant qu'elles ne l'obtiennent. De plus, il avait beaucoup de respect pour vous, Votre Altesse. Il m'a souvent parlé de votre intérêt pour l'économie, et de la pertinence de vos suggestions, surtout de la part d'une personne aussi jeune que vous.

Le Premier ministre s'abstint de toute allusion à Freddy. En ces circonstances, cela aurait été déplacé. Mais Hans Josef avait souvent confié à ses ministres que, si leurs lois avaient été différentes, Christianna aurait été bien plus apte à régner que son frère.

— Nous nous trouvons donc face à un problème épineux, continua-t-il après avoir repris son souffle. Il n'y a pas de successeur direct à votre père. Et, si nous suivons la ligne de succession, il nous faut aller très loin pour trouver quelqu'un du sexe et de l'âge requis. Je ne pense pas qu'il soit jamais venu à l'esprit de votre père que le prince héritier ne régnerait pas. Mais, étant donné la tragédie qui nous a frappés cette nuit, et avec le plus grand respect, Votre Altesse, je pense savoir ce que votre père aurait fait, face à cette situation. Nous en avons discuté longuement et nous sommes tombés d'accord sur le fait que le seul successeur envisageable... c'est vous.

Les yeux écarquillés, Christianna le dévisagea comme s'il était devenu fou. Peut-être était-ce le cas, d'ailleurs. Ou alors, elle était en train de rêver, son père et son frère n'étaient pas morts, et elle allait s'éveiller de ce cauchemar dans une minute.

— Nous voulons proposer une nouvelle loi, qui devra être immédiatement approuvée par la maison princière, et qui autorisera les femmes, et vous plus particulièrement, à accéder au trône. Pour aller encore plus loin, nous avons aussi considéré les liens qui vous rattachent aux rois de France par votre mère ; si vous acceptez de succéder à votre père et devenez souveraine du Liechtenstein, comme votre peuple et nous-mêmes le souhaitons, nous aimerions que vous régniez avec le titre d'altesse royale, et non d'altesse sérénissime. Je crois sincèrement que c'est une mesure que votre père aurait approuvée. Auparavant, elle devra, bien sûr, être également soumise à l'approbation de la maison princière. Nous souhaitons la lui présenter le plus tôt possible, car le Liechtenstein ne peut rester sans souverain.

« Votre Altesse, au nom de votre père et pour le bien de tous, je vous demande, en tant que Premier ministre, sujet de la principauté et concitoyen, de bien vouloir accepter.

Tandis qu'elle l'écoutait parler, des larmes ruisselaient sur les joues de Christianna. Alors qu'elle n'avait que vingt-quatre ans, on lui demandait de prendre la tête de son pays et de devenir princesse régnante à la suite de son père. Elle n'avait jamais été aussi effrayée de sa vie et tremblait de la tête aux pieds, saisie de terreur, de douleur et de surprise. Elle était immensément touchée, mais se sentait totalement inapte à jouer ce rôle. Comment pourrait-elle jamais égaler son père et faire honneur à son titre d'altesse royale ? C'était comme si on lui demandait d'être reine ! D'une certaine façon, c'était d'ailleurs ce qu'on lui proposait. L'idée que les femmes soient acceptées dans la ligne de succession lui plaisait ; toutefois, elle n'estimait pas posséder les capacités nécessaires pour faire face à une tâche aussi écrasante.

— Mais… comment pourrais-je y arriver ? demanda-t-elle, secouée de sanglots qui l'empêchaient presque de parler.

— Nous pensons que vous en êtes tout à fait capable. Et je crois que votre père l'aurait pensé, lui aussi. Votre Altesse, je vous le demande instamment, je vous en supplie, venez au secours de votre pays. Nous ferons tout ce qui est en notre pouvoir pour vous soutenir et vous aider. En montant sur le trône, aucun prince ne se sent prêt pour la tâche qui l'attend. Vous apprendrez, comme les autres. Acceptez-vous ? Si vous disiez oui, Votre Altesse, ce serait une bénédiction pour nous, pour vous, et pour notre pays.

Clouée dans son fauteuil, Christianna scrutait chaque visage, et y lisait la réponse qu'elle quêtait. Un des députés aurait-il eu l'air dubitatif, réticent ou mécontent, elle aurait aussitôt dit non. Au lieu de cela, tous paraissaient l'implorer de faire ce qu'ils lui demandaient. Elle avait même l'impression d'entendre la voix de son père lui enjoindre d'accepter. Pendant un long moment, elle les regarda en tremblant, plus malheureuse et plus effrayée qu'elle ne l'avait jamais été. Enfin, comme contrainte par une force plus puissante qu'elle et sans parvenir à y croire, elle hocha lentement la tête. Elle allait porter le même fardeau que son père pour le restant de ses jours, jusqu'à sa mort ; elle serait obligée de vivre pour son pays et non plus pour elle-même ; et le devoir ne serait plus un simple mot, mais une façon de vivre à laquelle elle ne pourrait plus jamais échapper. Alors même que cette pensée la remplissait de terreur, elle regarda le Premier ministre au fond des yeux et murmura d'une voix à peine audible :

— Oui.

Dès qu'elle eut prononcé ce mot unique, tous parurent soulagés. En dépit de la terrible tragédie survenue dans la soirée, les membres du Parlement souriaient. Le Premier ministre rappela alors à Christianna qu'Elizabeth était devenue reine d'Angleterre à vingt-cinq ans, avec la charge d'un pays beaucoup plus vaste et des responsabilités bien plus lourdes. Ni lui ni personne dans la pièce ne paraissait douter qu'elle puisse diriger le Liechtenstein avec succès, à vingt-quatre ans. Il lui expliqua alors ce qui allait suivre.

— Chacun de nous va téléphoner à quatre membres de la Maison princière, afin de leur proposer, d'une part, que vous deveniez princesse régnante du Liechtenstein, et qu'à compter de ce jour, les femmes soient incluses dans l'ordre de succession ; et, d'autre part, que vous portiez le titre d'altesse royale auquel votre ascendance maternelle vous donne droit. Comme nous sommes vingt-cinq, nous pourrons contacter tous les membres de la maison aujourd'hui. S'ils votent en votre faveur et selon notre vœu, nous vous nommerons ce soir même. C'est mon souhait le plus ardent. Le Liechtenstein ne peut rester sans chef d'Etat, et nous croyons sincèrement que vous êtes la plus habilitée à tenir ce rôle.

Sur ces mots, il se leva, la regarda et fit le tour de la pièce des yeux.

— Que Dieu soit avec nous et avec vous, Votre Altesse. Je vous téléphonerai cet après-midi, pour vous faire part de la décision de la maison princière.

Sans laisser à Christianna le temps de se ressaisir ou de changer d'avis, ils sortirent un à un de la pièce. Après leur départ, elle resta immobile un long moment, les yeux fixés sur les portraits de son arrière-grand-père, de son grand-père et de son père. Elle contempla longtemps celui de Hans Josef, et c'est en pleurant qu'elle quitta le bureau.

20

Trois hommes armés escortèrent Christianna jusqu'à sa chambre, où Sylvie l'attendait. Comme tout le monde au palais, celle-ci était bouleversée, effrayée, épuisée, et pleurait Hans Josef. A peine Christianna fut-elle entrée qu'elle lui parla des funérailles à organiser. Des funérailles nationales, à la fois pour le prince régnant et pour le prince héritier. Mais Christianna était incapable d'y penser.

— Voulez-vous vous allonger quelques minutes, Votre Altesse, avant que nous commencions ?

Christianna accepta, tout en songeant que sa secrétaire n'avait pas la moindre idée de ce qui se préparait. Si la maison princière votait dans le sens souhaité par les ministres, elle serait princesse régnante la nuit prochaine. Cette perspective était trop effrayante pour qu'elle s'y arrête.

Quelques instants plus tard, Sylvie quitta la pièce en lui disant qu'elle serait de retour dans une demi-heure. Les trois gardes la suivirent et se postèrent devant la porte de la chambre. Il n'y avait qu'une personne à laquelle Christianna voulait parler : seul Parker saurait l'aider et la soutenir. Etant certaine qu'il était au courant, elle ne prit pas la peine de regarder s'il lui avait envoyé un e-mail. Son pays avait beau être petit, l'explosion de la bombe qui avait tué son père et Freddy avait été entendue dans le monde entier.

Elle prit le téléphone qui se trouvait sur sa table de nuit et composa le numéro de portable de Parker. Bien que perdue et accablée, elle savait qu'il se trouvait à San Francisco pour y fêter Thanksgiving.

Il décrocha à la première sonnerie, car il attendait désespérément son appel. Il savait qu'il n'aurait eu aucune chance de la joindre s'il avait essayé de téléphoner à Vaduz. Les images qu'il avait vues à la télévision donnaient l'impression que le chaos le plus total régnait au palais.

— Mon Dieu... Cricky ? Comment vas-tu ? Je suis désolé... Je suis tellement désolé... J'ai entendu la nouvelle à la radio.

Assise sur son lit, Christianna l'écoutait en pleurant.

— Mon amour, j'ai tant de peine pour ce qui est arrivé. Je n'arrivais pas à y croire, quand je l'ai vu...

La télévision avait montré l'incendie, ainsi que les soldats et les policiers courant en tous sens. A la profonde consternation de Parker, les journalistes n'avaient pratiquement pas fait allusion à Christianna. Tout ce qu'il savait jusqu'à présent, c'était qu'elle était vivante.

— Moi non plus, murmura-t-elle.

Elle essayait de ne pas revoir cet horrible moment où la voiture, transformée en boule de feu, avait tué son père et Freddy.

— J'étais présente, quand c'est arrivé...

— Heureusement que tu n'étais pas dans la voiture avec eux.

C'était ce qu'il avait craint, tout d'abord. A l'instant même où il prononçait ces mots, Christianna se souvint que c'était à elle que Freddy avait d'abord proposé d'aller faire un tour, et qu'elle avait refusé. Le destin en avait décidé ainsi.

— Comment te sens-tu ? reprit Parker. J'aimerais tant être là pour t'aider. Que puis-je faire ? Je me sens si inutile...

— Il n'y a rien que tu puisses faire. Je vais devoir organiser les funérailles. On m'attend, mais je voulais d'abord te parler. Parker, il y a autre chose de terrible...

Il se prépara à apprendre un nouveau malheur. Cependant, il imaginait difficilement qu'il puisse y avoir quelque chose de pire dans l'horreur.

— Il n'y a personne en ligne directe pour la succession. Tous les cousins de mon père sont très âgés... Et ils sont autrichiens... Parker, le Parlement veut modifier les règles de succession, et les députés sont en train de soumettre une nouvelle loi à la maison princière, dit Christianna d'une voix hachée. Ils veulent faire de moi la princesse régnante. Oh, mon Dieu, comment pourrais-je y arriver ? Je n'y connais rien, je ne peux pas assumer cette fonction... et ma vie sera gâchée pour toujours. Il faudra que je dirige le pays jusqu'à ma mort, ou qu'un de mes enfants prenne ma place, un jour...

Elle pleurait si fort qu'elle arrivait à peine à parler, mais Parker comprit tout et fut aussi stupéfait qu'elle l'avait été. Il ne parvenait même pas à imaginer ce que cela représentait.

— Et ils veulent que je porte le titre d'altesse royale, et non plus sérénissime, à cause de ma mère...

— Pour moi, tu as toujours été royale, Cricky, dit-il tendrement pour essayer d'adoucir le choc et de la faire sourire.

Mais il se rendait compte qu'il s'agissait d'une énorme responsabilité. Toutefois, comme les ministres, il était certain qu'elle pouvait l'assumer. Elle en était capable et ferait du bon travail. En revanche, il se faisait beaucoup de souci pour elle. Non seulement elle devait faire face à la douleur d'avoir perdu toute sa famille, mais il lui fallait à présent prendre la tête de son pays. Cela faisait beaucoup.

— Parker... balbutia-t-elle d'une voix étranglée par un sanglot, je ne me marierai jamais.

Elle gémissait comme une enfant, et il souffrait de ne pas pouvoir la prendre dans ses bras.

— Je ne vois pas pourquoi, Cricky. Ton père s'est marié et a eu des enfants ; la reine Elizabeth d'Angleterre aussi. Elle a eu quatre enfants, et je ne pense pas qu'elle était beaucoup plus âgée que toi lorsqu'elle est montée sur le trône. Il n'y a pas de raison que l'un exclue l'autre, argua-t-il en essayant de trouver les mots pour la calmer.

Ce qui le préoccupait davantage, c'était la place que l'avenir lui réservait dans la vie de Christianna. Une fois qu'elle serait devenue altesse royale, on le considérerait comme un parti encore moins souhaitable pour elle. La seule différence, c'est que c'est elle qui établirait les lois. Mais cela changerait-il quelque chose ? Son père aurait eu le pouvoir de l'autoriser à épouser un roturier, mais il avait refusé de l'exercer. Il savait que des souveraines avaient épousé des roturiers, notamment dans les pays scandinaves ; il se souvenait vaguement qu'on leur avait donné des titres et que personne n'avait rien trouvé à redire à ces unions. Toutefois, ces pensées n'étaient pas de circonstance pour le moment. Christianna avait bien d'autres préoccupations.

— La reine Elizabeth avait vingt-cinq ans ! corrigea-t-elle d'un ton si outré qu'il ne put s'empêcher de rire.

— Alors, il te manque un an. Tu veux les faire attendre ? lui demanda-t-il en espérant la distraire de son chagrin.

— Tu ne comprends pas, répondit-elle d'une petite voix accablée. Si la maison princière accepte, l'intronisation aura lieu aujourd'hui même... Je serai princesse régnante ce soir... Comment vais-je y arriver ?

Elle sanglotait de nouveau. Elle avait perdu son père et son frère quelques heures auparavant, et elle se retrouvait brutalement en charge d'un pays.

— Cricky, tu en es tout à fait capable, je le sais. Et puis, songe que c'est toi qui feras les lois.

— Je ne veux pas faire les lois. Je détestais ma vie d'avant, et ça va être pire... et je ne te reverrai jamais.

Elle ne cessait plus de pleurer. Si seulement il avait pu être auprès d'elle, la serrer dans ses bras et la réconforter ! Tant d'épreuves douloureuses l'attendaient dans les jours à venir !

— Cricky, maintenant tu es libre de faire ce que tu veux. Nous pourrons nous voir de nouveau, ne t'inquiète pas à ce sujet. Dès que cela te sera possible, je viendrai. Et si ce n'est pas possible, sache que je t'aime, quoi qu'il arrive.

— Je ne sais pas comment cela va se passer. Je n'ai pas l'habitude du pouvoir et je ne veux pas monter sur le trône.

Mais elle savait qu'elle ne pouvait refuser. Elle le devait à la mémoire de son père et c'était la raison pour laquelle elle avait accédé à la demande du Parlement.

A ce moment-là, Sylvie passa la tête par la porte et tapota sa montre. Elles devaient organiser les funérailles. Christianna était sur le point de craquer. Elle n'avait même pas le temps de pleurer son père et son frère, ni de surmonter le choc qu'elle venait de subir. Dans quelques heures, il lui faudrait prendre la tête d'un pays de trente-trois mille habitants. Cette perspective la terrifiait, et Parker perçut son affolement dans sa voix.

— Cricky, tu dois essayer de te calmer. Je sais l'horreur de tout ce que tu subis. Mais maintenant, tu dois faire tout ton possible pour t'accrocher. Tu n'as pas le choix. Appelle-moi quand tu veux, je serai là. Je t'aime, mon amour. Je suis avec toi. A présent, essaie d'être forte.

— J'essaierai... Je te le promets... Tu crois que j'en suis capable ?

— J'en suis convaincu, assura-t-il d'un ton plein de tendresse.

— Et... si je n'y arrive pas ? demanda-t-elle, la voix tremblante.

— Dans ce cas, tu feras semblant et tu apprendras au fur et à mesure. Personne ne verra la différence. Rappelle-toi que tu es le chef, et qu'il te suffit d'agir comme tel. Pour commencer, tu pourrais peut-être procéder à quelques décapitations... suggéra-t-il dans l'espoir de la divertir.

Mais Christianna était trop bouleversée pour sourire.

— Je t'aime, Parker. Je te remercie d'être là pour moi.

— Je le serai toujours, mon amour. Toujours.

— Je le sais.

Après avoir promis de le rappeler plus tard, Christianna alla retrouver Sylvie dans son bureau. Une montagne de papiers s'amoncelait déjà devant elle. C'était à Christianna de prendre les décisions, et à Sylvie et au personnel de son père de s'occuper du reste.

Christianna devait organiser deux cérémonies officielles, l'une à Vienne, l'autre à Vaduz. Elle se rendit compte alors avec horreur qu'il n'y aurait pas de corps à exposer solennellement. Il n'y aurait que deux cercueils vides. Une messe était prévue à la cathédrale Saint-Etienne de Vienne, le lundi suivant, suivie d'une réception au palais Liechtenstein ; une seconde messe aurait lieu le lendemain en l'église Saint-Florin, à Vaduz, suivie également d'une réception au palais. Les problèmes de sécurité étaient primordiaux, compte tenu de ce qui s'était passé.

Alors qu'elle n'avait pas dormi la nuit précédente, Christianna travailla toute la journée avec Sylvie et le personnel de son père. Il était 18 heures, et elle n'avait pas encore terminé, lorsque la secrétaire lui passa le Premier ministre au téléphone. Il avait refusé de lui révéler le motif de son appel. Christianna le connaissait, mais n'en avait soufflé mot à personne.

— Ils ont donné leur accord, annonça-t-il d'une voix grave.

Christianna sentit son cœur s'arrêter. Quelque part au plus profond d'elle-même, elle avait espéré un refus. A présent, elle devait assumer les conséquences de la décision qu'elle avait prise le matin même.

— Ils vous ont aussi nommée « altesse royale ». Nous sommes très fiers, Votre Altesse. Seriez-vous d'accord pour que la cérémonie se tienne à 20 heures ? J'ai pensé qu'elle pourrait avoir lieu dans la chapelle. Y a-t-il des personnes, autres que vos ministres, dont vous souhaiteriez la présence, Votre Altesse ?

Christianna aurait voulu que Parker soit là, mais ce n'était pas possible. Les seules personnes qui comptaient à ses yeux étaient Sylvie, Sam et Max. Ces deux derniers étaient devenus ses meilleurs amis, et c'était la seule forme de famille qui lui restait. Elle aurait bien demandé à Victoria de venir, mais le délai était trop court.

— Nous ne ferons la communication à la presse que demain matin, pour que vous puissiez avoir une nuit de repos. Cela vous convient-il, Votre Altesse ?

— Tout à fait. Je vous remercie, dit Christianna en s'efforçant de paraître calme.

Elle se rappelait les paroles de Parker, qui lui conseillait de faire semblant pendant quelque temps, affirmant que personne ne s'en apercevrait. En raccrochant, après avoir une nouvelle fois remercié le Premier ministre, elle réalisa que bientôt tout le monde s'adresserait à elle en lui donnant le titre de « Votre Altesse Royale ».

En l'espace d'un instant, à cause de l'explosion d'une voiture, toute sa vie avait basculé. Et il lui était impossible de prendre la mesure de tout ce qui arrivait.

315

La maison princière avait voté à l'unanimité son accession au trône ; il ne lui restait plus qu'à prier pour ne pas les décevoir, et à travailler aussi dur que possible, toute son existence, pour y parvenir. Mais la couronne de son père lui paraissait bien trop lourde à porter.

— Nous devrons être à la chapelle à 20 heures, annonça-t-elle à Sylvie. J'aurai aussi besoin de Sam et de Max.

— Y a-t-il une messe ? demanda sa secrétaire, l'air surpris.

Elle n'avait rien organisé et n'avait prévenu personne. L'expression de Christianna était à la fois triste et lointaine lorsqu'elle lui répondit :

— En quelque sorte. Il n'y aura que les membres du Parlement et nous.

Sans faire de commentaires, Sylvie partit prévenir Sam et Max. Quelques minutes avant 20 heures, Christianna quitta avec eux le bureau de son père, pour se rendre à la chapelle. Elle ne put s'empêcher de penser que vingt-quatre heures auparavant, son père et son frère étaient encore vivants.

Elle avait reçu un coup de téléphone de Victoria dans l'après-midi. Après lui avoir présenté ses condoléances, sa cousine lui avait proposé de venir à Londres une fois les obsèques terminées. Christianna avait alors pris conscience que ce genre d'escapade lui était désormais interdit. A dater de maintenant, ses déplacements ne seraient plus que des visites officielles. Sa vie serait beaucoup plus compliquée qu'auparavant, et plus dangereuse aussi, si l'on songeait à ce qui venait de se passer.

Les membres du Parlement et l'archevêque les attendaient dans la chapelle. Les ministres affichaient un air solennel. L'archevêque annonça qu'il s'agissait d'un événement à la fois triste et heureux. Quand il eut parlé de son père pendant quelques minutes, Sylvie, Sam et Max comprirent de quoi il s'agissait et se mirent tous les trois à pleurer d'émotion. Ils n'auraient jamais imaginé qu'un tel événement fût possible.

Le Premier ministre avait retiré des coffres la couronne de la mère de Christianna, ainsi que l'épée de son père. Quand il eut doucement posé la couronne sur sa tête, Christianna s'agenouilla devant l'archevêque et celui-ci, lui effleurant les épaules du plat de l'épée, récita les formules traditionnelles en latin, et institua Son Altesse Royale Christianna princesse régnante du Liechtenstein. Les larmes ruisselaient sur le visage de la princesse. A part la couronne de sa mère, datant du XIVe siècle et lourdement ornée de diamants, son seul bijou était l'anneau de Parker, qui n'avait jamais quitté son doigt depuis Venise.

Christianna se retourna pour faire face à ses ministres et à ses trois fidèles employés, tandis que l'archevêque les bénissait tous. A travers ses larmes, elle regarda ceux qui étaient ses nouveaux sujets. Elle paraissait jeune et fragile, coiffée de cette lourde couronne et vêtue de la simple robe noire qu'elle portait depuis le matin. Cependant, si elle avait l'air d'une enfant, elle était à présent Son Altesse Royale Christianna, princesse régnante du Liechtenstein.

21

Les funérailles nationales organisées pour son père et pour Freddy furent célébrées en grande pompe dans la cathédrale Saint-Etienne de Vienne. Le cardinal, deux archevêques, quatre évêques et dix prêtres entouraient l'autel. Christianna se tenait au premier rang, séparée de l'assistance par plusieurs gardes armés. L'annonce de son intronisation avait été faite trois jours plus tôt.

La messe dura deux heures et fut chantée par le chœur des petits chanteurs de Vienne qui interpréta, selon la volonté de Christianna, les morceaux préférés de son père. Ce fut une cérémonie déchirante, et Christianna ne cessa de pleurer, seule, sans personne pour la soutenir ou simplement lui tenir la main. Sam et Max, assis un peu plus loin, avaient le cœur serré de la voir ainsi, mais ils ne pouvaient rien faire pour elle. En tant que princesse régnante, elle devait affronter dans la solitude les moments les plus douloureux comme les tâches les plus difficiles. L'existence officielle de Son Altesse Royale Christianna commençait.

Quand le chœur chanta l'Ave Maria, elle ferma les yeux, tandis que sous son voile épais les larmes roulaient sur ses joues. A la fin de la cérémonie, elle descendit lentement la nef centrale de la cathédrale derrière les deux cercueils, en songeant à son père et à Freddy. Les gens murmuraient sur son passage, éblouis par sa beauté et émus par son extrême jeunesse face à tant d'épreuves.

Deux mille invités assistèrent aux funérailles. Des chefs d'Etat et des monarques de toute l'Europe s'étaient déplacés. Ils furent reçus ensuite au palais Liechtenstein. Ce fut le jour le plus long de la vie de Christianna. Victoria était là, mais elle la vit à peine. Sa cousine ne s'était toujours pas remise de sa surprise de la voir monter sur le trône. En vérité, Christianna non plus. Elle était encore sous le choc.

Sa voix trahissait son épuisement lorsqu'elle appela Parker, après le service funèbre. A 21 heures, elle quitta Vienne et arriva à Vaduz peu après 3 heures du matin. Elle avait voyagé en convoi, précédée et suivie par les voitures du service de sécurité. Aucun groupe n'ayant revendiqué l'attentat, toutes les précautions étaient prises pour protéger Christianna. Alors qu'il n'y avait que trois jours qu'elle régnait, elle sentait toute la solitude et le poids de sa fonction, et elle n'ignorait pas que ce serait encore pire plus tard. Elle ne se souvenait que trop bien, à présent, de l'épuisement et du découragement qui s'emparaient quelquefois de son père. Ce sort était désormais le sien.

Assis avec elle dans la voiture, Sam et Max lui demandèrent à plusieurs reprises si elle se sentait bien. Trop épuisée pour parler, Christianna ne put qu'acquiescer en silence.

Elle alla se coucher dès son arrivée à Vaduz. Elle devait se lever à 7 heures le lendemain, la cérémonie étant prévue à 10 heures. Celle-ci fut encore plus émouvante que la précédente, car elle se déroulait dans la ville que son père avait aimée, dans laquelle il était né, et où lui et son fils avaient trouvé la mort. Tandis qu'elle suivait une nouvelle fois les deux cercueils vides, Christianna avait l'impression de porter toute la douleur du monde sur ses épaules. La musique lui parut encore plus poignante que la veille, et elle se sentit d'autant plus seule qu'elle se trouvait sur les lieux de son enfance et que sa famille n'y était plus.

A Vaduz, les obsèques réunirent toute la population, et le palais fut en partie ouvert pour la réception qui suivit. Les impératifs de la sécurité transformaient le château en camp retranché mais, malgré cela, des équipes de télévision du monde entier filmèrent Christianna.

Parker suivit les cérémonies à la télévision. A Boston, il était 4 heures du matin quand il vit Christianna sur CNN. Elle ne lui avait jamais paru plus belle, ni plus majestueuse, que lorsqu'elle descendit la nef principale de l'église, coiffée de son voile. La veille, il avait aussi regardé les funérailles à Vienne. A sa façon, il l'avait accompagnée tout au long des cérémonies. Quand elle l'appela cette nuit-là, très tard, elle semblait totalement épuisée. Il eut beau lui dire combien il pensait à elle, elle fondit en larmes. Cette semaine avait été la plus affreuse de son existence.

— Veux-tu que je vienne, Cricky ? proposa-t-il.

— C'est impossible…

Tous avaient les yeux fixés sur elle, et tous les deux savaient qu'elle serait très surveillée pendant longtemps. Elle devait diriger son pays de manière responsable, en évitant toute source de scandale. Sa vie appartenait désormais à son peuple. Elle avait juré de respecter la devise de sa famille – Honneur, Courage et Compassion – comme son père avant elle, et comme tous ceux qui les avaient précédés et dont elle devait suivre les traces. Elle n'avait donc absolument aucune idée de la date à laquelle elle pourrait revoir Parker. Il n'y aurait plus ces week-ends volés, à Paris ou à Venise, au cours desquels elle pouvait disparaître quelques jours. Elle était condamnée à assumer ses responsabilités, jusqu'à la fin de sa vie.

Son existence de souveraine commença le lendemain des funérailles. Elle était en grand deuil, mais on ne lui laissa guère le temps de pleurer les siens, entre les conseils des ministres, les visites des chefs d'Etat venus lui présenter leurs condoléances, les réunions économiques et les rendez-vous avec les grandes banques de Genève. Au bout de quatre semaines, elle avait l'impression de se noyer, mais le Premier ministre lui assura qu'elle s'en sortait très bien. Selon lui, son père ne s'était pas trompé : Christianna était « l'homme de la situation ».

Elle annula les vacances à Gstaad, car il n'y aurait pas de Noël pour elle cette année. D'une part, parce qu'elle n'avait pas le cœur à le fêter ; d'autre part, parce qu'il avait été décidé que les réjouissances officielles seraient suspendues pendant six mois, par respect pour la mémoire de son père. Quand elle devait recevoir des personnalités, Christianna les invitait à un simple déjeuner.

Elle rencontra les membres de la fondation et dîna souvent en tête à tête avec le Premier ministre, qui lui apprenait tout ce qu'elle devait savoir sur ses nouvelles responsabilités. Christianna l'écoutait et retenait tout ce qu'il lui transmettait. Avec son père, elle avait souvent discuté des décisions qu'il prenait et des méandres de la vie politique ; ces sujets ne lui étaient donc pas inconnus. Mais à présent, c'était elle qui exerçait la fonction de chef d'Etat, et c'était à elle que revenaient les décisions.

Sylvie restait avec elle jour et nuit. Max et Sam ne la quittaient pas d'une semelle. Le lourd dispositif de sécurité n'avait pas encore été levé. Quand Victoria téléphona pour lui annoncer qu'elle allait venir la distraire, Christianna lui répondit sans ambages que c'était impossible. Elle n'avait plus le droit de s'amuser et devait désormais se consacrer à des tâches sérieuses. Elle commençait sa journée à 7 heures dans l'ancien bureau de son père et travaillait jusque tard dans la nuit, comme lui-même l'avait fait.

La seule chose qui avait changé, c'est que Parker pouvait maintenant l'appeler. Mais il était exclu qu'elle le rencontre, même pour une simple visite amicale. Etant souveraine, elle devait veiller à ce qu'aucun souffle de scandale ne vienne l'effleurer. Comme elle le lui expliqua, il ne pouvait pas venir la voir avant au moins six mois, même pour un dîner informel entre deux vieux amis ayant travaillé ensemble en Afrique.

Parker ne la harcelait pas, au contraire. Il était son soutien le plus constant. Elle l'appelait chaque soir, lorsqu'elle avait fini de travailler, et il était quelquefois minuit. Heureusement, pour Parker, il n'était que 18 heures. Il parvenait à la faire rire et était devenu, en plus de l'homme qu'elle aimait, son meilleur ami.

Christianna fascinait la presse et elle était photographiée dès qu'elle quittait le palais, ce qu'elle trouvait pénible tout en sachant que c'était inévitable. Dans sa vie, tout avait changé, à l'exception de son fidèle compagnon à quatre pattes. Charles faisait à présent partie des meubles du bureau, et le personnel parlait de lui en plaisantant comme du chien royal. Il se montrait toujours aussi exubérant, espiègle – et quelquefois mal élevé – qu'auparavant. C'était sa maîtresse qui avait changé. Elle ne pensait plus à autre chose qu'à incarner son pays aux yeux du monde. Christianna comprenait de mieux en mieux le sens du devoir tel que le concevait son père et, au fil des jours, elle pensait à lui avec une tendresse et un respect toujours accrus.

Dans les semaines qui suivirent la mort de Freddy et de Hans Josef, quand les affaires de l'Etat ne requéraient pas tout son temps, elle dut se livrer à la pénible tâche de mettre leurs affaires en ordre. On vendit discrètement les voitures de son frère, et les effets personnels de son père furent rangés. Christianna détestait passer devant son appartement vide et se sentait toujours une intruse dans son bureau, mais elle était profondément reconnaissante au personnel de son père de son soutien indéfectible

Deux jours avant Noël, quand elle téléphona à Parker, il eut l'impression qu'elle n'avait jamais été aussi fatiguée.

— Tu ne vas pas faire quelque chose pour Noël, mon amour ? Tu ne peux pas rester toute seule comme ça !

Il était profondément attristé d'entendre la solitude et l'épuisement qui transparaissaient dans la voix de Christianna. Elle était devenue la princesse solitaire du palais de Vaduz. Sa famille disparue, elle n'avait personne avec qui passer les fêtes, et sa seule sortie serait la messe de minuit. Sinon, elle comptait travailler, même le jour de Noël. Elle avait tellement à apprendre, tellement à faire, tellement à comprendre. Selon Parker, elle exigeait trop d'elle-même, mais il ne pouvait absolument rien faire pour l'aider, à part lui parler tous les soirs. Leur séjour à Venise semblait remonter à des années-lumière, et le seul souvenir qui en subsistait était le mince anneau orné d'émeraudes qu'elle portait toujours.

Parker prévoyait de passer les fêtes avec son frère, à New York. Ses recherches l'accaparaient trop pour qu'il puisse aller en Californie voir son père. La veille de Noël, Christianna n'eut pas le temps de l'appeler, et elle se promit de le faire après la messe de minuit.

Elle dîna seule, avec le chien à ses pieds. En songeant aux moments heureux, lorsque son père et son frère étaient là, son cœur se serra. Jamais elle n'avait éprouvé un tel sentiment de solitude.

Max et Sam, devenus ses gardes du corps attitrés, l'accompagnèrent à Saint-Florin. La nuit était glaciale. Le sol couvert de neige. Quand Christianna descendit de voiture et marcha jusqu'à l'église, l'air vif la saisit malgré l'épais manteau noir dont elle était enveloppée. Sous sa capuche relevée, on distinguait à peine son visage. Elle alla s'asseoir au milieu de l'église, sans se faire remarquer.

La messe fut magnifique. Quand le chœur entonna *Douce Nuit* en allemand, des larmes roulèrent lentement sur ses joues. Les siens lui manquaient cruellement et ces dernières semaines avaient été infiniment douloureuses. Même Parker n'était plus qu'une voix désincarnée au bout du fil ; son souvenir lui paraissait lointain, son existence irréelle. Il était toujours l'homme qu'elle aimait, mais elle ignorait quand ils se reverraient. La nuit, étendue dans son lit, elle rêvait toujours de ses caresses.

Au moment de la communion, elle suivit à pas lents les habitants de Vaduz, qui étaient à présent ses sujets. Malgré sa tristesse, elle leur sourit, comme pour les remercier de la foi qu'ils avaient en elle. Tous lui avaient témoigné beaucoup de gentillesse depuis la mort de son père et elle s'employait de toutes ses forces à gagner leur confiance. Honneur, Courage, Compassion... Christianna avait fini par comprendre la pleine signification de ces mots.

Elle était presque parvenue à l'autel, lorsqu'un homme, assis sur un banc juste devant elle, se leva et pivota. Quand elle vit son visage, elle s'arrêta net, n'en croyant pas ses yeux. Que faisait-il ici ? Il lui avait dit qu'il fêterait Noël à New York, et pourtant il était là et lui souriait. Très doucement, il lui prit la main et posa quelque chose dans sa paume. Comme elle ne voulait pas attirer l'attention sur eux, Christianna continua d'avancer, la tête basse, un sourire heureux sur les lèvres. Parker !

Les doigts refermés sur le minuscule paquet qu'il lui avait glissé dans la main, elle reçut la communion. Elle s'aperçut alors que Max tout comme Sam l'observaient en souriant. Tous les deux avaient remarqué Parker. Revenue à sa place, elle baissa la tête et pria pour son père, pour son frère, pour les gens auxquels elle devait tant et, enfin, pour Parker. Quand elle se redressa et que ses yeux se posèrent sur sa nuque, elle le fixa avec un désir et un amour immenses.

A la fin de la messe, elle attendit pour sortir qu'il atteigne son banc et s'arrête pour la laisser passer. Elle le regarda bien en face et le remercia, tandis que les gens autour d'elle souriaient. Parker la suivit ensuite jusqu'au parvis, où elle serra de nombreuses mains. Il se tenait parmi les fidèles, et elle le dévisagea avec un amour non dissimulé lorsqu'il s'approcha d'elle.

— Je suis juste venu te souhaiter un joyeux Noël, lui dit-il en souriant. Je ne supportais pas l'idée que tu sois toute seule.

— Je ne comprends pas...

— Je suis descendu dans un hôtel à Zurich, et je repars demain matin, pour passer Noël avec mon frère et ses enfants.

— Mais... quand es-tu arrivé ?

Etait-il là depuis quelques jours ? La veille encore, elle lui avait pourtant parlé à Boston.

— Ce soir. Je suis venu juste pour la messe de minuit.

Christianna fut profondément touchée par son geste. Il avait fait le voyage jusqu'en Europe simplement pour qu'elle ne se sente pas seule ! Elle aurait voulu lui dire qu'elle l'aimait, mais c'était impossible avec la foule qui les entourait. Max et Sam vinrent saluer Parker, et il fut alors évident que tous les quatre étaient de vieux amis. Christianna avait glissé le petit paquet dans sa poche et elle regrettait de n'avoir rien à donner à Parker en échange, excepté son amour.

— Je ne peux pas t'emmener au palais, chuchota-t-elle.

Il rit, puis chuchota à son tour :

— Je le sais. Je viendrai une autre fois. Dans cinq ou six mois... Je voulais juste te donner ça, ajouta-t-il en pointant le doigt vers sa poche.

Comme ils s'éloignaient ensemble de l'église, encadrés par Sam et par Max, elle prit la main de Parker dans la sienne et la serra avec force. Mais de nombreuses personnes voulaient la voir et la saluer. Elle leur souhaita à tous un joyeux Noël, avant de se tourner vers Parker, le cœur douloureux.

— Comment pourrais-je te remercier ?

— Nous en reparlerons. Je t'appellerai de l'hôtel.

Il s'inclina alors devant elle, à la manière de ses sujets, lui sourit, se dirigea vers la voiture qu'il avait louée, la regarda une dernière fois et partit. Elle avait l'impression d'avoir eu une vision. Jamais on ne lui avait fait une telle surprise ! Une fois installée dans sa voiture avec Sam et Max, elle plongea la main dans sa poche pour toucher le petit paquet. Elle ne pouvait pas deviner son contenu, mais il paraissait enveloppé de coton. Parker s'était merveilleusement débrouillé : personne n'avait rien remarqué. Comme toujours, il avait été là quand elle avait eu besoin de lui, puis il était parti sans rien lui demander, mais en lui ayant énormément donné.

Elle attendit d'être seule dans sa chambre pour ouvrir son cadeau, en regrettant une fois de plus de n'avoir rien eu à lui offrir en retour. Elle défit le papier avec précaution et écarta doucement le coton. Quand elle la vit, elle resta bouche bée. C'était une bague, ornée d'un petit diamant serti dans une monture ancienne, et elle sut immédiatement ce que cela signifiait. Mais comment pouvait-elle accepter ? Si son père n'était plus là pour les séparer, elle était à présent responsable d'un pays et de ses habitants. Ce n'était pas plus envisageable que trois mois auparavant, au contraire.

Cependant, il existait tout de même une différence puisqu'à présent elle était princesse régnante, ce qui lui permettait d'établir les règles et l'autorisait à proposer des lois. De fait, elle pouvait en proposer une qui lui permettrait d'épouser un roturier et la soumettre à l'approbation de la maison princière. Si ses membres acceptaient sa requête, ils octroieraient vraisemblablement un titre à Parker. Mais c'était beaucoup leur demander et elle devait rester prudente.

Assise sur son lit, Christianna contempla longuement la bague lovée au creux de sa main puis, avec l'impression d'être redevenue une toute jeune fille, elle la glissa à son doigt. L'anneau lui allait à la perfection, comme s'il avait été fait pour elle. Le petit diamant était très beau et déjà beaucoup plus précieux, à ses yeux, que sa couronne.

Elle le regardait toujours avec émerveillement quand Parker, de retour à son hôtel, téléphona.

— Comment peux-tu avoir fait une chose pareille ? lui demanda-t-elle, ravie.

— J'aurais bien aimé te la passer moi-même au doigt, dit-il d'une voix pleine d'amour. Est-ce qu'elle te va ?

— A la perfection.

Parker prit alors une profonde inspiration, avant de lui poser la question suivante :

— Alors, Votre Altesse Royale, qu'en pensez-vous ?

Tout en sachant très bien à quoi il faisait allusion, Christianna ne savait que lui dire. La réponse à cette question ne lui appartenait pas.

— J'en pense que tu es l'homme le plus merveilleux que je connaisse et que je t'aime de tout mon cœur...

— Eh bien ? demanda-t-il nerveusement. Est-ce oui ou non ?

— C'est à la maison princière et au Parlement d'en décider. Et, par respect pour la mémoire de mon père, je ne crois pas pouvoir le leur demander avant plusieurs mois.

— Je peux attendre, Cricky, dit-il rassuré.

Ils attendaient depuis qu'il avait quitté l'Afrique, fin juillet. Il n'y avait que cinq mois, mais cela leur semblait une éternité.

— Je pourrais peut-être annoncer nos fiançailles dans six mois, avança Christianna avec prudence. Mais nous ne pourrions pas nous marier avant la fin de l'année.

— A Noël prochain, peut-être, dit Parker d'une voix pleine d'espoir. Quelle sera la réaction de la maison princière, à ton avis ?

— Je pourrais leur demander de te donner un titre de comte, afin de faciliter les choses. Pour être honnête, j'ignore ce qu'ils en penseront. Et pour ton travail, que se passerait-il ? demanda-t-elle, soudain inquiète.

Elle ne pouvait pas lui demander de tout abandonner pour elle. Ce ne serait pas juste.

Mais Parker y réfléchissait depuis des mois et sa détermination s'était encore renforcée. Il était sûr de lui.

— D'ici là, mon projet sera terminé. Et je pourrais travailler ici, car il y a, à Zurich, une clinique de pointe spécialisée dans la recherche sur le sida.

— Je ne sais pas ce qu'ils en penseront, répéta-t-elle. Je peux le leur demander. Mais s'ils disaient non...

A cette pensée, les larmes lui montèrent aux yeux. Elle ne pouvait pas le perdre maintenant ; mais il lui semblait tout aussi impossible d'abandonner le peuple auquel elle avait promis de vouer son existence.

— Quand pars-tu ? lui demanda-t-elle brusquement.

Elle mourait d'envie de le voir, mais c'était totalement inenvisageable. Il ne pourrait pas revenir avant des mois. Et, le cas échéant, il faudrait que ce soit dans les règles, car il était à présent exclu qu'elle disparaisse, même un week-end. Tout se ferait au grand jour, il serait accueilli au palais et lui ferait une cour en bonne et due forme. Elle devait agir avec honneur et courage, en pensant aux autres avant de penser à elle-même, quitte à perdre beaucoup, y compris l'homme qu'elle amait.

— Mon avion part à 10 heures, demain matin. Je dois me présenter à l'enregistrement à 8 heures, et je quitterai donc l'hôtel vers 7 heures.

— J'ai quelques coups de fil à passer. Je t'aime, Parker. Je te donnerai ma réponse avant que tu partes. Mais sache que je t'aime et que je t'aimerai toujours.

— La bague était celle de ma grand-mère, précisa-t-il.

Son père la lui avait donnée à Thanksgiving. Mais ce n'était pas la bague que Cricky voulait, c'était lui.

— Je l'aime beaucoup, assura-t-elle, mais je t'aime encore plus.

Christianna passa ensuite un unique coup de fil, mais son correspondant était sorti. Allongée sur son lit, elle pensa toute la nuit à Parker. Et il en alla de même pour lui. Le lendemain matin, sans nouvelle d'elle, c'est le cœur lourd qu'il prit la direction de l'aéroport.

Le Premier ministre rappela Christianna à 8 heures. Après lui avoir fait jurer le secret, elle lui posa les questions cruciales qu'elle avait préparées. Il lui répondit que cela s'était déjà produit dans d'autres pays et qu'il ne voyait pas pourquoi ce serait impossible dans le leur, si Christianna jugeait la chose convenable. En réalité, elle avait le droit de passer outre à l'avis de la maison princière comme à celui du Parlement.

— Je juge la chose plus que convenable ! s'écria-t-elle avec une joie qu'elle n'avait pas ressentie depuis des mois.

Elle n'aurait pas voulu l'avouer au Premier ministre, mais la cérémonie de son intronisation n'avait pas compté autant pour elle.

— Il faudra vous montrer discrets pendant les cinq ou six mois à venir. Ensuite, les gens s'habitueront progressivement à cette idée. Quant à moi, je ferai ce que je pourrai pour vous aider, promit-il.

Chistianna avait l'impression d'entendre un oncle bienveillant plutôt qu'un Premier ministre. Elle lui souhaita un joyeux Noël, puis raccrocha. Sa montre affichait 8 h 15. Parker ne l'avait pas appelée, ce qui était normal puisqu'elle avait dit qu'elle le ferait. Elle contacta alors le service de sécurité pour qu'on lui envoie Max, tout en précisant qu'il n'y avait rien de grave. Quand il se présenta devant sa porte, cinq minutes plus tard, elle avait griffonné quelques mots sur un bout de papier.

— Combien de temps faut-il pour aller à Zurich ? A l'aéroport, précisa-t-elle en lui tendant une enveloppe dans laquelle elle avait glissé la feuille de papier.

— Une heure, peut-être un peu plus. C'est urgent ?

La question était purement rhétorique car, à son regard, il avait compris que c'était important. Il sourit, sachant pertinemment vers qui elle l'envoyait.

— C'est très urgent. C'est pour Parker. Son avion décolle à 10 heures pour New York.

— Bien, Votre Altesse Royale. Je le trouverai.

— Merci, Max, dit-elle en se rappelant avec nostalgie l'époque où Sam et lui l'appelaient Cricky, à Senafe.

Ces jours s'étaient enfuis à jamais, comme tant d'autres choses dans sa vie. Mais d'autres avaient pris leur place, et ce n'était pas fini. Elle espérait que Max arriverait à temps ; sinon, elle appellerait Parker à New York. Mais elle souhaitait qu'il ait la réponse avant de partir. Elle lui devait bien cela, après tout ce qu'il avait fait pour elle.

Max emprunta l'une des voitures du service de sécurité et fonça vers l'aéroport. Dès qu'il eut repéré la porte d'embarquement sur le tableau d'affichage, il s'y rendit pour attendre Parker. Cinq minutes plus tard, il le vit arriver, l'air fatigué. Il semblait perdu dans ses pensées et il sursauta en voyant Max. Celui-ci lui souhaita un joyeux Noël avec un grand sourire, puis lui tendit l'enveloppe que Christianna lui avait remise. C'était une petite enveloppe blanche, sur laquelle figurait son initiale surmontée d'une couronne. Les mains de Parker tremblaient quand il l'ouvrit, mais un sourire s'épanouit lentement sur son visage quand il prit connaissance de son message : « Oui. Je t'aime, C. »

Après avoir replié la feuille de papier, il la glissa dans sa poche puis, souriant jusqu'aux oreilles, il donna une tape amicale à Max.

— Je pourrais lui parler ? demanda-t-il, alors qu'on appelait les passagers de son vol.

Il riait en lui-même. Il l'avait demandée en mariage, elle avait accepté, et ils ne s'étaient même pas embrassés ! Et il ne lui avait pas glissé la bague au doigt, mais avait parcouru des milliers de kilomètres pour la lui donner, et la voir quelques minutes lors de la messe de Noël ! Mais ils étaient fiancés. Sans doute les choses se passaient-elles différemment avec une princesse...

Max appela le service de sécurité du palais sur son portable, et lui demanda de le mettre en contact avec Son Altesse Royale. Au moment où il prononçait ces mots, il sourit à Parker. Tous les deux se souvenaient de l'époque où, pour eux comme pour les autres à Senafe, elle n'était que Cricky. Deux minutes plus tard, il tendit le téléphone à Parker.

— Tu as eu mon petit mot ? lui demanda-t-elle avec une joie mêlée d'appréhension.

— Oui, répondit-il avec un immense sourire. Que s'est-il passé ?

— J'ai appelé le Premier ministre et, selon lui, rien ne s'y opposerait. Comme il l'a souligné, ça s'est fait dans d'autres pays, alors pourquoi pas dans le nôtre ? Nous nous modernisons à grands pas, ces derniers temps... Pour dire la vérité, je pourrais de toute manière imposer mon choix. En tout cas, nous avons le soutien inconditionnel du Premier ministre.

Cela leur faciliterait les choses. Quant à la promesse de son père à sa mère, Christianna ne jugeait plus indispensable de l'honorer. Elle sourit en regardant sa bague. Elle n'avait jamais rien vu de plus beau. Elle la portait au même doigt que l'anneau d'émeraudes.

— Cela signifie-t-il que nous sommes fiancés ? chuchota Parker en se détournant pour que Max ne l'entende pas.

— Oui. Enfin ! s'exclama-t-elle d'un ton victorieux.

Ils avaient souffert et montré beaucoup de patience pour y arriver. Le destin s'en était mêlé – de manière cruelle – mais, finalement, le bonheur leur souriait.

— Le Premier ministre nous conseille de ne rien dire pendant six mois et je suis d'accord avec lui, car je ne voudrais pas manquer de respect envers mon père et Freddy.

— Cela ne me pose pas de problème, assura Parker, qui n'avait jamais été aussi heureux.

On appelait les passagers de son vol pour la dernière fois, et Max lui tapota l'épaule.

— Cricky, il faut que je me dépêche, je vais rater mon avion. Je t'appellerai de New York.

— Je t'aime... Merci pour la bague... Merci d'être venu... Merci d'être toi, enchaîna-t-elle à toute vitesse avant qu'il ne raccroche.

— Je vous remercie, Votre Altesse Royale, dit-il avant de refermer le portable, qu'il rendit à Max avec un sourire.

— Bon voyage, lui dit Max en lui serrant la main. Allons-nous revoir Monsieur bientôt ? ajouta-t-il d'un air narquois.

— D'abord, ne m'appelle pas « Monsieur »... Et, oui, tu me reverras... En juin, et ensuite souvent... Joyeux Noël ! lui cria-t-il avec un signe de la main, tout en courant vers l'avion.

Il fut le dernier à monter et on referma la porte dès qu'il fut à bord. Une fois assis à sa place, il sourit, les yeux dans le vague, en songeant combien Christianna était belle quand il l'avait vue la veille, dans l'église. Tandis que l'avion décrivait un cercle au-dessus de l'aéroport avant de se diriger vers New York, Parker revit tout ce qui s'était passé ces dernières heures. Quelques minutes plus tard, alors qu'ils survolaient Vaduz, le pilote indiqua le château en précisant qu'une vraie princesse y vivait. Parker sourit. Il ne parvenait toujours pas à le croire, et avait encore l'impression de vivre un conte de fées. En Afrique, il était tombé amoureux d'une fille coiffée d'une natte et chaussée de grosses chaussures, qui s'était révélée être une princesse vivant dans un château. Et cette princesse était désormais à lui, et le serait pour toujours. L'histoire se terminait comme dans les contes de fées. « Ils vécurent heureux et eurent beaucoup d'enfants... » songea-t-il avec un sourire radieux.

Dans son château, la princesse souriait, elle aussi.

Vous avez aimé ce livre ?
Vous souhaitez en savoir plus sur Danielle STEEL ?
Devenez, gratuitement et sans engagement, membre du
CLUB DES AMIS DE DANIELLE STEEL
et recevez une photo en couleurs dédicacée.

Il vous suffit de renvoyer ce bon accompagné d'une
enveloppe timbrée à vos nom et adresse, au *CLUB DES
AMIS DE DANIELLE STEEL – 12, avenue d'Italie –*
75627 PARIS CEDEX 13 ou de vous inscrire sur le site
www.danielle-steel.fr

CLUB DES AMIS DE DANIELLE STEEL
12, avenue d'Italie – 75627 Paris Cedex 13

Monsieur – Madame – Mademoiselle

NOM :
PRENOM :
ADRESSE :

CODE POSTAL :
VILLE :
Pays :

E-mail :
Téléphone :
Age :
Profession :

La liste de tous les romans de Danielle Steel publiés
aux Presses de la Cité se trouve au début de cet ouvrage.
Si un ou plusieurs titres vous manquent, commandez-les
à votre libraire. Au cas où celui-ci ne pourrait obtenir le
ou les livres que vous désirez, si vous résidez en France
métropolitaine, écrivez-nous pour le ou les acquérir par
l'intermédiaire du Club.

Achevé d'imprimer au Canada en janvier 2008
sur les presses de Quebecor World Saint-Romuald